#수능공략
#단기간 학습

수능전략
영어 영역

Chunjae
Makes
Chunjae

▼

[수능전략] 영어 영역 독해 300

편집개발	정혜숙, 김미혜, 고명희, 최미래, 권새봄
디자인총괄	김희정
표지디자인	윤순미, 심지영
내지디자인	박희춘, 안정승
제작	황성진, 조규영

발행일	2022년 2월 15일 초판 2022년 2월 15일 1쇄
발행인	(주)천재교육
주소	서울시 금천구 가산로9길 54
신고번호	제2001-000018호
고객센터	1577-0902
교재 내용문의	(02)3282-8871

수능전략

영·어·영·역

독해 300

수능에 꼭 나오는

필수 유형 ZIP 1

차례 ①권

수능에 꼭 나오는
필수 유형 ZIP

01 장문 독해란?

대표 유형

다음 글을 읽고, 물음에 답하시오. 학평 기출

Many animals are born genetically preprogrammed, or "hardwired" for certain instincts and behaviors. Genes guide the construction of their bodies and brains in specific ways that (a) define what they will be and how they'll behave. A fly's reflex to escape in the presence of a passing shadow; a robin's preprogrammed instinct to fly south in the winter; a bear's desire to hibernate; a dog's drive to protect its master: these are all examples of instincts and behaviors that are hardwired. Hardwiring (b) allows these creatures to move as their parents do from birth, and in some cases to eat for themselves and survive independently.

In humans the situation is somewhat different. The human brain comes into the world with some amount of genetic hardwiring (for example, for breathing, crying, suckling, caring about faces, and having the ability to learn the details of their native language). But compared to the rest of the animal kingdom, human brains are unusually (c) complete at birth. The detailed wiring diagram of the human brain is not preprogrammed; instead, genes give very (d) general directions for the blueprints of neural networks, and world experience fine-tunes the rest of the wiring, allowing it to adapt to the local details. The human brain's ability to (e) shape itself to the world into which it's born has allowed our species to take over every ecosystem on the planet and begin our move into the solar system.

01 이 글의 제목으로 가장 적절한 것은?

① Instincts: Genes Decide Them All
② The Birth and Challenges of Brain Science
③ Hardwired Animals vs. Adaptable Humans
④ How Animals and Humans Interact to Survive
⑤ What Living Things Learn from World Experience

02 밑줄 친 (a)~(e) 중에서 문맥상 낱말의 쓰임이 적절하지 않은 것은?

① (a) ② (b) ③ (c) ④ (d) ⑤ (e)

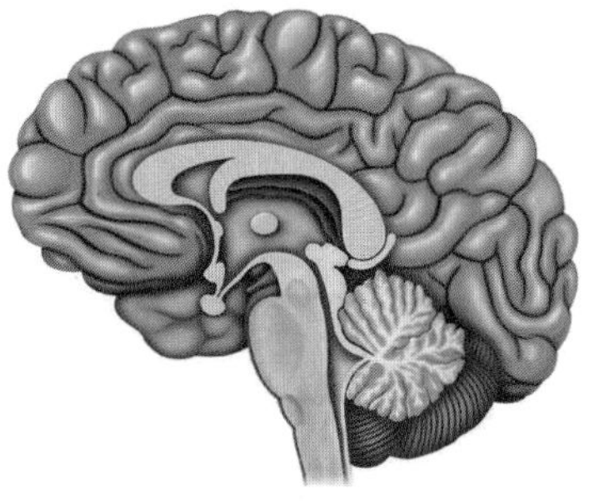

ⓒ ilusmedica / shutterstock

01 장문 독해란?

해석

많은 동물은 특정한 본능과 행동이 유전적으로 미리 정해져서, 즉 '타고난 채로' 태어난다. 유전자는 그 동물이 무엇이 될지와 어떻게 행동할지를 (a)규정하는 특정한 방식으로 그들의 몸과 뇌의 구성을 이끈다. 그림자가 지나갈 때 벗어나려는 파리의 반사적인 반응, 겨울에 남쪽으로 날아가려는 울새의 미리 정해진 본능, 동면하고자 하는 곰의 욕구, 주인을 보호하려는 개의 욕구, 이런 것들이 모두 타고난 본능과 행동의 사례들이다. 타고남은 이런 동물이 그들이 태어날 때부터 그들의 부모가 움직이는 것과 같이 움직이고, 일부 경우에는 스스로 먹고 독립적으로 생존하는 것을 (b)가능하게 한다.
인간의 경우 상황은 다소 다르다. 인간의 뇌는 (예를 들어 호흡하기, 울기, 젖 빨기, 얼굴에 대해 신경 쓰기, 모국어의 세부 사항을 배우는 능력을 갖는 것에 대해) 어느 정도의 유전적 타고남을 가지고 세상에 나온다. 하지만 동물계의 나머지와 비교해 볼 때, 인간의 뇌는 특이하게도 태어날 때는 (c)완전(→ 불완전)하다. 인간의 뇌의 상세한 배선도는 미리 정해지지 않는다. 대신에 유전자들은 신경 회로망의 청사진에 대해 매우 (d)대략적인 방향을 제시하고, 세상에서의 경험이 나머지 배선을 미세하게 조정하여, 그것이 속한 환경의 세부 사항에 적응하는 것을 가능하게 한다. 자신이 태어난 세상에 맞춰 자신을 (e)형성해 가는 인간 뇌의 능력은 인간이 지구상의 모든 생태계를 점령하고 태양계로 나아가기 시작하는 것을 가능하게 했다.

유형 핵심

❶ 장문 독해는 곧 긴 글을 읽고 이해하는 것이다.

❷ 긴 글을 잘 이해하려면 글의 주제를 정확하게 파악하고, 이를 [❶]으로 글을 읽어나가야 한다.

❸ 긴 글에 담긴 많은 정보를 [❷]와 연관시켜 이해할 수 있어야 한다.

답 ❶ 중심 ❷ 주제

유형 전략

• '유전자에 의해 모든 것이 구성되는 동물의 뇌와 달리 인간의 뇌는 태어날 때에는 불완전하며, 환경에 맞게 적응하여 형성된다'는 것이 이 글의 주제이다. 긴 글을 읽을 때에는 주제를 파악한 뒤, 이를 중심으로 글을 이해해야 한다.

정답 전략

01 이 글은 동물과 인간을 비교하여, 동물은 유전적으로 모든 것이 결정된 채 태어나지만, 인간은 유전자가 대략적인 방향을 제시할 뿐, 태어난 때에는 불완전했던 뇌가 이후 주변 환경에 맞게 적응하며 형성된다고 했다. 따라서 글의 제목으로는 ③ '타고나는 동물 대(對) 적응할 수 있는 인간'이 가장 적절하다.

① 본능: 유전자가 그것들을 모두 결정한다 ② 뇌과학의 탄생과 도전과제들 ④ 동물과 인간이 생존을 위해 어떻게 상호작용하는가 ⑤ 생물이 세상의 경험으로부터 배우는 것

02 ③ 바로 뒤에서 인간의 뇌는 상세한 배선도가 미리 정해지지 않았다고 했으며, 이 글의 중심 내용 역시 유전적으로 모든 것이 결정된 채 태어나는 동물과 그렇지 않은 인간의 차이를 설명하는 것이므로 인간의 뇌가 태어날 때부터 완전하다(complete)고 하는 것은 어색하다. 따라서 '불완전한'이라는 의미의 incomplete로 바꾸는 것이 적절하다.

장문 독해 지문으로는 대개 글쓴이의 주장이 뚜렷하게 드러나는 글이 출제되어서 주제를 찾기 쉬워.

Words

• genetically 유전적으로 • preprogram 사전에 프로그램을 만들다 • hardwired 타고나는, 내장된
• instinct 본능 • gene 유전자 • construction 건설, 구조물 • reflex 반사적인 반응
• hibernate 동면하다, 겨울잠을 자다 • genetic 유전의 • diagram 도표 • blueprint 청사진, 계획
• neural network 신경망 • fine-tune 미세하게 조정하다 • wiring 배선
• interact 소통하다, 상호작용하다

02 장문 독해 지문 읽기

대표 유형 **다음 글을 읽고, 물음에 답하시오.** 학평 기출

In the seventeenth and eighteenth centuries clockmaking was a vital European technology, and London was at its cutting edge. As a maritime nation, the British were concerned with one problem in particular: they could make clocks that kept very good time as long as they stayed perfectly still but not when they were shaken about, and particularly not on board a rolling ship. If you wanted to sail, it was impossible to keep a precise record of time. And at sea, if you can't tell the time, you don't know how far east or west you are. It is relatively easy to calculate latitude — your distance north or south of the equator — by measuring the height of the Sun above the horizon at noon; but this won't let you calculate longitude — your position east or west.

The problem of ______________ at sea was finally cracked in the middle of the eighteenth century by John Harrison, who invented a clock — a marine chronometer — which could go on precisely telling the time in spite of the constant movement of a ship, thus making it possible for the first time for ships anywhere to establish their longitude. Before a ship set sail, its chronometer would be set to the local time in harbour — for the British this was usually Greenwich. Once at sea, you could then compare the time at Greenwich with the time of noon on board ship, which you fixed by the Sun; the difference between the two times gave you your longitude. There are twenty-four hours in the day so, as the Earth rotates, every hour the Sun apparently 'moves' across the sky one twenty-fourth of a complete circle of the globe — that is, 15 degrees. If you are three hours behind the time in Greenwich, you are 45 degrees west — in the middle of the Atlantic.

*chronometer (천문 · 항해용) 정밀 시계

01 이 글의 제목으로 가장 적절한 것은?

① Clocks: The Best Invention for Modern City Life
② Effects of Perceived Time on Work Performance
③ Tips on Dealing with Big Waves and Crew Fatigue
④ Why Should Sailors Determine Longitude and Latitude?
⑤ A Portable Time Standard: Advance in Marine Navigation

02 이 글의 빈칸에 들어갈 말로 가장 적절한 것은?

① sailors' safety
② accurate timekeeping
③ calculating latitude
④ remote communication
⑤ weather forecasting

ⓒ Getty Images Bank

02 장문 독해 지문 읽기

해석

17세기와 18세기에 시계 제작은 필수적인 유럽의 기술이었고, 런던은 그것의 최첨단에 있었다. 해양국가로서, 영국 사람들은 특히 한 문제에 관심을 두고 있었다. 그들은 완벽하게 정지된 상태로 머무는 동안은 시간이 잘 맞지만, 흔들리고 특히 움직이는 배 위에 있을 때에는 그렇지 않은 시계를 만들 수 있었다. 만일 여러분이 항해하고 싶다면, 정확한 시간을 기록하는 것이 불가능했다. 그리고 바다에서, 만일 여러분이 시각을 알 수 없다면, 여러분은 얼마나 동쪽으로 멀리, 혹은 서쪽으로 멀리 있는지를 알지 못한다. 정오에 수평선 위의 태양의 높이를 측정함으로써, 적도에서 북쪽 혹은 남쪽으로 여러분이 있는 곳까지의 거리인 위도를 계산하는 것은 상대적으로 쉽다. 하지만 이것은 동쪽 혹은 서쪽으로의 여러분의 위치인 경도를 계산하도록 해주지는 않을 것이다.

바다에서 정확한 시간 측정의 문제는 18세기 중반에 John Harrison에 의해서 드디어 해결되었는데, 그는 배의 끊임없는 움직임에도 불구하고 계속해서 정확하게 시각을 알려줄 수 있는 항해용 정밀 시계를 발명하였고, 그럼으로써 최초로 어떤 곳에 있는 배도 자신의 경도를 확인하는 것을 가능하게 만들어주었다. 배 한 척이 항해에 나서기 전에, 그 배의 정밀 시계는 항구의 현지 시각에 맞춰지곤 했다. 영국 사람들에게 이것은 보통 Greenwich이었다. 일단 바다에 나가면, 여러분은 Greenwich에서의 시각과 여러분이 탑승한 배에서 태양에 맞춘 정오 시각을 비교할 수 있게 되는데, 즉, 그 두 시각의 차이가 여러분에게 여러분의 경도를 알려준 것이다. 하루에는 24시간이 있고, 따라서 지구가 자전하면서, 매시간 태양은 분명히 완전한 지구 한 바퀴의 24분의 1, 즉, 15°만큼 하늘을 가로질러서 '움직인다'. 만일 여러분이 Greenwich에서의 시각보다 세 시간 뒤처져 있다면, 여러분은 45°만큼 서쪽에 즉, 대서양 한 가운데 있는 것이다.

유형 핵심

❶ 글의 처음과 ❶ ______ 부분에 주목해야 한다. 첫 부분에 글의 소재가 드러나고, 마지막에 글의 주제나 글쓴이의 주장이 명확하게 드러날 때가 많다.

❷ 글 중반부의 부정어나 접속어 뒤에 주제나 글쓴이의 주장을 뚜렷하게 드러낼 때가 많으므로, 이러한 표현이 나오면 주의 깊게 읽어야 한다.

❸ 반복해서 제시되는 개념이 글의 중심 ❷ ______ 이며 이는 글의 주제와 연관이 있다. 특히 하나의 개념을 다양한 표현으로 되풀이해서 제시하는 것에 유의해야 한다.

답 ❶ 마지막 ❷ 소재

유형 전략

• 글의 앞부분을 읽으면, 이 글의 중심 소재가 '항해용 시계의 발명'임을 알 수 있고, 뒷부분에서는 항해용 시계의 발명을 통해 항해할 때 위도와 경도를 파악할 수 있게 되었음을 알 수 있다.

정답 전략

01 끊임없는 움직임에도 정확한 시각을 알려줄 수 있는 항해용 정밀 시계의 개발을 통해 항해 시 위도와 경도를 파악하여 배의 위치를 알 수 있게 되었다는 것이 이 글의 중심 내용이다. 그러므로 이 글의 제목으로 적절한 것은 ⑤ '휴대용 시간 표준: 해양 항법의 발전'이다.
① 시계: 현대 도시 생활을 위한 최고의 발명품 ② 업무 수행에 있어서의 시간 인식의 효과
③ 큰 파도와 승무원들의 피로에 대처하는 요령 ④ 왜 선원들은 경도와 위도를 알아내야 하는가?

02 빈칸에 해당하는 '문제'가 John Harrison에 의해 해결되었다고 하며, 그가 항해용 정밀 시계를 발명했다고 했으므로 ② '정확한 시간 측정'이 빈칸에 들어갈 표현임을 알 수 있다.
① 선원들의 안전 ③ 위도 계산하기 ④ 원격 통신 ⑤ 날씨 예보

반복해서 제시되는 개념이 글의 중심 소재이고, 글의 중심 소재는 곧 주제와 연관되어 있다는 점에 유의하며 글을 읽어야 해.

Words

• vital 필수적인 • cutting edge 첨단의 • maritime 해양의 • on board 승선한, 탑승한
• rolling 너울거리는 • precise 정확한, 정밀한 • latitude 위도 • equator 적도
• measure 측정하다 • longitude 경도 • crack 깨뜨리다, 부수다 • constant 끊임없는
• harbour 항구 • rotate 회전하다, (천체 등이) 자전하다 • apparently 명백히 • globe 구체, 지구
• degree 도(°) • perceive 감지[인지]하다 • determine 알아내다, 결정하다
• portable 휴대할 수 있는, 휴대용의 • remote 원거리의, 원격의

03 장문 독해 유형 1 제목 추론

대표 유형 **다음 글을 읽고, 물음에 답하시오.** 모평 기출

By the turn of the twentieth century, the permanent repertoire of musical classics dominated almost every field of concert music, from piano, song, or chamber music recitals to operas and orchestral concerts. The (a) change from a century before was enormous. In the eighteenth century, performers and listeners demanded new music all the time, and "ancient music" included anything written more than twenty years earlier. But musicians and audiences in the early 1900s (b) expected that most concert music they performed or heard would be at least a generation old, and they judged new music by the standards of the classics already enshrined in the repertoire. In essence, concert halls and opera houses had become museums for displaying the musical artworks of the past two hundred years. The repertoire varied according to the performing medium and from region to region, but the core was largely the (c) same throughout most of Europe and the Americas, including operas and operatic excerpts from Mozart through Verdi, Wagner, and Bizet; orchestral and chamber music from Haydn through the late Romantics; and keyboard music by J. S. Bach, Haydn, Mozart, Beethoven, and prominent nineteenth-century composers.

Living composers increasingly found themselves in competition with the music of the past. This is the great theme of modern music in the classical tradition, especially in the first half of the century: in competing with past composers for the attention of performers and listeners who (d) <u>disregarded</u> the classical masterworks, living composers sought to secure a place for themselves by offering something new and distinctive while continuing the tradition. They combined individuality and innovation with emulation of the past, seeking to write music that would be considered original and worthy of performance alongside the masterworks of (e) <u>earlier</u> times.

*enshrine 소중히 하다 **excerpt 발췌곡 ***emulation 경쟁, 모방

01 이 글의 제목으로 가장 적절한 것은?

① Increasing the Gap Between Composers and Listeners
② Within or Beyond Classical Music Heritage
③ Classical Music: Healing the World
④ Lost in the Past: The End of Masterpieces
⑤ Classical Composition in the Nineteenth Century

02 밑줄 친 (a)~(e) 중에서 문맥상 낱말의 쓰임이 적절하지 <u>않은</u> 것은?

① (a) ② (b) ③ (c) ④ (d) ⑤ (e)

03 장문 독해 유형 1 제목 추론

해석

20세기로 바뀔 무렵, 고전 음악 작품의 영구적인 레퍼토리가, 피아노, 성악, 실내악 연주에서부터 오페라와 오케스트라의 연주회에 이르기까지 콘서트 음악의 거의 모든 분야를 지배했다. 한 세기 이전으로부터의 (a)변화는 엄청났다. 18세기에는 연주자들과 청중들이 항상 새로운 음악을 요구했고, '오래된 음악'에는 작곡된 지 20년이 넘은 음악은 무엇이든 포함됐다. 그러나 1900년대 초반의 음악가들과 청중들은 자신들이 연주하거나 듣는 대부분의 콘서트 음악이 나온 지 최소한 삼십 년은 될 것이라고 (b)기대했으며, 그들은 새로운 음악을 이미 레퍼토리에 소중히 간직된 고전 음악의 기준으로 평가했다. 본질적으로, 콘서트홀과 오페라 하우스는 지난 200년 동안의 음악 작품들을 보여 주기 위한 박물관이 되어 버렸다. 연주 매체와 지역에 따라 레퍼토리가 다양했지만, 그 핵심은 유럽과 아메리카의 대부분의 지역에서, 모차르트에서 베르디, 바그너, 비제에 이르는 오페라와 오페라 발췌곡, 하이든에서 후기 낭만파 음악가에 이르는 오케스트라 음악과 실내 음악, 그리고 J. S. 바흐, 하이든, 모차르트, 베토벤, 그리고 저명한 19세기 작곡가들이 작곡한 건반 음악을 포함하여, 대체로 (c)같았다.

살아있는 작곡가들은 점차로 자신이 과거의 음악과 경쟁하고 있다는 것을 알게 되었다. 특히 (20)세기의 전반부에는 이것이 고전 음악의 전통 안에서의 현대 음악의 큰 주제였다. 즉, 고전 음악의 걸작들을 (d)무시했던(→ 애호했던) 연주자와 청중의 관심을 얻기 위해서 과거의 작곡가들과 경쟁하면서, 살아있는 작곡가들은 전통을 이어가면서 뭔가 새롭고 독특한 것을 제공함으로써 자신들의 자리를 확보하려고 노력했다. 그들은 개성과 혁신을 과거의 모방과 결합하여, (e)이전 시대의 걸작들과 나란히 하는 독창적이고 공연할 가치가 있는 것으로 여겨질 음악을 작곡하려고 노력했다.

유형 핵심

❶ 글을 읽으며 전체적인 흐름을 파악한다.

❷ 반복해서 [❶] 되는 소재와 개념을 통해 글의 핵심 소재와 주제를 파악한다.

❸ 파악한 내용을 종합하여 글의 내용을 가장 [❷] 적으로 잘 담고 있는 선택지를 제목으로 고른다.

답 ❶ 제시 ❷ 함축

유형 전략

- 1900년대, 즉 20세기로 접어들면서 고전 음악에 대한 청중들의 선호가 매우 강해졌다는 것이 반복적으로 언급되고 있다.

정답 전략

01 20세기 들어 고전 음악이 매우 선호되었고, 작곡가들은 자신들이 과거의 음악과 경쟁하고 있음을 깨닫게 되면서 과거의 전통에 새로운 것을 결합하여 자신들의 자리를 확보하려 했다는 것이 이 글의 중심 내용이다. 따라서 이 글의 제목으로 적절한 것은 ② '고전 음악의 유산 안에 머무느냐 혹은 벗어나느냐'이다.
① 작곡가와 청중 사이의 거리 늘리기 ③ 클래식 음악: 세상을 치유함
④ 과거에서 길을 잃다: 걸작의 종말 ⑤ 19세기의 고전 악곡

02 과거의 작곡가들과 경쟁하게 된 것은 청중이 과거의 작곡가들의 음악, 즉 고전 음악의 걸작을 선호했기 때문이라고 하는 것이 자연스럽다. 따라서 밑줄 친 ④의 disregarded(무시했다)는 loved(애호했다)나 preferred(선호했다)로 바꾸는 것이 적절하다.

글의 제목은 주제를 함축적으로 표현하고 있는 경우가 많아. 그러므로 글의 주제를 알면 제목도 찾을 수 있지. 글의 주제를 파악하려면 먼저 글에서 반복적으로 언급되는 소재를 찾아야 해.

Words

- turn 전환 • permanent 영구적인 • repertoire 레퍼토리, 연주 목록 • dominate 점령하다
- chamber music 실내악 • enormous 거대한 • in essence 본질적으로 • display 전시하다
- core 핵심 • prominent 저명한 • disregard 무시하다 • masterwork 걸작
- distinctive 특징적인 • combine 결합시키다 • individuality 개성, 특성 • innovation 혁신
- alongside 나란히, ~ 옆에

04 장문 독해 유형 2 주제 추론

대표 유형

다음 글을 읽고, 물음에 답하시오. 모평 기출

Three composers attended a show at the Café Concert des Ambassadeurs. There they heard performances of a song written by one of them and a sketch written by the other two. After the performance, the three refused to pay their bill, telling the owner of the café: 'You use the products of our labour without paying us for it. So there's no reason why we should pay for your service'. The case went to court, and the composers won on appeal. The decision extended an existing law on theatrical performances to all musical works and all public performance of those works. This decision created a new category of legal right — the performing right — and with it a new economic relationship between music user and copyright owner.

As a result of the decision, these composers and others including music publishers founded a society to enforce and administer their performing rights. In doing so, they established the principle and practice of the collective administration of rights, based on the fact that — with the possible exception of opera performances

— it was impossible for a single composer or publisher to monitor every use of his or her work by singers, bands, promoters or, in the twentieth century, broadcasters. ______________, the new society was entrusted with the task of monitoring

music use, issuing licences to music users, negotiating fees, collecting fees and finally distributing the money raised to the composers and songwriters whose works were adding value to other people's businesses.

01 이 글의 주제로 가장 적절한 것은?

① the cultural significance of musical performance
② strategies for creating public interest through music
③ the rise of performing rights in music and its effects
④ performing arts for the public and their artistic value
⑤ the influence of the new society on increasing licence fees

02 이 글의 빈칸에 들어갈 말로 가장 적절한 것은?

① Accordingly
② Nevertheless
③ Otherwise
④ Conversely
⑤ Similarly

04 장문 독해 유형 2 주제 추론

해석

세 명의 작곡가가 Café Concert des Ambassadeurs에서 있었던 한 쇼에 참석했다. 그곳에서 그들은 자신들 중 한 명이 쓴 노래 한 곡과 나머지 두 사람이 쓴 촌극 한편의 공연을 들었다. 공연이 끝난 후, 그 세 명은 그 카페 주인에게 "당신은 우리에게 그것에 대한 대가도 지급하지 않고 우리 노동의 결과물을 사용하고 있소. 그러므로 우리가 당신의 서비스에 대해 대가를 지급할 이유가 없소."라고 말하며 자신들의 요금을 내기를 거부했다. 그 사건은 법정으로 갔고, 작곡가들은 항소에서 이겼다. 그 판결로 인해 극장 공연에 관한 기존의 법이 모든 음악 작품과 그러한 작품의 모든 대중 공연으로 확장되었다. 이 판결로 공연 권리라는 새로운 범주의 법적 권리가 생겨났고, 그와 더불어 음악 사용자와 저작권 소유자 사이의 새로운 경제적 관계가 생겨났다. 그 판결의 결과로 이 작곡가들과 음악 발행인을 포함한 다른 사람들이 자신들의 공연 권리를 시행하고 관리하기 위해 협회를 설립했다. 그렇게 해 나갈 때 그들은, 오페라 공연에서는 예외가 가능하지만, 한 개인 작곡가나 발행인이 가수, 악단, 기획자, 혹은 20세기의 경우, 방송인이 자신들의 작품을 사용하는 것을 모두 감시하는 것이 불가능하다는 사실을 바탕으로, (공연) 권리의 집단적 관리 원칙과 관례를 확립하였다. 따라서 그 새로운 협회에 음악 사용을 감시하고, 음악 사용자에게 허가증을 발급하고, 수수료를 협상하고, 수수료를 징수하며, 그리고 마지막으로 모금된 돈을 작품이 다른 사람들의 사업에 가치를 부여해 주고 있는 작곡가와 작사자에게 분배하는 일이 위임되었다.

유형 핵심

❶ 글의 전개 방법 및 연결사에 주의하며 글을 읽는다.

❷ 논설문일 때는 [❶] 이나 의견을 강하게 드러내는 표현에 주목하고, 연구·조사와 관련된 글일 때는 실험 결과나 시사점을 드러내는 문장에 주목한다. 설명문일 때는 말하고자 하는 요점이 무엇인지 파악해야 하며 연결사에 주의하여 글의 흐름을 살펴본다.

❸ 주제문을 찾은 다음 그 주제문의 내용을 간결하게 요약하거나, 가장 잘 [❷] 적으로 표현한 것을 글의 주제로 고른다.

답 ❶ 주장 ❷ 함축

유형 전략

• 앞에서는 세 명의 작곡가와 그 작곡가의 노래로 공연을 한 카페 주인과의 소송에 관한 이야기가 나오고 As a result of the decision ~. 이후로 협회를 설립하여 저작권 관리 및 이득의 분배를 맡겼다는 내용이 나오고 있다. 연결사에 주의하며 글을 읽도록 한다.

정답 전략

01 Café Concert des Ambassadeurs에서 있었던 쇼에 참석했던 세 명의 작곡가가 제기한 소송의 판결 결과에 따라 새로 생기게 된, 음악의 공연 권리와 그로 인해 생겨난 협회가 위임받은 여러 가지 일에 관해 기술하고 있으므로 글의 주제로 가장 적절한 것은 ③ '음악에서 공연 권리의 등장과 그 영향'이다.

① 음악 공연의 문화적 중요성 ② 음악을 통한 대중의 흥미 유발 전략
④ 대중을 위한 공연 예술과 그것의 예술적 가치
⑤ 새 협회가 증가하는 허가증 수수료에 미친 영향

02 한 작곡가나 발행인이 자신의 음악이 어디에서 쓰이고 있는지 모두 감시할 수 없다는 앞의 내용과 새로운 협회가 이를 효율적으로 감시하고 여러 가지 부수적인 일을 처리하는 일을 위임받았다고 이어지는 내용은 서로 인과관계에 있으므로 빈칸에 들어갈 말로 가장 적절한 것은 ① '따라서'이다.

② 그런데도 불구하고 ③ 그렇지 않으면 ④ 반대로 ⑤ 마찬가지로

예시가 먼저 나오고 귀납적 방법이나 요약의 방법으로 글이 전개될 때는 인과관계를 나타내는 연결사(as a result, so, therefore, in short 등) 다음에 주제문이 나와.

Words

• sketch 촌극 • appeal 항소, 상고 • theatrical 연극의 • legal 법적인, 합법적인 • found 설립하다
• enforce 시행하다, 집행하다 • administer 관리하다, 지배하다 • principle 원칙, 원리
• administration 관리, 행정 • promoter 기획자 • entrust 위임하다, 맡기다 • issue 발급하다
• negotiate 협상하다 • distribute 분배하다, 배포하다 • conversely 반대로, 거꾸로

05 장문 독해 유형 3 문맥상 어색한 낱말 찾기

대표 유형 다음 글을 읽고, 물음에 답하시오. 학평 기출

© Getty Images Korea

In many ways, the proliferation of news sources has been a wonderful thing. The public now has multiple ways to check facts and learn about (a) differing points of view. In theory, this access should improve our ability to have meaningful discussions with one another and our ability to form informed opinions. But this isn't always the case.

One of the most significant developments is that media has become like a Las Vegas buffet — we have too many choices. When you consider all of the information options — including niche media and personalized social media networks where developers utilize algorithms to serve up ideal content — there just isn't enough time to (b) explore them all. In this space it is easy to become trapped in an *echo chamber*, where your own opinions are reinforced by others without introducing new or conflicting content into the mix, which restricts public discourse and can lead to (c) extremes.

This is most evident in the realm of politics. Traditionally, mass media has been a place to tune in and hear nonpartisan reporting of facts about a situation or candidate, giving everyone (d) equal access to the vital information necessary to form opinions and make decisions. Cable news networks and partisan online sources can (e) enhance the audience's ability to access accurate, full-picture information. In some cases, audience members have made the conscious decision to only engage with content that is in line with their ideals.

ⓒ Getty Images Korea

*proliferation 확산 **nonpartisan 공정한

01 이 글의 제목으로 가장 적절한 것은?

① Efforts to Develop Ideal Content for Online Media
② Cable News Networks: Places for Public Discourse
③ Techniques of Utilizing Media Content for Political Data
④ Analysis of Quality Competition Among Media Platforms
⑤ Flood of Media Information: Barriers to Balanced Perspectives

02 밑줄 친 (a)~(e) 중에서 문맥상 낱말의 쓰임이 적절하지 않은 것은?

① (a) ② (b) ③ (c) ④ (d) ⑤ (e)

05 장문 독해 유형 3 문맥상 어색한 낱말 찾기

해석

여러 면에서 뉴스 출처의 확산은 놀라운 것이었다. 대중은 이제 사실을 확인하고 (a)다양한 관점에 대해 배울 수 있는 다양한 방법을 가지고 있다. 이론적으로, 이러한 접근은 서로 의미 있는 토론을 할 수 있는 능력과 정보에 입각한 의견을 형성하는 능력을 개선할 것이다. 하지만 항상 그런 것은 아니다.

가장 중요한 발전 중 하나는 미디어가 라스베이거스 뷔페처럼 되었다는 것인데, 즉 우리는 너무 많은 선택을 갖고 있다. 개발자가 알고리즘을 사용하여 이상적인 콘텐츠를 제공하는, 틈새 미디어와 개인에게 맞춰진 소셜 미디어 네트워크를 포함한 모든 정보의 선택 사항을 검토할 때, 그 모든 것을 (b)탐색하기에는 시간이 충분하지 않다. 이 공간에서는 새롭거나 상반된 내용을 받아들여 섞이게 하지 않아서 자신의 의견이 타인에 의해 강화되는 '반향실(反響室)'에 갇히기 쉬우며, 이것은 공론화를 제한하고 (c)극단으로 이어질 수 있다.

이것은 정치 영역에서 아주 뚜렷하다. 전통적으로 대중 매체는 어떤 상황이나 후보자에 대한 사실의 공정한 보도에 (채널을) 맞추고 듣는 곳이었으며, 모든 사람이 의견을 형성하고 결정을 내리는 데 필요한 중요한 정보에 (d)동등하게 접근할 수 있게 했다. 케이블 뉴스 네트워크와 편파적인 온라인 출처는 시청자가 정확하고 완전한 정보에 접근할 수 있는 능력을 (e)높일(→ 제한할) 수 있다. 어떤 경우에는 시청자들이 자신의 이상에 부합하는 콘텐츠에만 관심을 두는 의식적인 결정을 했다.

유형 핵심

❶ 글의 핵심 어휘를 확인하면서 전체적인 흐름과 ❶ [　　　] 를 파악한다.

❷ 글을 읽으며 밑줄 친 낱말이 있는 문장이 글의 주제에서 벗어나지 않는지, 글의 흐름을 어색하게 만들지 않는지 확인한다.

❸ 글의 ❷ [　　　] 을 어색하게 만드는 낱말이 답이 된다.

답 ❶ 주제 ❷ 흐름

유형 전략

• 글의 앞부분에서 많은 뉴스 출처의 확산은 이론상 긍정적 효과가 나타날 것이라는 내용이 나오고 있다. 그러나 첫 번째 문단의 마지막 문장 But this isn't always the case. 이후로 실제로는 편파적이고 극단적인 사고를 유발한다는 반대되는 내용이 나오고 있다. 글의 흐름에 유의하면서 각 단어가 흐름에 벗어나지 않는지 확인한다.

정답 전략

01 뉴스의 출처가 너무 다양해져서, 개인이 그 모든 것을 탐색하기에는 시간이 충분하지 않고, 이상적인 콘텐츠를 제공하는 틈새 미디어와 개인에게 맞춰진 소셜 미디어 네트워크의 정보만을 받아들인다면 이것은 공론화를 제한하고 극단으로 이어질 수 있다는 내용이므로 제목으로는 ⑤ '미디어 정보의 홍수: 균형 잡힌 시각에 대한 장애물'이 알맞다.

① 온라인 미디어에 적합한 이상적인 콘텐츠 개발을 위한 노력
② 케이블 뉴스 네트워크: 공개 담론의 장소
③ 미디어 콘텐츠를 정치적인 정보로 활용하는 기법
④ 미디어 플랫폼 간의 품질 경쟁 분석

02 전통적으로 대중 매체는 사실의 공정한 보도에 채널을 맞추고 듣는 곳이었으며, 모든 사람이 의견을 형성하고 결정을 내리는 데 필요한 중요한 정보에 동등하게 접근할 수 있게 했지만 케이블 뉴스와 편파적인 온라인 출처는 시청자가 정확하고 완전한 정보에 접근할 수 있는 능력을 제한할 수 있다는 내용이 나오고 있으므로 ⑤의 enhance(높이다)를 limit(제한하다)로 고치는 것이 적절하다.

어떤 단어에 대해 본인이 알고 있는 뜻에 집착하지 말고, 그것이 문맥적으로 가질 수 있는 의미를 파악해야 해.

Words

• source 출처 • multiple 복수의, 다수의 • informed 정보에 근거한 • be the case 사실이 그러하다
• niche 틈새, 딱 맞는 위치 • developer 개발업자 • algorithm 알고리즘 • chamber 방, 실
• reinforce 강화하다 • discourse 담화 • realm 영역, 왕국 • tune in 채널을 맞추다
• candidate 후보자 • partisan 당파적인, 편파적인 • enhance 강화하다
• be in line with ~와 일치하다

06 장문 독해 유형 4 빈칸 추론

대표 유형

다음 글을 읽고, 물음에 답하시오. 학평 기출

Mary is an interior designer. A friend of hers bought a house that needed to be renovated, and had asked her to do the interior decoration. Mary wanted the interior of the house to look attractive. However, she would ignore safety standards and would not listen to other contractors, if she did not think their proposals fit her ideals. For all the home products she picked for the house, her main concern was whether they looked attractive, not whether they were effective or reliable. She chose a fancy-looking door lock, against the advice of the locksmith who did not think it was dependable. As a consequence, a year later, it was necessary to change the door lock, as there was difficulty opening the lock with the key.

In addition, she picked toilets in an upscale model and design. However, the homeowner later found out that the toilet handle must be held down to complete the flushing action. The plumber was not able to adjust the lever inside the toilet tank to fix the problem.

Mary prefers to think that she is always right. She chooses information that fits her ______________, and ignores other people's recommendations. However, when facing a problem, we should always have an open mind, and should consider all relevant information. We definitely should not let our prejudice and emotion take the better part of us.

01 이 글의 제목으로 가장 적절한 것은?

① Be Practical Rather Than Ideal
② Don't Give Up under Pressure
③ Deal with the Problem Now
④ Think about Short-Term Profits
⑤ Equate the Inside with the Outside

02 이 글의 빈칸에 들어갈 말로 가장 적절한 것은?

① liking ② future
③ duty ④ budget
⑤ religion

장문 독해 유형 4 빈칸 추론

해석

Mary는 인테리어 디자이너이다. 그녀의 친구 중 한 명이 개조할 필요가 있는 집을 샀는데, 그녀에게 실내 장식을 해달라고 요청했었다. Mary는 그 집의 실내가 매력적으로 보이길 원했다. 그러나 그녀는 안전 기준을 무시하곤 했고, 다른 계약자들의 제안이 자신의 이상과 맞지 않는다고 생각되면, 그들의 말을 들으려 하지 않았다. 그 집을 위해 선택한 모든 가정용 제품에 대한 그녀의 주된 관심은 그것이 효율적인가 또는 믿을 만한가가 아니라 매력적으로 보이는가 하는 것이었다. 그녀는 그것(자물쇠)이 믿을 만하지 않다고 생각하는 자물쇠 업자의 조언을 듣지 않고, 화려해 보이는 문 자물쇠를 선택했다. 그 결과, 1년 뒤 열쇠로 자물쇠를 여는 데 어려움이 있어 문 자물쇠를 교체하는 것이 필요했다.

그뿐만 아니라 그녀는 고급스러운 모델과 디자인의 변기를 선택했다. 그러나 나중에 집주인은 물을 완전히 내려보내기 위해서는 변기 손잡이를 누르고 있어야 한다는 것을 알게 되었다. 배관공은 그 문제를 해결하기 위해 변기 수조 안에 있는 레버를 조정할 수 없었다.

Mary는 자신이 항상 옳다고 생각하길 좋아한다. 그녀는 자신의 기호에 맞는 정보를 선택하고 다른 사람의 충고는 무시한다. 그러나 문제에 직면할 때 우리는 항상 개방적인 마음을 가져야 하고, 관련된 모든 정보를 고려해야 한다. 우리는 절대 우리의 편견과 감정이 우리의 대부분을 차지하게 해서는 안 된다.

유형 핵심

❶ 빈칸이 있는 문장을 빠르게 읽고, 빈칸에 들어갈 어휘의 쓰임을 파악한다.

❷ 글의 [❶] 를 파악한 다음, 글에 나오는 예시나 설명에 적용하여 빈칸에 들어갈 말을 추론한다. 주제문에 빈칸이 있는 경우에는 예시나 부연 설명 부분에서 단서를 얻어 빈칸에 들어갈 말을 추론한다.

❸ [❷] 에 어울리는 말을 선택지에서 찾아 넣고, 그 문장이 주제에 부합하는지 확인한다.

답 ❶ 주제 ❷ 빈칸

유형 전략

• 앞에서는 인테리어 디자이너인 Mary에 대한 이야기가 예시로 나오고 마지막에 글쓴이의 주장이 나오고 있다. 글의 주제를 파악한 다음 예시에 적용하여 빈칸에 들어갈 말을 추측해 본다. ignore safety standards, did not think it was dependable, prefers to think that she is always right 같은 어구에 주의하여 읽으면 주제문을 파악하기 쉽다.

정답 전략

01 인테리어 디자이너인 Mary가 효율적인가 또는 믿을 만한가가 아니라 매력적으로 보이는가에 중점을 두고 인테리어 작업을 한 결과 1년 뒤에 집의 자물쇠를 변경해야 했고, 변기 사용에 어려움이 생겼다는 예시가 나오고 있다. 마지막에 문제에 직면할 때 개방적인 마음을 가져야 하고 편견과 감정이 우리의 대부분을 차지하게 해서는 안된다는 내용의 주제문이 나오므로 제목으로 알맞은 것은 ① '이상적이기보다 실용적이 되라'가 알맞다.
② 압박받는다고 포기하지 마라 ③ 지금 문제를 처리하라
④ 단기적인 이익에 대해 생각하라 ⑤ 내면과 외면을 일치시켜라

02 주제문은 문제에 직면할 때, 개방적인 마음을 가져야 하고 관련된 모든 정보를 고려해야 한다는 것인데 빈칸이 있는 문장은 주제문과 반대되는 Mary의 예시를 보여주므로 Mary가 다른 사람의 충고를 무시하고 자신의 기호에 맞는 정보를 선택한다는 내용이 알맞다. 빈칸에 적절한 것은 ① 'liking(기호)'이다.
② 미래 ③ 의무 ④ 예산 ⑤ 종교

빈칸 추론 문제를 풀 때, 답지의 내용을 바로 빈칸에 대입하여 의미가 통하는 것을 정답으로 고르는 것은 위험스러운 방법으로, 가급적 피해야 해.

Words

• renovate 개조(수리)하다 • standard 기준 • contractor 계약자 • fit (~에) 맞다
• reliable 믿을 만한 • fancy-looking 화려해 보이는 • locksmith 자물쇠 업자
• dependable 믿을 만한 • consequence 결과 • upscale 고급스러운 • hold down ~을 누르다
• flush 물을 내려 보내다 • plumber 배관공 • lever 레버, 지레 • relevant 관련된, 적절한
• prejudice 편견 • the better part 대부분

Word List for Week 1

001	abundance	p. 31	풍부
002	adjust	p. 30	조절하다
003	affirm	p. 26	확인하다, 단언하다
004	allocate	p. 22	분배하다, 할당하다
005	alter	p. 18	바꾸다
006	alternative	p. 10	대안
007	analysis	p. 10	분석
008	analyze	p. 16	분석하다
009	appropriate	p. 30	적절한
010	artifact	p. 18	인공물
011	as opposed to	p. 14	~이 아니라
012	at a time	p. 28	한번에
013	attempt	p. 8	시도
014	attribute *A* to *B*	p. 16	A를 B의 것으로 여기다
015	authenticity	p. 18	진정성
016	available	p. 31	이용 가능한
017	awkward	p. 8	어색한
018	batter	p. 14	타자
019	be associated with	p. 22	~와 관련이 있다
020	be in tune with	p. 18	~와 일치하다
021	be subject to	p. 22	~의 영향을 받다
022	buddy	p. 28	친구, 동료
023	bypass	p. 22	회피하다, 우회하다
024	central	p. 8	핵심적인
025	certification test	p. 26	자격 시험

026	chore	p. 28	허드렛일
027	civil right	p. 30	시민권
028	colonisation	p. 24	(동식물의) 군체 형성
029	colonise	p. 24	대량 서식하다
030	complexity	p. 16	복잡성
031	component	p. 18, 20	(구성) 요소
032	comprehension	p. 20	이해
033	concept	p. 20	개념
034	conflict	p. 28	갈등
035	congressperson	p. 30	하원의원
036	connect	p. 8	연결하다
037	consciousness	p. 12	의식
038	considerably	p. 14	상당히
039	constant	p. 28	끊임없는
040	constitute	p. 22	구성하다
041	convey	p. 18	전달하다
042	correlation	p. 16	상관관계
043	crucial	p. 12	결정적인
044	cue	p. 14	신호
045	cultivation	p. 22	경작, 재배
046	cycle	p. 14	주기
047	deliberately	p. 12	의도적으로
048	democratic	p. 18	민주적인
049	derive from	p. 22	~에서 얻다
050	descriptive	p. 26	설명하는, 묘사하는

Word List for Week 1

051	desirable	p. 24	바람직한
052	dismiss	p. 12	묵살하다
053	distribution network	p. 18	유통망
054	diversity	p. 24	다양성
055	drive	p. 12	주도하다
056	dualism	p. 12	이원론
057	due to	p. 10	~ 때문에
058	duration	p. 14	지속, 지속 시간
059	ecologically	p. 24	생태학적으로
060	eliminate	p. 12	제거하다
061	embrace	p. 12	포용하다, 받아들이다
062	engage in	p. 20	~에 참여하다
063	ensure	p. 22, 31	보장하다
064	erroneous	p. 10	잘못된
065	escape	p. 10	탈출하다, 달아나다
066	evaluate	p. 20	평가하다
067	extend	p. 20	확장하다
068	fable	p. 10	우화
069	fall off	p. 8	넘어지다, 떨어지다
070	fall over	p. 32	~에 걸려 넘어지다
071	fatigue	p. 14	피로
072	favour	p. 22	~에 유리하다
073	feedback	p. 30	반응, 의견
074	flash flood	p. 22	갑작스럽게 불어난 물
075	flexibility	p. 30	유연성

076	frequency	p. 14	진동수
077	frequent	p. 28	잦은
078	generate	p. 12	생성하다
079	give it another shot	p. 8	다시 시도해 보다
080	grant	p. 22	~를 주다, 수여하다
081	guarantee	p. 22	보장하다
082	hands-on	p. 20	직접 해 보는
083	hang out	p. 28	놀다, ~에 많은 시간을 보내다
084	have a claim to	p. 12	~에 대한 권리를 가지고 있다
085	hedge	p. 24	산울타리
086	illustrate	p. 10	분명히 보여주다
087	immediacy	p. 18	신속성, 직접성
088	impact	p. 10	영향을 주다
089	inability	p. 10	~할 수 없는 것, 무능
090	indefinitely	p. 10	무기한으로
091	indisputable	p. 18	부인할 수 없는
092	infer	p. 16	추론하다
093	ingrained	p. 12	뿌리 깊은
094	ingredient	p. 20	요소, 성분
095	inherent	p. 20	내재된
096	initiate	p. 31	시작하다
097	inquiry	p. 20	연구, 탐구
098	instructional	p. 20	교육의
099	interaction	p. 16	상호 작용
100	internal	p. 16	내부의

Word List for Week 1

101	intuition	p. 28	직관
102	irregular	p. 16	불규칙적인
103	irrelevant	p. 31	상관 없는
104	irresistible	p. 16	거부할[억누를] 수 없는
105	judge	p. 8	판단하다, 판정하다
106	manipulate	p. 18	조작하다
107	mashed potato	p. 20	으깬 감자
108	maximise	p. 24	최대화하다
109	mechanical	p. 12	기계의
110	mechanism	p. 16	(생물체 내에서 특정한 기능을 수행하는) 기제[구조]
111	meet ~ head on	p. 26	~에 정면으로 맞서다
112	millions of	p. 33	수백만의
113	mind-on	p. 20	사고를 요구하는
114	monolithic	p. 18	단일체의
115	multiple-choice	p. 30	선다형의, 객관식의
116	narrative	p. 30	서술의, 이야기로 된
117	nature	p. 8	천성
118	navigational	p. 16	항해의, 운항의
119	network	p. 8	연결망, 네트워크
120	neuron	p. 8	뉴런, 신경 세포
121	neuroscientist	p. 12	신경 과학자
122	numerous	p. 31	많은
123	off course	p. 32	경로 밖으로
124	offer	p. 30	제공하다
125	operation	p. 14	작업

126	overall	p. 24	전체의, 종합적인
127	overeating	p. 31	과식
128	overthink	p. 10	너무 많이 생각하다
129	perceiving	p. 28	인식형
130	perception	p. 14	인식, 지각, 자각
131	performance	p. 30	수행
132	permanent	p. 24	영구적인
133	perspective	p. 12	관점
134	phenomenon	p. 10	현상
135	phrase	p. 20	문구
136	physicist	p. 14	물리학자
137	precise	p. 14	정확한
138	preconception	p. 20	선입견
139	preference	p. 28	선호
140	productivity	p. 10	생산성
141	proportion	p. 24	비율
142	psychologically	p. 14	심리적으로
143	quantify	p. 14	수량화하다
144	questionable	p. 31	미심쩍은, 의심스러운
145	rationalize	p. 26	합리화하다
146	reaffirm	p. 26	재확인하다
147	realm	p. 14	영역
148	reduce	p. 32	줄이다
149	reflection	p. 26	반영
150	reform	p. 22	개혁; 개혁하다

Word List for Week 1

151	regarding	p. 28	~에 관하여
152	regenerate	p. 24	재생하다
153	remove	p. 24	없애다, 제거하다
154	repetition	p. 8	반복
155	rewire	p. 8	재연결하다, 전선을 다시 배치하다
156	rigidity	p. 18	경직성
157	rooted in	p. 26	~에 뿌리를 둔
158	rub off on	p. 18	~에 영향을 주다, 옮겨가다
159	runoff	p. 22	유수
160	scarce	p. 31	부족한
161	secondary	p. 26	부차적인
162	see ~ to completion	p. 28	~을 끝내는 것을 보다
163	self-worth	p. 26	자부심
164	set-aside	p. 24	비경작지
165	sore spot	p. 28	남의 감정을 상하게 하는 문제
166	speak out	p. 30	공개적으로 말하다
167	specific	p. 28	특정한, 구체적인
168	spin	p. 32	회전하다, 돌다
169	spread	p. 24	확산, 전파
170	stick	p. 18	붙이다
171	strict	p. 28	엄격한
172	subject	p. 30	피실험자
173	substantial	p. 22	상당한
174	suspect	p. 12	(~일 수도 있다고) 생각하다
175	tackle	p. 12	다루다, 취급하다

176	take place	p. 24	일어나다
177	technique	p. 8	기술
178	temperature	p. 30	온도
179	tendency	p. 16, 24, 32	성향, 경향, 기질
180	term	p. 26	말, 용어
181	theoretically	p. 14	이론상
182	thoughtful	p. 20	사려 깊은
183	thrive	p. 31	번창하다
184	timepiece	p. 14	시계
185	track	p. 16	추적하다
186	traffic	p. 33	교통량
187	transfer	p. 22	이전하다
188	transition	p. 14	전이
189	ultimately	p. 18	궁극적으로
190	unable	p. 10	~하지 못하는
191	unambiguous	p. 14	분명한
192	unbearable	p. 33	참을 수 없는, 견딜 수 없는
193	undeniable	p. 18	부인할 수 없는
194	unit	p. 14	구성단위
195	unreasonable	p. 26	부당한
196	variable	p. 26	변수
197	vegetation	p. 24	식물, 초목
198	virtue	p. 26	미덕
199	visualize	p. 16	머릿속에 그리다, 상상하다
200	win a prize	p. 33	상을 타다

Word List for Week 2

001	academic performance	p. 61	학업 성적
002	accelerate	p. 46	가속화하다
003	accumulate	p. 68	모으다, 축적하다
004	acquire	p. 48	습득하다, 얻다
005	advantage	p. 52	우위
006	advertisement	p. 60	광고
007	agreement	p. 52	의견 일치
008	airspeed	p. 40	대기 속도
009	altitude	p. 40	고도
010	apparently	p. 56	명백히
011	approximation	p. 70	근접한 것, 비슷한 것
012	argue	p. 48, 61	주장하다
013	arise	p. 74	생기다
014	aspiration	p. 38	열망
015	astonishing	p. 38	놀라운
016	at ease	p. 38	편하게
017	atmosphere	p. 68	대기, 공기
018	attain	p. 38	얻다, 갖다
019	attempt	p. 44	시도하다
020	attitude	p. 54	태도
021	be accustomed to+V-ing	p. 66	~에 익숙하다
022	be adapted to	p. 64	~에 적응하다
023	be derived from	p. 68	~에 기원을 두다
024	be referred to as	p. 68	~이라고 불리다
025	be responsible for	p. 58	~에 책임이 있다

026	be supposed to	p. 48	~라고 생각되다
027	beginning	p. 48	출발, 시작
028	bend	p. 66	꺾이다, 구부러지다
029	beneficial	p. 72	이익이 되는
030	benefit	p. 46	유익하다
031	biotechnology	p. 46	생명 공학
032	black bass	p. 64	미국산 농어
033	body	p. 72	많은 양, 모음
034	bossy	p. 44	우두머리 행세를 하는
035	bottleneck	p. 40	병목 현상
036	bound	p. 42	제한하다
037	by-product	p. 41	부산물
038	call handle time	p. 50	통화 처리 시간
039	canopy	p. 64	(숲의 나뭇가지들이) 지붕 모양으로 우거진 것
040	capacity	p. 38, 58	능력, 수용력
041	capitalism	p. 42	자본주의
042	casual	p. 42	비정기적인, 일시적인
043	cautious	p. 60	신중한
044	centered	p. 40	~ 중심의
045	circulate	p. 74	유포하다
046	cite	p. 60	인용하다
047	cockpit	p. 40	(항공기) 조종실
048	cognitive	p. 46	인지적인
049	collective	p. 41	집단의, 단체의
050	come away with	p. 70	~을 갖고 떠나다

Word List for Week 2

051	commercialization	p. 42	상업화
052	comparison	p. 38	비교
053	comparatively	p. 68	비교적
054	concentration	p. 64, 68	농도, 집중
055	condition	p. 61	상황, 조건
056	conduct	p. 60	실시하다
057	conform	p. 52	순응하다
058	consciousness	p. 66	의식, 자각
059	construct	p. 44	(구성된) 생각
060	context	p. 70	문맥, 맥락
061	convince	p. 61	확신시키다
062	coordinate	p. 52	조정하다
063	correspondence	p. 70, 74	관련성; 통신, 연락
064	cotton master	p. 42	목화 농장주
065	critical	p. 64, 70	중대한, 매우 중요한
066	cubicle	p. 50	칸막이 해서 만든 좁은 방
067	damaging	p. 74	피해를 주는
068	day off	p. 42	쉬는 날
069	deadlock	p. 52	교착 상태
070	decay	p. 68	쇠퇴, 부패; 부패하다
071	defend	p. 72	방어하다
072	demonstrate	p. 54	입증하다, 설명하다
073	dense	p. 66	빽빽한, 짙은, 밀도가 높은
074	depress	p. 38	우울하게 하다
075	determination	p. 74	결정

076	devastate	p. 72	엄청난 충격을 주다
077	deviant	p. 56	일탈의, 벗어난
078	disagreement	p. 52	의견 충돌
079	disclosure	p. 44	털어놓은 이야기, 밝혀진 사실
080	dispose of	p. 54	~을 처리하다, ~을 없애다
081	dissolve	p. 38	녹다, 효력이 사라지다
082	dissolved	p. 64	용해된
083	distinct	p. 42	별개의, 구별되는
084	distribute	p. 68	퍼뜨리다, 분배하다
085	distribution	p. 64	분포
086	downtime	p. 58	비가동 시간
087	dramatic	p. 40	극적인
088	dynamics	p. 50	역학, 역학 관계
089	electricity	p. 48	전기
090	eliminate	p. 46	제거하다
091	engagement	p. 50	관계함, 참여, 약속
092	engineering	p. 48	공학
093	enlarge	p. 42	확대하다
094	entirely	p. 50	완전히
095	entitlement	p. 42	권리, 자격
096	entry	p. 42	입장
097	evaluate	p. 54	평가하다
098	even	p. 52	짝수의
099	evolution	p. 38	발전
100	examine	p. 66	검사하다

Word List for Week 2

101	existence	p. 48	존재
102	existential	p. 72	실존적인
103	expense	p. 48	비용
104	explicitly	p. 42	명시적으로
105	exploit	p. 42	개발하다
106	extraneous	p. 56	관계 없는
107	extraneous variable	p. 56	외부 변인
108	extreme	p. 70	극단
109	face	p. 72	직시하다, 마주하다
110	facilitate	p. 72	촉진하다
111	facility	p. 54	시설
112	favorable	p. 64	유리한
113	fictive	p. 70	허구의
114	form	p. 44	형성하다
115	formulate	p. 66	만들다, 수립하다
116	fragility	p. 52	취약함
117	fulfill	p. 46	이행하다
118	functional	p. 48	기능 위주의, 기능적인
119	fundamental	p. 38	근본적인
120	general interest	p. 74	공익
121	get in the way of	p. 72	~에 방해되다
122	happily	p. 70	적절하게
123	hardship	p. 38	어려움
124	head back	p. 66	돌아가다
125	head on	p. 72	정면으로

126	hierarchy	p. 46	계급, 지배층
127	hypothesis	p. 56	가설, 가정
128	hypothesize	p. 56	가설을 세우다, 가정하다
129	imply	p. 66	암시하다
130	improve	p. 61	높이다, 향상시키다
131	in that	p. 74	~이라는 점에서
132	income	p. 38	수입, 소득
133	incorporate	p. 74	포함하다
134	independent variable	p. 56	독립 변인
135	indicator	p. 38	지표
136	inefficiently	p. 61	비효율적으로
137	inequality	p. 46	불평등
138	inevitability	p. 72	필연성
139	inevitable	p. 38	필연적인
140	inevitably	p. 40	불가피하게
141	insult	p. 48	모욕
142	integrate	p. 40	통합하다
143	intense	p. 70	격렬한, 강렬한
144	interact	p. 50, 64	상호 작용하다
145	interfere with	p. 56	~을 간섭하다
146	interference	p. 74	간섭
147	intervention	p. 75	개입, 간섭
148	investigate	p. 50	조사하다
149	investigator	p. 56	연구자
150	involve	p. 44, 50	수반하다, 관련시키다, 참여시키다

Word List for Week 2

151	justify	p. 50	정당화하다
152	keep pace with	p. 40	~와 보조를 맞추다, ~에 따라가다
153	layer	p. 66, 68	층, 겹
154	less-than-ideal	p. 61	전혀 이상적이지 않은
155	lighthouse	p. 71	등대
156	machinery	p. 58	기계(류)
157	magnetism	p. 48	자성
158	maintenance	p. 58	유지 보수
159	manifest	p. 66	분명한
160	manufacturer	p. 60	제조업체
161	mass	p. 42, 68	대중의; 질량, 덩어리
162	mathematician	p. 66	수학자
163	maximum	p. 58	최대, 최대한
164	measure	p. 54	측정하다
165	meet	p. 74	대처하다
166	metabolic	p. 68	물질대사의
167	metaphysical	p. 72	형이상학적인
168	mirage	p. 66	신기루
169	misleading	p. 60	잘못된 정보를 주는
170	mistakenly	p. 70	잘못하여, 실수로
171	monopolize	p. 46	독식하다
172	multiple-choice	p. 56	선다형의 (여러 선택지 중에 고르는)
173	mutually	p. 72	서로, 상호 간에
174	negotiation	p. 44	협상
175	nevertheless	p. 46	그럼에도 불구하고

176	nothing more than	p. 56	~에 불과한
177	notion	p. 74	개념
178	obsession	p. 73	강박 상태, 집착
179	odd	p. 52	홀수의
180	of use	p. 48	쓸모있는, 유용한
181	operator	p. 40	조작하는 사람
182	opponent	p. 66	(논쟁 등의) 상대, 대적자
183	organism	p. 64	유기체
184	out-of-date	p. 70	구식의, 시대에 뒤떨어진
185	outline	p. 52	윤곽을 보여주다
186	outlook	p. 71	견해, 관점
187	overwhelming	p. 72	압도적인
188	participant	p. 54	참여자, 참가자
189	pastime	p. 42	취미
190	pay off	p. 39	성공하다
191	permission	p. 74	허락
192	photosynthesis	p. 68	광합성
193	physicist	p. 48	물리학자
194	plague	p. 52	괴롭히다, 성가시게 하다
195	point out	p. 56	지적하다
196	pose	p. 74	(문제 등을) 제기하다
197	practical	p. 48	실용적인
198	predictor	p. 50	예측 변수
199	presence	p. 68	존재, 실재
200	privilege	p. 46	특전, 특권

Word List for Week 2

201	productively	p. 61	생산적으로
202	productivity	p. 50	생산성
203	profitability	p. 58	수익성
204	promote	p. 58	승진하다
205	property-based	p. 74	속성에 기반을 둔
206	prosperity	p. 46, 73	부, 번영
207	protest	p. 44	이의를 제기하다
208	prove	p. 46	입증하다, 증명하다
209	purposely	p. 54	의도적으로
210	questionnaire	p. 54	설문지
211	rapid	p. 64	급류
212	rate	p. 52	평가받다
213	raw material	p. 48	원료
214	realm	p. 38	영역
215	reason	p. 56	추론하다
216	reassure	p. 38	안심시키다
217	recall	p. 44	떠올리다, 상기하다
218	reconstructed	p. 44	재구성된
219	recovery	p. 58	회복
220	recycling	p. 54	재활용
221	refer to *A* as *B*	p. 48	A를 B로 언급하다
222	reference	p. 70	참조
223	reflect	p. 52	반영하다
224	refract	p. 66	굴절시키다
225	regardless of	p. 54	~와 관계없이

226	reinterpret	p. 74	재해석하다
227	replace	p. 58	대체하다
228	reproduction	p. 74	재생산
229	resist	p. 66	저항하다
230	respective	p. 44	각자의
231	restrict	p. 74	제한하다
232	result in	p. 58	~을 초래하다
233	revolve	p. 46	돌아가다
234	rocket	p. 50	급증하다
235	rose-colored	p. 72	낙관적인, 장밋빛의
236	rule	p. 60	판결을 내리다
237	rule out	p. 42	배제하다
238	run into	p. 50	우연히 만나다
239	run out of	p. 69	~을 다 써버리다
240	scarce	p. 68	부족한, 드문
241	scatter	p. 40	흩뿌리다
242	scheme	p. 48	계획, 제도
243	scrap	p. 54	(잘라낸) 조각
244	seemingly	p. 48	겉보기에는, 외견상으로
245	segment	p. 46	부분, 조각
246	selective	p. 44	선택적인
247	shelter	p. 72	안식처
248	shift	p. 50	옮기다, 바꾸다
249	significance	p. 52	중요성
250	significant	p. 58	상당한

Word List for Week 2

251	similarity	p. 44	유사점
252	slope	p. 64	경사지, 비탈
253	soar	p. 58	치솟다
254	solitary	p. 50	혼자 하는
255	sort	p. 40	분류하다
256	spectator sport	p. 42	관중 스포츠
257	split	p. 46	나누다, 나뉘다
258	split into halves	p. 52	반반으로 나뉘다
259	spread	p. 46	퍼지다
260	stack	p. 54	더미
261	staff	p. 50	직원을 배치하다
262	startling	p. 54	놀라운
263	statistical	p. 60	통계적인
264	status	p. 40	상태
265	steepness	p. 64	가파름
266	storage	p. 74	저장
267	straight line	p. 66	일직선
268	strive	p. 72	애써 나아가다
269	struggle	p. 70	투쟁
270	subsequently	p. 44	그 뒤
271	successive	p. 66	연속적인, 연이은
272	surroundings	p. 64	환경
273	sustainable	p. 55	지속 가능한
274	swiftly	p. 64	재빨리
275	tactic	p. 44	전술

276	take ~ for granted	p. 56	~을 당연하게 생각하다
277	take into account	p. 38	~을 고려하다
278	take offence	p. 74	불쾌감을 느끼다
279	take part in	p. 52	~에 참가하다
280	tension	p. 52	긴장 상태
281	term	p. 42	용어
282	theorist	p. 72	이론가
283	thereby	p. 68	그렇게 함으로써
284	to a large extent	p. 46	대부분은, 크게
285	to the extent that	p. 70	~일 경우에, ~하는 한
286	tolerate	p. 64	견디다
287	toothpaste	p. 60	치약
288	trait	p. 38	특성
289	trash can	p. 54	쓰레기통
290	travel	p. 42	이동
291	tree-lined	p. 64	나무가 일렬로 늘어선
292	trout	p. 64	송어
293	tumble over	p. 64	~의 위로 굴러 떨어지다
294	turn out	p. 60	드러나다
295	ultimate	p. 66	궁극적인
296	union	p. 42	조합
297	unobserved	p. 74	주시당하지 않는
298	unstable	p. 38	불안정한
299	up to date	p. 70	최신의
300	utility	p. 72	유용성, 효용

Word List for Week 2

301	utilization	p. 58	사용
302	vanish	p. 70	사라지다
303	variability	p. 69	가변성, 변동성
304	view *A* as *B*	p. 72	A를 B로 간주하다
305	walleye	p. 64	망상어
306	whereby	p. 44	그것 때문에
307	workload	p. 40	업무량
308	worthwhile	p. 46	가치가 있는

수능전략

영·어·영·역

독해 300

BOOK 1

이 책의 구성과 활용

본책인 BOOK 1과 BOOK 2의 구성은 아래와 같습니다.

BOOK 1
1주, 2주

BOOK 2
1주, 2주

BOOK 3
정답과 해설

주 도입

본격적인 학습에 앞서, 재미있는 만화를 살펴보며 이번 주에 학습할 내용을 확인해 봅니다.

1일

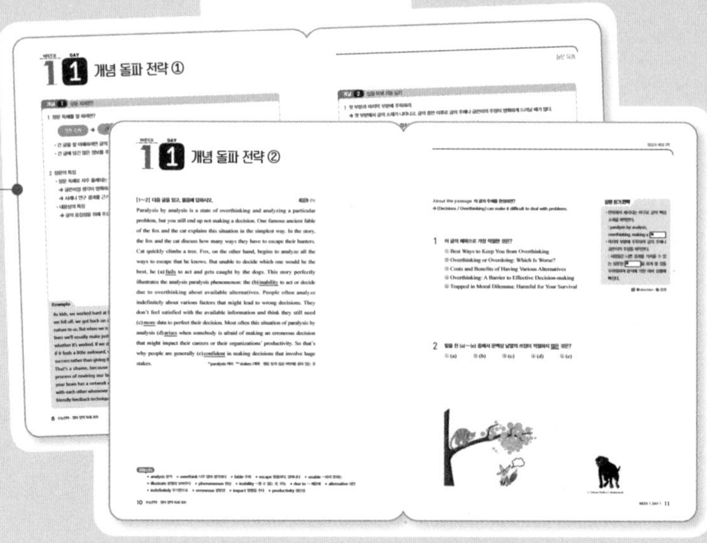

개념 돌파 전략
수능 영어 영역 장문 독해를 대비하기 위해 꼭 알아야 할 장문 읽기 전략과 유형을 익힌 뒤, 간단한 문제를 풀며 개념을 잘 이해했는지 확인해 봅니다.

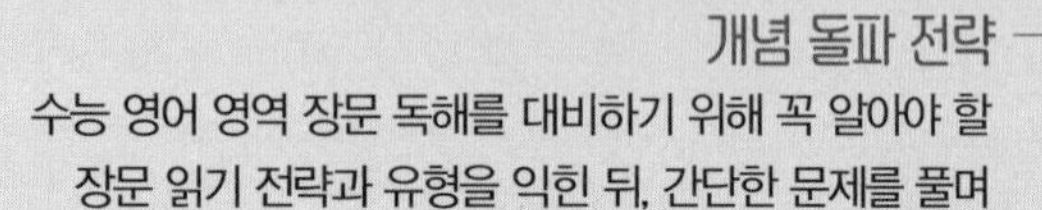

2일, 3일

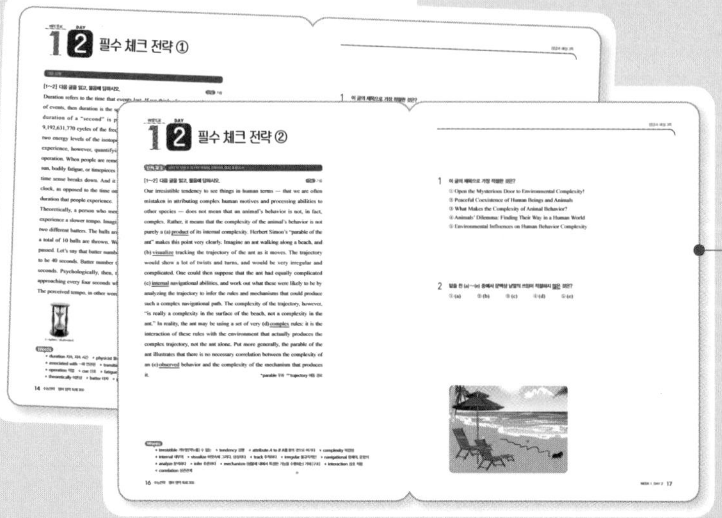

필수 체크 전략
기출 문제에서 선별한 대표 유형 문제와 추가 문제를 풀며 문제에 접근하는 과정과 해결 전략을 체계적으로 익혀 봅니다.

본 책에서 다룬 대표 유형과 그 해결 전략을 집중적으로 연습할 수 있도록 권두 부록을 구성했습니다.
부록을 뜯으면 미니북으로 활용할 수 있습니다.

주 마무리 코너

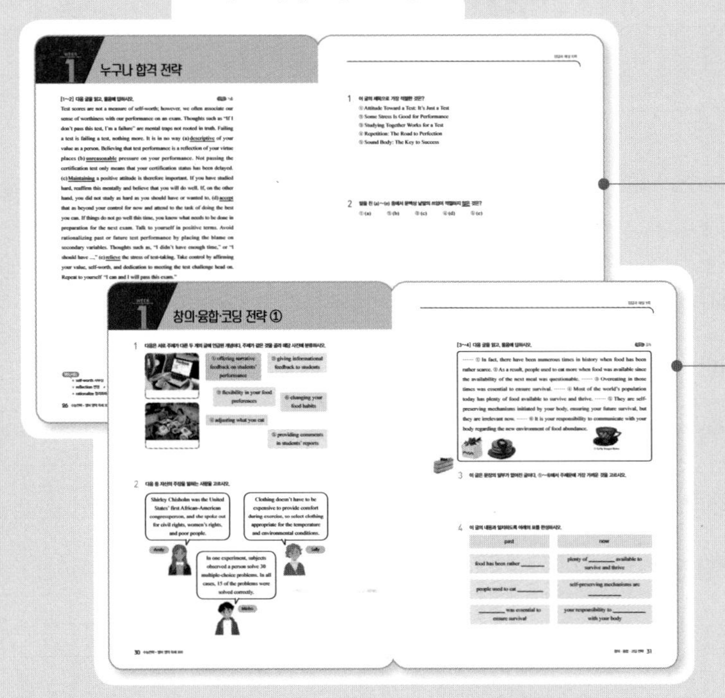

누구나 합격 전략
난이도가 낮은 기출 문제를 풀며 학습 자신감을 높일 수 있습니다.

창의·융합·코딩 전략
수능에서 요구하는 융복합적 사고력과 문제 해결력을 기를 수 있는 재미있는 문제를 풀어 봅니다.

권 마무리 코너

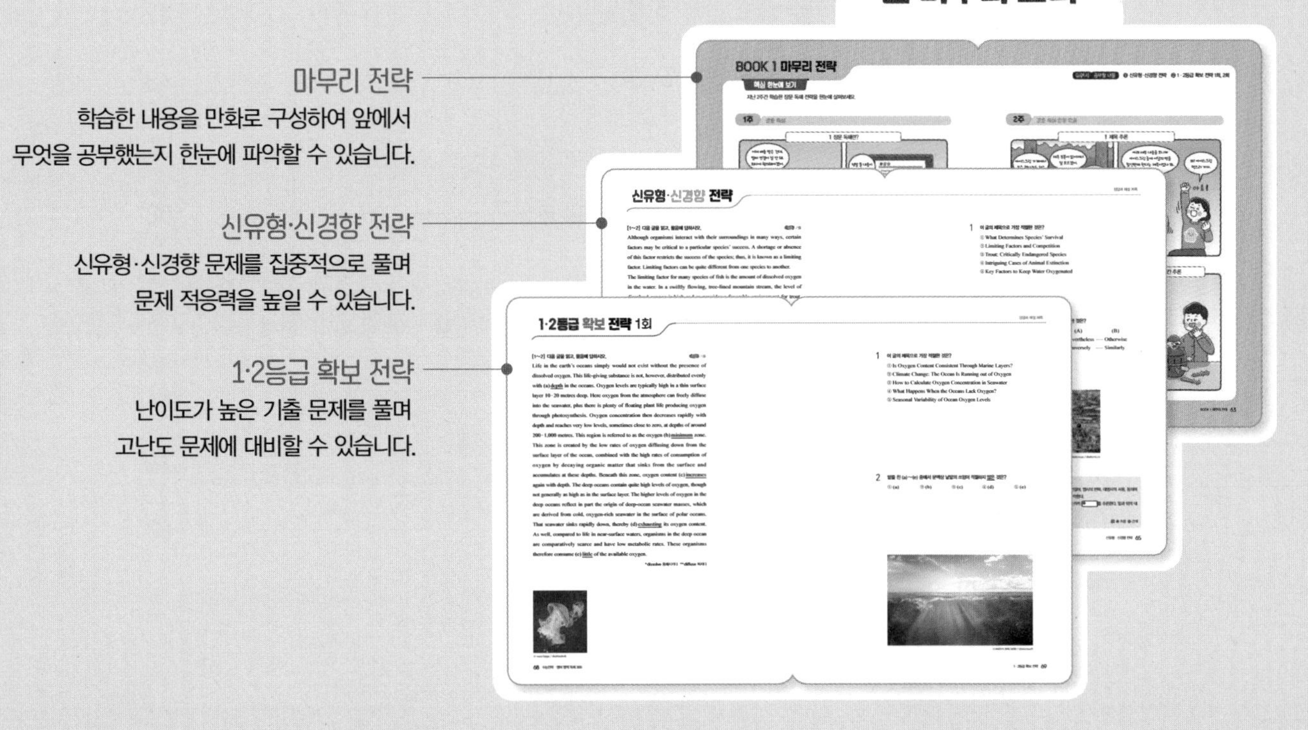

마무리 전략
학습한 내용을 만화로 구성하여 앞에서 무엇을 공부했는지 한눈에 파악할 수 있습니다.

신유형·신경향 전략
신유형·신경향 문제를 집중적으로 풀며 문제 적응력을 높일 수 있습니다.

1·2등급 확보 전략
난이도가 높은 기출 문제를 풀며 고난도 문제에 대비할 수 있습니다.

이 책의 차례

BOOK 1

WEEK 1

WEEK 2

<수능전략 영어 영역 독해 300>은
장문 독해 유형(41~42번)과
복합 문단 독해 유형(43~45번)을 다룹니다.
'300'은 이 유형들의 독해 지문 평균
어휘 수를 의미합니다.

BOOK 2

WEEK 1

복합 문단 독해

WEEK 2

복합 문단 유형 학습

WEEK

1 장문 독해

뭐하는 거야?
글자가 너무 작아서
안 보이는 거야?
무슨 소리야,
내 시력이 몇인데!

그냥, 글이 너무 기니까
갑자기 읽기 싫어져서
내 눈을 흐리게 하고 있는
중이야.
긴 글이면 그렇긴 하지.
나도 인터넷에서 짧고 웃긴 글만
골라 읽다 보니까, 글이 조금만
길어도 숨이 막혀.

으으… 그렇다고
긴 글을 아예 안 읽을 순
없고 말이야.
재미있는 글이면 잘 읽히려나?
생각해 보면 재미있는 소설책이나
만화는 길어도 끝까지 읽잖아.
으…

공부할 내용 1. 장문 독해란? 2. 장문 독해 지문 읽기

WEEK 1 DAY 1

개념 돌파 전략 ①

개념 1 장문 독해란?

1 장문 독해를 잘 하려면?

장문 독해  긴 글 읽기

• 긴 글을 잘 이해하려면 글의 주제를 정확하게 파악하고, 이를 중심으로 글을 읽어야 한다.
• 긴 글에 담긴 많은 정보를 주제와 연관시켜 생각할 수 있어야 한다.

2 장문의 특징

• 장문 독해로 자주 출제되는 글
➜ 글쓴이의 생각이 명확하게 드러나는 논설문
➜ 사례나 연구 결과를 근거로 들어 글쓴이의 주장을 강화하는 형태의 지문
• 내용상의 특징
➜ 글의 응집성을 위해 주요 소재와 표현이 반복적으로 제시된다.

장문 독해에 주로 출제되는 글은 논설문 형태이므로, 글쓴이의 생각이 뚜렷하게 드러납니다. 또한 글이 길기 때문에 일관성을 위해 주요 소재와 표현을 반복하는 경향이 있습니다.

Example

As kids, we worked hard at learning to ride a bike; when we fell off, we got back on again, until it became second nature to us. But when we try something new in our adult lives we'll usually make just one attempt before judging whether it's worked. If we don't succeed the first time, or if it feels a little awkward, we'll tell ourselves it wasn't a success rather than giving it another shot.
That's a shame, because repetition is central to the process of rewiring our brains. Consider the idea that your brain has a network of neurons. They will connect with each other whenever you remember to use a brain-friendly feedback technique. …

해석
아이였을 때, 우리는 열심히 자전거 타는 법을 배웠고, 넘어지면 다시 올라탔는데, 그것이 우리에게 제2의 천성이 될 때까지 그렇게 했다. 그러나 어른으로 살면서 새로운 것을 시도해 볼 때 우리는 대개 한 번만 시도한 후 그것이 잘되었는지 안되었는지 판단하려 한다. 만일 우리가 처음에 그것을 성공하지 못하거나 약간 어색하게 느껴지면, 다시 시도해 보기보다는 그것이 성공이 아니었다고 스스로에게 말할 것이다.
그것은 애석한 일인데, 반복은 우리 뇌를 재연결하는 과정의 핵심이기 때문이다. 여러분의 뇌가 뉴런의 연결망을 가지고 있다는 개념을 생각해 봐라. 여러분이 두뇌 친화적인 피드백 기술을 잊지 않고 사용할 때마다 그것들은 서로 연결되고는 한다. …

개념 2 장문 독해 지문 읽기

1 첫 부분과 마지막 부분에 주목하라.

➜ 첫 부분에서 글의 소재가 나타나고, 글의 중반 이후로 글의 주제나 글쓴이의 주장이 명확하게 드러날 때가 많다.

2 글 중반에 역접의 접속사나 접속부사에 주의하여 글의 흐름을 파악하라.

➜ 상반되는 내용이 나오면서, 글의 흐름을 바꾸어 주제나 주장을 강조할 수 있다.
특히 역접의 접속사나 접속부사, 부정어 뒤에 글의 주제, 글쓴이의 주장이 뚜렷하게 드러날 경우가 많다.

자주 쓰이는 표현

- but, however, yet 그러나 • though, although 그럼에도 불구하고, 그러나 • rather 오히려 • in fact 사실은 • now 이제 … 이니
- not을 포함한 어구

3 반복되는 표현에 유의하라.

➜ 반복해서 제시되는 개념이 글의 중심 소재이므로, 하나의 개념이 다양한 표현으로 되풀이해서 제시되는 것을 놓치지 않고 파악해야 한다. 또한 이것에 대한 글쓴이의 태도나 의견이 글의 주제일 가능성이 높다.

주목할 표현

- We(You/People) would, should, must ~. 등
- I insist ~., I think ~., I believe ~. 등
- 명령문, 의문문 등 글쓴이의 어조가 드러나는 표현

Q 1 이 글에서 글쓴이는 어떤 사례를 들고 있는가?

: 아이였을 때는 어떤 일을 처음 할 때 ❶ _____ 해도 반복해서 시도하려고 함

➜ 어른이 되면 새로운 일을 시도할 때 한 번만 해 보고 성공인지 실패인지 확인하려 함

Q 2 이 글에서 어떤 의미의 어구가 반복되고 있는가?

: 시도, 반복과 관련된 어구 (got back on again, one attempt, giving it another shot, repetition 등)

Q 3 글쓴이의 강한 어조가 드러나는 표현에는 무엇이 있는가?

: That's a shame, because repetition is central to the process of rewiring our brains.
(그것은 애석한 일인데, 반복은 우리 뇌를 재연결하는 과정의 핵심이기 때문이다.)
Consider the idea that your brain has a network of neurons.
(여러분의 뇌가 뉴런의 연결망을 가지고 있다는 개념을 생각해 봐라.)

Q 4 이 글의 주제는 무엇인가?

: 어떤 일을 잘 해내기 위해서는 ❷ _____ 이 필수적이다.

답 ❶ 실패 ❷ 반복

WEEK 1 DAY 1

개념 돌파 전략 ②

[1~2] 다음 글을 읽고, 물음에 답하시오. 학평 응용

Paralysis by analysis is a state of overthinking and analyzing a particular problem, but you still end up not making a decision. One famous ancient fable of the fox and the cat explains this situation in the simplest way. In the story, the fox and the cat discuss how many ways they have to escape their hunters. Cat quickly climbs a tree. Fox, on the other hand, begins to analyze all the ways to escape that he knows. But unable to decide which one would be the best, he (a) fails to act and gets caught by the dogs. This story perfectly illustrates the analysis paralysis phenomenon: the (b) inability to act or decide due to overthinking about available alternatives. People often analyze indefinitely about various factors that might lead to wrong decisions. They don't feel satisfied with the available information and think they still need (c) more data to perfect their decision. Most often this situation of paralysis by analysis (d) arises when somebody is afraid of making an erroneous decision that might impact their careers or their organizations' productivity. So that's why people are generally (e) confident in making decisions that involve huge stakes.

*paralysis 마비 **stakes (계획 · 행동 등의 성공 여부에) 걸려 있는 것

Words

- analysis 분석 • overthink 너무 많이 생각하다 • fable 우화 • escape 탈출하다, 달아나다 • unable ~하지 못하는
- illustrate 분명히 보여주다 • phenomenon 현상 • inability ~할 수 없는 것, 무능 • due to ~ 때문에 • alternative 대안
- indefinitely 무기한으로 • erroneous 잘못된 • impact 영향을 주다 • productivity 생산성

About the passage 이 글의 주제를 완성하면?

➔ (Decisions / Overthinking) can make it difficult to deal with problems.

장문 읽기 전략

- 반복해서 제시되는 어구로 글의 핵심 소재를 파악한다.
  : paralysis by analysis, overthinking, making a ❶ [ ]
- 마지막 부분에 주목하여 글의 주제나 글쓴이의 주장을 파악한다.
  : 사람들은 나쁜 결과를 가져올 수 있는 잘못된 ❷ [ ]을 하게 될 것을 두려워하여 분석에 의한 마비 상황에 빠진다.

답 ❶ decision ❷ 결정

1 이 글의 제목으로 가장 적절한 것은?

① Best Ways to Keep You from Overthinking
② Overthinking or Overdoing: Which Is Worse?
③ Costs and Benefits of Having Various Alternatives
④ Overthinking: A Barrier to Effective Decision-making
⑤ Trapped in Moral Dilemma: Harmful for Your Survival

2 밑줄 친 (a)~(e) 중에서 문맥상 낱말의 쓰임이 적절하지 <u>않은</u> 것은?

① (a)　② (b)　③ (c)　④ (d)　⑤ (e)

© Tatiana Stulbo / shutterstock

[3~4] 다음 글을 읽고, 물음에 답하시오. 

Surprisingly, consciousness might not be as crucial to creativity as we like to think. There are several different types of creativity — some of them conscious, some of them unconscious. Creativity can happen when you (a) deliberately try to create something or it can happen in your sleep. In any case, Arne Dietrich, a neuroscientist, believes that the creative brain might work much like software. Neuroscientists suspect that creativity is (b) driven by a mechanical process in the brain that generates possible solutions and then eliminates them systematically. He believes our tendency to dismiss computational creativity as (c) inferior to our own comes from an ingrained dualism in human culture.

As a neuroscientist, Dietrich says he tackles the brain as a machine — and does not see machine creativity as different. Considered in this way, the idea that the human brain has a unique claim to creative talents seems a (d) proper perspective. We need to stop trying to compare computer artists to human ones. If we can (e) embrace computer creativity for what it is, not only will computers teach us new things about our own creative talents, but they might become creative in ways that we cannot begin to imagine.

Words

- consciousness 의식 • crucial 결정적인 • deliberately 의도적으로 • neuroscientist 신경 과학자
- suspect (~일 수도 있다고) 생각하다 • drive 주도하다 • mechanical 기계의 • generate 생성하다 • eliminate 제거하다
- dismiss 묵살하다 • ingrained 뿌리 깊은 • dualism 이원론 • tackle 다루다, 취급하다
- have a claim to ~에 대한 권리를 가지고 있다 • perspective 관점 • embrace 포용하다, 받아들이다

About the passage 이 글의 주제를 완성하면?

➔ 인간의 창의력과 ____________의 창의력은 다르지 않다.

장문 읽기 전략

- 반복해서 제시되는 어구로 글의 핵심 소재를 파악한다.
  : creativity, machine, computer, human ❶ ______
- 글의 첫 부분과 마지막 부분에 주목하여 글의 주제를 파악한다.
  : '인간의 의식이 창의력에 결정적인 것은 아니다'라는 내용으로 글을 시작했다. 뒤에서는 인간의 창의력과 ❷ ______의 창의력을 다르게 생각하지 않는다는 신경 과학자의 견해를 내세웠다.

답 ❶ brain ❷ 기계

3 이 글의 제목으로 가장 적절한 것은?

① Machines That Create Redefine Creativity
② The New Way Machines Learn and Think
③ How Brain Works During Unconsciousness
④ Potential Limits of Artificial Intelligence
⑤ High Technology Weakens Creativity

4 밑줄 친 (a)~(e) 중에서 문맥상 낱말의 쓰임이 적절하지 않은 것은?

① (a) ② (b) ③ (c) ④ (d) ⑤ (e)

ⓒ Besjunior / shutterstock

WEEK 1 DAY 2

필수 체크 전략 ①

대표 유형

[1~2] 다음 글을 읽고, 물음에 답하시오. 수능 기출

Duration refers to the time that events last. If we think of tempo as the speed of events, then duration is the speed of the clock itself. For the physicist, the duration of a "second" is precise and unambiguous: it is equal to 9,192,631,770 cycles of the frequency associated with the transition between two energy levels of the isotope cesium-133. In the realm of psychological experience, however, quantifying units of time is a considerably clumsier operation. When people are removed from the cues of "real" time — be it the sun, bodily fatigue, or timepieces themselves — it doesn't take long before their time sense breaks down. And it is this usually ______(A)______ psychological clock, as opposed to the time on one's watch, that creates the perception of duration that people experience.

Theoretically, a person who mentally stretches the duration of time should experience a slower tempo. Imagine, for example, that baseballs are pitched to two different batters. The balls are thrown every 5 seconds for 50 seconds, so a total of 10 balls are thrown. We now ask both batters how much time has passed. Let's say that batter number one (who loves hitting) feels the duration to be 40 seconds. Batter number two (bored by baseball) believes it to be 60 seconds. Psychologically, then, the first person has experienced baseballs approaching every four seconds while the second sees it as every six seconds. The perceived tempo, in other words, is ______(B)______ for batter number one.

*isotope 동위원소 **clumsy 서투른

© cigdem / shutterstock

Words

- duration 지속, 지속 시간 • physicist 물리학자 • precise 정확한 • unambiguous 분명한 • cycle 주기 • frequency 진동수
- associated with ~와 연관된 • transition 전이 • realm 영역 • quantify 수량화하다 • unit 구성단위 • considerably 상당히
- operation 작업 • cue 신호 • fatigue 피로 • timepiece 시계 • as opposed to ~이 아니라 • perception 인식
- theoretically 이론상 • batter 타자 • psychologically 심리적으로

1 이 글의 제목으로 가장 적절한 것은?

① What Timepieces Bring to Our Lives
② Research into Time: Precision vs. Duration
③ Flight from Time: A New Direction for Physics
④ The Peaceful Coexistence of Science and Baseball
⑤ How Long, How Fast: A Matter of Time Perception

장문 해결 전략

- 제목은 글의 중심 내용이나 ❶ [ ] 를 함축적인 표현으로 나타낸 것이다.
- 글의 소재나 핵심어가 글의 제목이 되기도 하므로 반복되는 단어나 어구에 주목해야 한다.

2 이 글의 빈칸 (A), (B)에 들어갈 말로 가장 적절한 것은?

	(A)		(B)		(A)		(B)
①	delayed	……	faster	②	internal	……	slower
③	accurate	……	slower	④	imprecise	……	faster
⑤	mysterious	……	slower				

장문 해결 전략

- 빈칸이 있는 문장의 앞뒤를 살펴 단서를 찾는다.
- 예시나 부연 설명에서 단서를 얻어 빈칸에 들어갈 말을 추론할 수 있는데, 이 경우 글의 ❷ [ ] 에서 벗어나지 않은 단어를 찾아야 한다.

답 ❶ 주제 ❷ 주제

© rangizzz / shutterstock

© Eugene Onischenko / shutterstock

WEEK 1 DAY 2

필수 체크 전략 ②

전략 체크 글의 첫 부분과 마지막 부분에 주목하여 주제 추론하기

[1~2] 다음 글을 읽고, 물음에 답하시오. 수능 기출

Our irresistible tendency to see things in human terms — that we are often mistaken in attributing complex human motives and processing abilities to other species — does not mean that an animal's behavior is not, in fact, complex. Rather, it means that the complexity of the animal's behavior is not purely a (a) product of its internal complexity. Herbert Simon's "parable of the ant" makes this point very clearly. Imagine an ant walking along a beach, and (b) visualize tracking the trajectory of the ant as it moves. The trajectory would show a lot of twists and turns, and would be very irregular and complicated. One could then suppose that the ant had equally complicated (c) internal navigational abilities, and work out what these were likely to be by analyzing the trajectory to infer the rules and mechanisms that could produce such a complex navigational path. The complexity of the trajectory, however, "is really a complexity in the surface of the beach, not a complexity in the ant." In reality, the ant may be using a set of very (d) complex rules: it is the interaction of these rules with the environment that actually produces the complex trajectory, not the ant alone. Put more generally, the parable of the ant illustrates that there is no necessary correlation between the complexity of an (e) observed behavior and the complexity of the mechanism that produces it.

*parable 우화 **trajectory 이동 경로

Words

- irresistible 거부할[억누를] 수 없는
- tendency 경향
- attribute *A* to *B* A를 B의 것으로 여기다
- complexity 복잡성
- internal 내부의
- visualize 머릿속에 그리다, 상상하다
- track 추적하다
- irregular 불규칙적인
- navigational 항해의, 운항의
- analyze 분석하다
- infer 추론하다
- mechanism (생물체 내에서 특정한 기능을 수행하는) 기제[구조]
- interaction 상호 작용
- correlation 상관관계

1 이 글의 제목으로 가장 적절한 것은?

① Open the Mysterious Door to Environmental Complexity!
② Peaceful Coexistence of Human Beings and Animals
③ What Makes the Complexity of Animal Behavior?
④ Animals' Dilemma: Finding Their Way in a Human World
⑤ Environmental Influences on Human Behavior Complexity

2 밑줄 친 (a)~(e) 중에서 문맥상 낱말의 쓰임이 적절하지 <u>않은</u> 것은?

① (a) ② (b) ③ (c) ④ (d) ⑤ (e)

필수 체크 전략 ②

전략 체크 글 중반에 역접 관계 접속사에 주의하여 글의 흐름 파악하기

[3~4] 다음 글을 읽고, 물음에 답하시오. 학평 기출

There is something about a printed photograph or newspaper headline that makes the event it describes more real than in any other form of news reporting. Perhaps this is because there is an undeniable reality to the newspaper itself: it is a real material object. That (a) authenticity rubs off on the news. It can be pointed to, underlined, cut out, pinned on notice boards, stuck in a scrapbook, or archived in libraries. The news becomes an artifact, (b) frozen in time; the event may be long gone, but it lives on as an indisputable fact because of its material presence — even if it is untrue.
In contrast, news websites seem short-lived. Although they too are archived, there is no unique physical component to point to as (c) evidence of the information they convey. For this reason, there is a sense in which they can be more easily manipulated, and that history itself could be altered. At the same time, it is precisely this immediacy and (d) rigidity of content that makes the digital media so exciting. The news website is in tune with an age that sees history as much less monolithic than previous eras once did. Digital news websites are potentially much more (e) democratic, too, for while a physical newspaper requires huge printing presses and a distribution network linking trains, planes, trucks, shops, and ultimately newspaper sellers, in the digital world a single person can communicate with the whole world with the aid of a single computer and without requiring a single tree to be cut down.

*archive 보관하다

Words
- undeniable 부인할 수 없는 • authenticity 진정성 • rub off on ~에 영향을 주다, 옮겨가다 • stick 붙이다 • artifact 인공물
- indisputable 부인할 수 없는 • component 구성 요소 • convey 전달하다 • manipulate 조작하다 • alter 바꾸다
- immediacy 신속성, 직접성 • rigidity 경직성 • be in tune with ~와 일치하다 • monolithic 단일체의 • democratic 민주적인
- distribution network 유통망 • ultimately 궁극적으로

3 이 글의 제목으로 가장 적절한 것은?

① How Has Digital Media Pushed Out Printed Media?
② Is Media Doing Good or Harm in Our Modern Society?
③ Realism in Media Is Not Necessarily Based on Real Facts
④ Digital World: Where Any of Us Can Create and Deliver News
⑤ Material Presence: What Differentiates Printed and Digital Media

4 밑줄 친 (a)~(e) 중에서 문맥상 낱말의 쓰임이 적절하지 <u>않은</u> 것은?

① (a)　② (b)　③ (c)　④ (d)　⑤ (e)

© Castleski / shutterstock

© Oleksiy Mark / shutterstock

WEEK 1 DAY 3

필수 체크 전략 ①

대표 유형

[1~2] 다음 글을 읽고, 물음에 답하시오. 수능 기출

For quite some time, science educators believed that "hands-on" activities were the answer to children's understanding through their participation in science-related activities. Many teachers believed that students merely engaging in activities and (a) manipulating objects would organize the information to be gained and the knowledge to be understood into concept comprehension. Educators began to notice that the pendulum had swung too far to the "hands-on" component of inquiry as they realized that the knowledge was not (b) inherent in the materials themselves, but in the thought and metacognition about what students had done in the activity. We now know that "hands-on" is a dangerous phrase when speaking about learning science. The (c) missing ingredient is the "minds-on" part of the instructional experience. (d) Uncertainty about the knowledge intended in any activity comes from each student's re-creation of concepts — and discussing, thinking, arguing, listening, and evaluating one's own preconceptions after the activities, under the leadership of a thoughtful teacher, can bring this about. After all, a food fight is a hands-on activity, but about all you would learn was something about the aerodynamics of flying mashed potatoes! Our view of what students need to build their knowledge and theories about the natural world (e) extends far beyond a "hands-on activity." While it is important for students to use and interact with materials in science class, the learning comes from the sense-making of students' "hands-on" experiences.

*pendulum 추(錘) **metacognition 초(超)인지 ***aerodynamics 공기 역학

Words

- hands-on 직접 해 보는 • engage in ~에 참여하다 • concept 개념 • comprehension 이해 • component 요소
- inquiry 연구, 탐구 • inherent 내재된 • phrase 문구 • ingredient 요소, 성분 • mind-on 사고를 요구하는 • instructional 교육의
- evaluate 평가하다 • preconception 선입견 • thoughtful 사려 깊은 • mashed potato 으깬 감자 • extend 확장하다

1 이 글의 제목으로 가장 적절한 것은?

① Turn "Minds-on" Learning On in Science Class
② Activity-oriented Learning Enters Science Education!
③ Figure Out What Students Like Most in Science Class
④ Joy and Learning: More Effective When Separated
⑤ "Hands-on" Activities as a Source of Creativity

장문 해결 전략

• 반복해서 제시되는 어구로 글의 중심 소재와 ❶ [ ]를 파악할 수 있다.
• 글쓴이의 생각이 마지막에 뚜렷하게 드러나는 글이라는 점에 유의하여 제목을 추론한다.

2 밑줄 친 (a)~(e) 중에서 문맥상 낱말의 쓰임이 적절하지 않은 것은?

① (a) ② (b) ③ (c) ④ (d) ⑤ (e)

장문 해결 전략

• 글의 주제를 파악하며 읽고, 밑줄 친 부분이 있는 문장의 의미가 주제에 부합하는지 확인해야 한다.
• 글 전체의 ❷ [ ]에 어긋나는 단어가 아닌지 주의 깊게 의미를 파악해야 한다.

답 ❶ 주제 ❷ 흐름

ⓒ Totyana Vyc / shutterstock

WEEK 1 DAY 3

필수 체크 전략 ②

전략 체크 반복되는 표현을 통해 중심 소재와 주제를 파악하고 역접의 접속부사 뒤의 내용에 주의하기

[1~2] 다음 글을 읽고, 물음에 답하시오. 모평 기출

In many mountain regions, rights of access to water are associated with the possession of land — until recently in the Andes, for example, land and water rights were (a) combined so water rights were transferred with the land. However, through state land reforms and the development of additional sources of supply, water rights have become separated from land, and may be sold at auction. This therefore (b) favours those who can pay, rather than ensuring access to all in the community. The situation arises, therefore, where individuals may hold land with no water. In Peru, the government grants water to communities separately from land, and it is up to the community to allocate it. Likewise in Yemen, the traditional allocation was one measure (*tasah*) of water to one hundred '*libnah*' of land. This applied only to traditional irrigation supplies — from runoff, wells, etc., where a supply was (c) guaranteed. Water derived from the capture of flash floods is not subject to Islamic law as this constitutes an uncertain source, and is therefore free for those able to collect and use it. However, this traditional allocation per unit of land has been bypassed, partly by the development of new supplies, but also by the (d) decrease in cultivation of a crop of substantial economic importance. This crop is harvested throughout the year and thus requires more than its fair share of water. The economic status of the crop (e) ensures that water rights can be bought or bribed away from subsistence crops.

*irrigation 관개(灌漑) **bribe 매수하다 ***subsistence crop 생계용 작물

Words

- be associated with ~와 관련이 있다 • transfer 이전하다 • reform 개혁; 개혁하다 • favour ~에 유리하다 • ensure 보장하다
- grant ~를 주다, 수여하다 • allocate 분배하다, 할당하다 • runoff 유수 • guarantee 보장하다 • derive from ~에서 얻다
- flash flood 갑작스럽게 불어난 물 • be subject to ~의 영향을 받다 • constitute 구성하다 • bypass 회피하다, 우회하다
- cultivation 경작, 재배 • substantial 상당한

1 이 글의 제목으로 가장 적절한 것은?

① Water Rights No Longer Tied to Land
② Strategies for Trading Water Rights
③ Water Storage Methods: Mountain vs. Desert
④ Water Supplies Not Stable in Mountain Regions
⑤ Unending Debates: Which Crop We Should Grow

2 밑줄 친 (a)~(e) 중에서 문맥상 낱말의 쓰임이 적절하지 않은 것은?

① (a) ② (b) ③ (c) ④ (d) ⑤ (e)

© Pikoso.kz / shutterstock

필수 체크 전략 ②

전략 체크 반복되는 표현을 통해 중심 소재와 주제 파악하기

[3~4] 다음 글을 읽고, 물음에 답하시오. 모평 기출

An ecosystem that is altered or damaged in some way will be out of balance with the biome for that area. For example, if the local biome is forest, but the trees have been removed from one area, then the ecosystem is out of balance. The natural tendency is for plant species to move into that area, bringing the ecosystem back towards the biome state. The spread of a species into a new area is called colonisation. It can happen naturally only if there are ecologically healthy ecosystems nearby to provide plant seeds. Once the vegetation has started to recover, insects, birds and other animals will travel into the newly regenerated area.

These processes of ecological colonisation can be supported by environmental ______________. For example, we are currently seeing important changes in the way agriculture is carried out in Britain. Rather than just maximising food production, farming is becoming more environmentally friendly, with the support of financial subsidies. This new approach increases biological diversity by conserving hedges and the wildflowers, insects, birds and other animals that live on the land. A proportion of agricultural land is left completely uncultivated so that species can gradually colonise it. This provides a habitat for a wider range of species. Leaving some farmland as set-aside is also a way to decrease overall production when that is economically desirable. Note that set-aside land is more permanent than fallow land, which is usually left for only a year. Colonisation is a slow process, taking place over years or even decades.

*biome 생물군계 **subsidy 보조(금) ***fallow 휴경

Words

- remove 없애다, 제거하다 • tendency 성향, 경향, 기질 • spread 확산, 전파 • colonisation (동식물의) 군체 형성
- ecologically 생태학적으로 • vegetation 식물, 초목 • regenerate 재생하다 • maximise 최대화하다 • diversity 다양성
- hedge 산울타리 • proportion 비율 • colonise 대량 서식하다 • set-aside 비경작지 • overall 전체의, 종합적인 • desirable 바람직한
- permanent 영구적인 • take place 일어나다

3 이 글의 제목으로 가장 적절한 것은?

① Giving Land Back to Nature for Ecological Balance
② Colonisation: Mother Nature's Shame or Pride?
③ Broken Ecosystems: Mankind's Misconduct
④ Is Set-Aside Land Economically Desirable?
⑤ The Paradox of Eco-Friendly Farming

4 이 글의 빈칸에 들어갈 말로 가장 적절한 것은?

① assessment ② competition ③ constancy
④ forces ⑤ management

누구나 합격 전략

[1~2] 다음 글을 읽고, 물음에 답하시오. 학평 기출

Test scores are not a measure of self-worth; however, we often associate our sense of worthiness with our performance on an exam. Thoughts such as "If I don't pass this test, I'm a failure" are mental traps not rooted in truth. Failing a test is failing a test, nothing more. It is in no way (a) descriptive of your value as a person. Believing that test performance is a reflection of your virtue places (b) unreasonable pressure on your performance. Not passing the certification test only means that your certification status has been delayed. (c) Maintaining a positive attitude is therefore important. If you have studied hard, reaffirm this mentally and believe that you will do well. If, on the other hand, you did not study as hard as you should have or wanted to, (d) accept that as beyond your control for now and attend to the task of doing the best you can. If things do not go well this time, you know what needs to be done in preparation for the next exam. Talk to yourself in positive terms. Avoid rationalizing past or future test performance by placing the blame on secondary variables. Thoughts such as, "I didn't have enough time," or "I should have ...," (e) relieve the stress of test-taking. Take control by affirming your value, self-worth, and dedication to meeting the test challenge head on. Repeat to yourself "I can and I will pass this exam."

Words

- self-worth 자부심 • associate ~ with ... ~을 …와 관련시키다 • rooted in ~에 뿌리를 둔 • descriptive 설명하는, 묘사하는
- reflection 반영 • virtue 미덕 • unreasonable 부당한 • certification test 자격 시험 • reaffirm 재확인하다 • term 말, 용어
- rationalize 합리화하다 • secondary 부차적인 • variable 변수 • affirm 확인하다, 단언하다 • meet ~ head on ~에 정면으로 맞서다

1 이 글의 제목으로 가장 적절한 것은?

① Attitude Toward a Test: It's Just a Test
② Some Stress Is Good for Performance
③ Studying Together Works for a Test
④ Repetition: The Road to Perfection
⑤ Sound Body: The Key to Success

2 밑줄 친 (a)~(e) 중에서 문맥상 낱말의 쓰임이 적절하지 않은 것은?

① (a) ② (b) ③ (c) ④ (d) ⑤ (e)

[3~4] 다음 글을 읽고, 물음에 답하시오. 학평 기출

My buddy and his wife were in constant conflict over when the housework should get done. He wanted to work in spurts and take frequent breaks to watch a TV show or make a nice meal. She wanted to get it all done at a time and have the rest of the day to hang out and relax. I was able to point out to my buddy that his wife wasn't trying to be a strict trainer; she was just more of a sensing, thinking, judging sort of person, and he was more of an intuition, feeling, perceiving sort of person. Neither of them were wrong; they just had different preferences.

Once they realized this, they were able to ______ regarding the housework. When they needed to get a lot of chores done in a short period of time, they used her method, but they agreed to always take a meal break at the appropriate meal hour. When they just had a few things to get done in no specific time frame, they used his method but agreed that they would see the specific task to completion before taking a break. This way, both of them could feel productive, and the housework no longer had to be a huge sore spot between them.

*in spurts 여러 번에 걸쳐 힘껏

Words

- buddy 친구, 동료 • constant 끊임없는 • conflict 갈등 • frequent 잦은 • at a time 한번에 • hang out 놀다 • strict 엄격한
- intuition 직관 • perceiving 인식형 • preference 선호 • regarding ~에 관하여 • chore 허드렛일 • specific 특정한, 구체적인
- see ~ to completion ~을 끝내는 것을 보다 • sore spot 남의 감정을 상하게 하는 문제

3 이 글의 제목으로 가장 적절한 것은?

① Married Couples Are Constantly at Cold War
② How a Couple's Housework Styles Harmonize
③ 50/50 Plan: Splitting Housework with Your Spouse
④ The Story of Mr. Messy Who Marries Mrs. Clean
⑤ Differences Between Men's Work and Women's Work

4 이 글의 빈칸에 들어갈 말로 가장 적절한 것은?

① skip　② question　③ compromise
④ criticize　⑤ compete

창의·융합·코딩 전략 ①

1 다음은 서로 주제가 다른 두 개의 글에 언급된 개념이다. 주제가 같은 것을 골라 해당 사진에 분류하시오.

① offering narrative feedback on students' performance

③ giving informational feedback to students

② flexibility in your food preferences

⑥ changing your food habits

④ adjusting what you eat

⑤ providing comments in students' reports

2 다음 중 자신의 주장을 말하는 사람을 고르시오.

Shirley Chisholm was the United States' first African-American congressperson, and she spoke out for civil rights, women's rights, and poor people.

Amily

Clothing doesn't have to be expensive to provide comfort during exercise, so select clothing appropriate for the temperature and environmental conditions.

Sally

In one experiment, subjects observed a person solve 30 multiple-choice problems. In all cases, 15 of the problems were solved correctly.

Minho

[3~4] 다음 글을 읽고, 물음에 답하시오. 

…… ① In fact, there have been numerous times in history when food has been rather scarce. ② As a result, people used to eat more when food was available since the availability of the next meal was questionable. …… ③ Overeating in those times was essential to ensure survival. …… ④ Most of the world's population today has plenty of food available to survive and thrive. …… ⑤ They are self-preserving mechanisms initiated by your body, ensuring your future survival, but they are irrelevant now. …… ⑥ It is your responsibility to communicate with your body regarding the new environment of food abundance.

© Getty Images Korea

3 이 글은 문장의 일부가 없어진 글이다. ①~⑥에서 주제문에 가장 가까운 것을 고르시오.

4 이 글의 내용과 일치하도록 아래의 표를 완성하시오.

past	now
food has been rather ______	plenty of ______ available to survive and thrive
people used to eat ______	self-preserving mechanisms are ______
______ was essential to ensure survival	your responsibility to ______ with your body

[5~6] 다음 대화를 읽고, 물음에 답하시오.

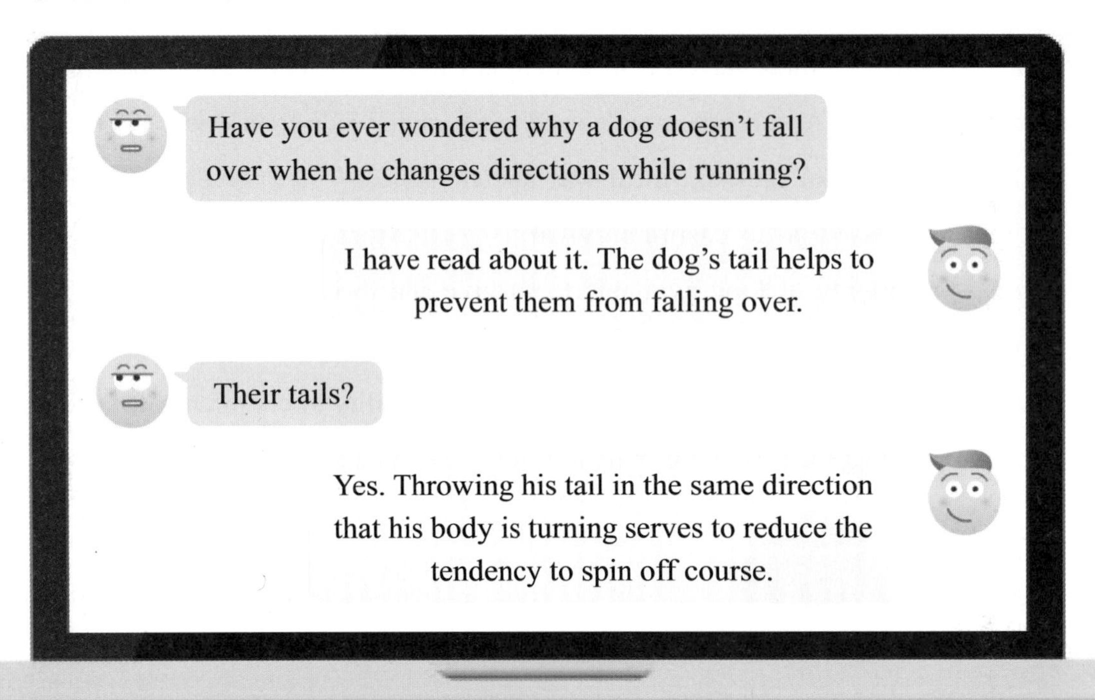

Have you ever wondered why a dog doesn't fall over when he changes directions while running?
I have read about it. The dog's tail helps to prevent them from falling over.
Their tails?
Yes. Throwing his tail in the same direction that his body is turning serves to reduce the tendency to spin off course.

5 두 사람이 이야기하고 있는 주제로 가장 적절한 것을 고르시오.

① effects of a dog's weight on its speed
② role of a dog's tail in keeping balance
③ factors causing a dog's bad behaviors
④ importance of training a dog properly
⑤ reasons why a dog jumps on people

6 다음 중 다른 이야기를 하는 친구를 고르시오.

① 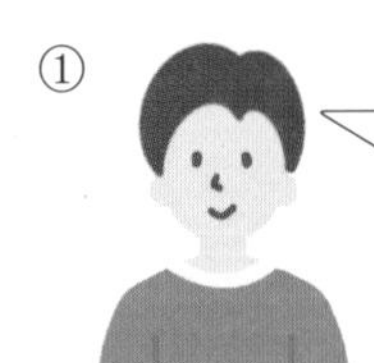
The dog's tail helps to prevent them from falling over.

② 
The dog's tail helps to keep them from falling over.

③ 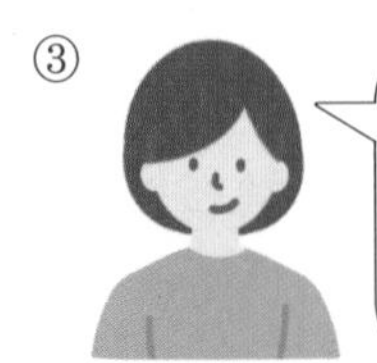
The dog's tail helps them from falling over.

④ 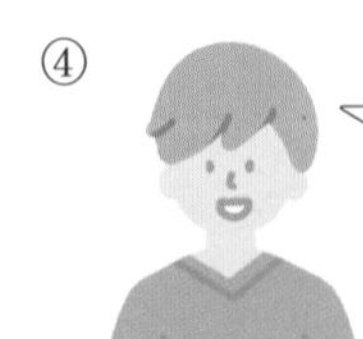
The dog's tail helps to stop them from falling over.

7 알맞은 말을 골라 글의 흐름에 맞게 각각의 글을 완성하시오.

several	the first year	different	country
finally	2021	on the contrary	second

1

ⓒ Getty Images Korea

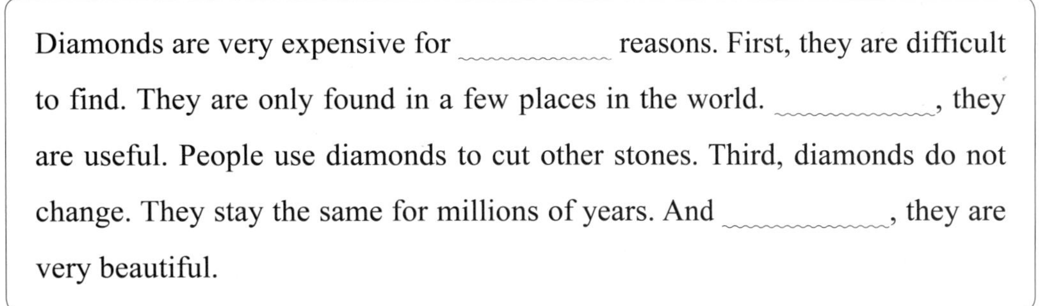
Diamonds are very expensive for ________ reasons. First, they are difficult to find. They are only found in a few places in the world. ________, they are useful. People use diamonds to cut other stones. Third, diamonds do not change. They stay the same for millions of years. And ________, they are very beautiful.

2

Jina was born in 2005 in Busan. When she was four years old, her family moved to Seoul. She finished middle school in ________, and then she went to high school. ________ of high school was a happy year for her. She liked her classes, especially English. In the fall, she won a prize for an English essay.

3

ⓒ Getty Images Korea

The city and the country are very ________ places to live. The city is mostly covered with buildings, while the country consists mostly of farms and trees. Traffic is often unbearable in the city. ________, the country is quiet and relaxed. The jobs in the city are mostly office related. In contrast, people in the ________ work on farms; they prepare and grow crops for sale.

ⓒ Getty Images Bank

WEEK

2 장문 독해 유형 학습

공부할 내용 1. 제목/주제 추론 2. 문맥상 어색한 낱말 찾기 3. 빈칸 추론

WEEK 2 DAY 1

개념 돌파 전략 ①

유형 1 제목/주제 추론

↳ 글의 중심 내용을 파악하여 제목을 추론하거나 글의 주제를 고르는 유형

1 글을 읽으며 전체적인 글의 ❶ [ ]을 파악한다.

2 반복해서 제시되는 소재와 개념을 통해 글의 ❷ [ ] 내용을 파악한다.

3 파악한 내용을 종합하여 글의 내용을 가장 함축적으로 잘 표현한 선택지를 제목으로 고른다.

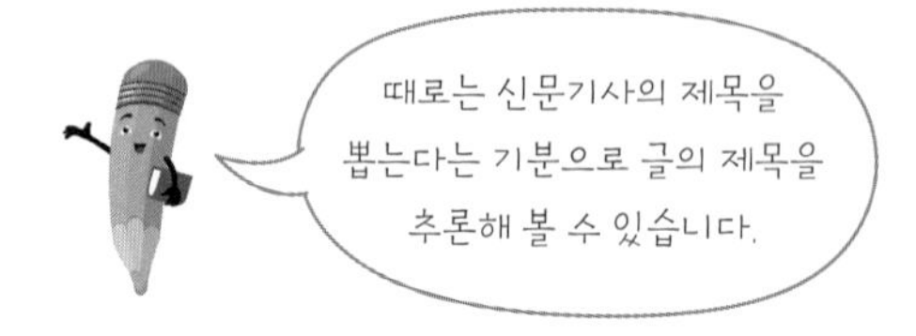

때로는 신문기사의 제목을
뽑는다는 기분으로 글의 제목을
추론해 볼 수 있습니다.

글의 제목을 묻는 문제

지시문 윗글의 제목으로 가장 적절한 것은?

➜ ❶ 글의 전체적인 내용을 핵심어를 사용해 간결하게 압축한 것을 찾는다.

❷ 지나치게 포괄적이거나 지엽적인 내용을 담고 있는 것은 제목으로 적절치 않다.

❸ 제목이 의문문일 경우에는 물음에 대한 답이 글의 주제이다.

글의 주제를 묻는 문제

지시문 윗글의 주제로 가장 적절한 것은?

➜ ❶ **논설문일 때**: 필자의 주장이나 태도가 강하게 드러나는 표현에 주목하여 주제를 추론한다.

❷ **연구 · 조사와 관련된 글일 때**: 실험 결과나 시사점을 드러내는 문장에 주목하여 주제를 추론한다.

답 ❶ 흐름 ❷ 핵심

ⓒ jannoon028 / shutterstock

CHECK

다음 글의 제목으로 가장 적절한 것은?

Do you hope to be transported into someone else's life through books? At a Human Library, people with unique life stories volunteer to be the "books." You can ask them questions and listen to their stories. You can speak with a refugee or a soldier suffering from PTSD. The library encourages people to challenge their own existing notions — to truly get to know someone they might otherwise make quick judgements about.

*PTSD(Post Traumatic Stress Disorder) 외상 후 스트레스 장애

① Useful Books for Learning Languages
② The Place Where People Are the Books
③ What a Touching Story of a Booklover!

tip • 사람이 '책'이 되는 도서관에 관한 글이다.
• 특별한 인생 이야기를 가진 사람과 직접 대면하여 배울 수 있다는 점이 강조된다.

유형 2 문맥상 어색한 낱말 찾기

→ 글의 문맥에 적절하지 않은 낱말을 고르는 유형

1 글의 전체적인 흐름과 ❶ [   ]를 파악한다.

2 밑줄 친 낱말이 있는 문장과 그 앞뒤 내용을 살피면서 글의 주제에서 벗어나지 않는지, 글의 흐름을 어색하게 만들지 않는지 확인한다.

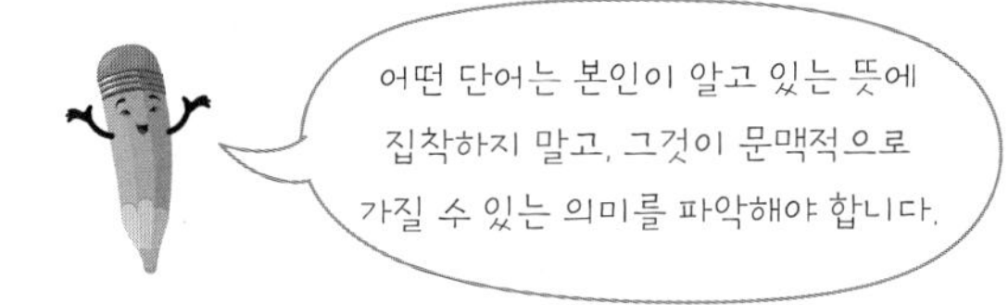

어떤 단어는 본인이 알고 있는 뜻에
집착하지 말고, 그것이 문맥적으로
가질 수 있는 의미를 파악해야 합니다.

3 글의 흐름을 어색하게 만드는 ❷ [   ]이 답이 된다.

지시문 밑줄 친 (a)~(e) 중에서 문맥상 낱말의 쓰임이 적절하지 않은 것은?

답 ❶ 주제 ❷ 낱말

CHECK

밑줄 친 (a)~(c) 중에서 문맥상 낱말의 쓰임이 적절하지 않은 것은?

Sudden success or winnings can be very dangerous. Neurologically, chemicals are released in the brain that give a powerful burst of excitement and energy, leading to the desire to (a) repeat this experience. It can be the start of any kind of addiction or manic behavior. Also, when gains come (b) quickly we tend to lose sight of the basic wisdom that true success, to really last, must come through hard work. We try again and again to recapture that high from (c) losing so much money or attention.

① (a) ② (b) ③ (c)

tip • 갑작스러운 성공의 부정적인 측면을 설명하는 글이다.
• 밑줄 친 낱말이 글의 주제와 부합하는지 살펴야 한다.

유형 3 빈칸 추론

→ 빈칸에 알맞은 어휘를 파악하는 유형

1 글의 전체적인 흐름과 주제를 파악하며 읽는다.

2 글의 주제 부분에 ❶ [   ]이 있는 문제는 글의 주제나 요지를 파악해야 정답을 구할 수 있는데, 이런 경우에는 예시나 부연 설명 부분에서 단서를 얻어 글의 주제를 파악하여 빈칸에 들어갈 어휘를 추론할 수 있다.

3. 글의 예시나 부연 설명에 빈칸이 있는 문제를 풀 때는 우선 글의 주제를 파악한 다음, 이를 각각의 예나 설명에 적용하는 방법으로 문제를 해결한다.

4 빈칸에 어울리는 말을 선택지에서 찾아 넣고, 그 문장이 ❷ [   ]에 부합하는지 확인한다.

지시문 윗글의 빈칸에 들어갈 말로 가장 적절한 것은?

답 ❶ 빈칸 ❷ 주제

CHECK

빈칸에 들어갈 말로 가장 적절한 것은?

An artist or a child simply accepts whatever is in front of them as tool, toy, or environment, and proceeds from that point. Contemporary artist Vik Muniz uses everyday materials to replicate classic artwork. He has used chocolate syrup to render Leonardo da Vinci's *Last Supper*, and has recreated the *Mona Lisa* with peanut butter and jelly. He uses what is around him as the "paint" for his paintings. Like a child who doesn't wait for the ________ tool or circumstances, an artist makes art from what he has around him. *replicate 모사(模寫)하다

① perfect ② familiar ③ dangerous

tip • 빈칸이 있는 문장이 부정문임에 유의한다.
• 빈칸에 들어갈 말은 이 글에 묘사된 어린아이와 예술가의 공통점과 연관이 있다.

개념 돌파 전략 ②

[1~2] 다음 글을 읽고, 물음에 답하시오. 학평 기출

A fundamental trait of human nature is its incredible capacity for adaptation. In the realm of human (a) psychology, research has long noted the essential trait of adapting to life's events, whether happy or tragic. Whatever the hardship a person may experience, the indicators of satisfaction quickly return to their initial levels.

A person seems to get used to everything, which is both reassuring and depressing. Thus across time and space, the percentages of happy and unhappy people are remarkably (b) unstable. This is obviously mainly due to humans' astonishing capacity of adaptation and imitation. Any wealth or any progress is relative, and quickly dissolves in a comparison with others. When millionaires are asked about the size of the fortune necessary to make them feel 'truly at ease', they all respond in the same way, whatever the level of income they have already attained: they need double what they already possess! The heart of the problem is that people do not (c) anticipate their own capacity to adapt. They think that they might be happy if they were given (a little) more and then they would be satisfied, but they are not. The rise in income *to come* always makes one dream, although once it is achieved, this rise is never (d) sufficient. For people compare their *future* income to their *current* aspirations, without taking into account the inevitable evolution of the aspirations. This is the principal key to the (e) vain quest for happiness.

Words
- fundamental 근본적인 • trait 특성 • capacity 능력, 수용력 • realm 영역 • hardship 어려움 • indicator 지표
- reassure 안심시키다 • depress 우울하게 하다 • unstable 불안정한 • astonishing 놀라운 • dissolve 녹다, 효력이 사라지다
- comparison 비교 • at ease 편하게 • income 수입, 소득 • attain 얻다, 갖다 • aspiration 열망 • take into account ~을 고려하다
- inevitable 필연적인 • evolution 발전 • pay off 성공하다

유형 1 제목 추론

1 이 글의 제목으로 가장 적절한 것은?

① Aspire, and You Will Achieve
② Millionaires: Dreamers or Realists?
③ Humans: Too Adaptive to Feel Happier
④ Too Busy to Appreciate Life's Goods?
⑤ Why Delaying Happiness Pays Off

장문 풀이 전략

• 글의 핵심 어휘를 파악해야 한다. 글의 흐름을 살피면서, 비슷한 개념을 나타내는 어구를 찾는다.
human nature, adaptation, happy, unhappy, compare ...
• 글의 후반부 내용에 주목한다. 인간은 가진 것에 빠르게 ❶ ____ 하기 때문에 원하던 것을 성취한 뒤에도 만족하지 못한다고 했다.

유형 2 문맥상 어색한 낱말 찾기

2 밑줄 친 (a)~(e) 중에서 문맥상 낱말의 쓰임이 적절하지 않은 것은?

① (a) ② (b) ③ (c) ④ (d) ⑤ (e)

장문 풀이 전략

• 인간은 행복한 상황에도 빠르게 적응하고 더한 것을 열망하기 때문에 현재 상태에 만족하기 어렵다고 했다. 밑줄 친 각 낱말의 쓰임이 이러한 글의 ❷ ____ 와 부합하는지 확인한다.

답 ❶ 적응 ❷ 주제

© Faberr Ink / shutterstock

[3~4] 다음 글을 읽고, 물음에 답하시오. 학평 기출

Traditionally, systems have been designed and developed from a technology-centered perspective. Engineers developed the sensors and systems that were needed to perform each function. They then provided a display for each system that informed the operator of how well that particular system was operating or its present status. So, for example, in the aircraft cockpit a separate display was provided for altitude, airspeed, engine temperature, etc. As technology improved, more and more displays were added. People were left with the job of trying to keep pace with the dramatic growth of data created by this process. In the face of changing tasks and situations, the operator is called upon to find, sort, integrate, and process the information that is needed from all that which is available, leading inevitably to an information gap.

Unfortunately, the human has certain information processing bottlenecks. People can only pay attention to a certain amount of information at once. As the display of data in these systems is centered around the technologies producing them, it is often scattered and not ideally suited to support human tasks. A considerable amount of additional work is required to find what is needed and extra mental processing is required to calculate the information the operator really wants to know. This inevitably leads to higher than necessary workload and error. ______________ has become harder and harder to do.

Words

- centered ~ 중심의 • operator 조작하는 사람 • status 상태 • cockpit (항공기) 조종실 • altitude 고도 • airspeed 대기 속도
- keep pace with ~와 보조를 맞추다, ~에 따라가다 • dramatic 극적인 • sort 분류하다 • integrate 통합하다 • inevitably 불가피하게
- bottleneck 병목 현상 • scatter 흩뿌리다 • workload 업무량 • by-product 부산물 • collective 집단의, 단체의

유형 1 제목 추론

3 이 글의 제목으로 가장 적절한 것은?

① Calculation Practice, No More in Demand Today
② How Fast Is Technology Improving Human Life?
③ Is Technology-Centered Design Suitable for Humans?
④ Displays Make Information Processing More Efficient
⑤ Information Age: A By-Product of Collective Intelligence

장문 풀이 전략

- 반복해서 제시되는 어구로 글의 중심 소재를 파악한다.
  system(s), technology, display(s), data, information
- 글의 첫 부분과 마지막 부분을 주의 깊게 읽어 글의 주제를 파악한다.
  ➜ 기술 중심으로 발전한 시스템에 의해 제공되는 많은 ❶ ______ 를 인간이 처리하는 것은 쉽지 않다.

유형 3 빈칸 추론

4 이 글의 빈칸에 들어갈 말로 가장 적절한 것은?

① Falling out ② Saving up ③ Keeping up
④ Paying back ⑤ Standing out

장문 풀이 전략

- 빈칸이 있는 문장과 그 앞의 문장을 읽고, 빈칸에 들어갈 어휘의 쓰임을 파악한다. 완성된 문장이 글의 ❷ ______ 에 부합하는지 확인해야 한다.

답 ❶ 정보 ❷ 주제

WEEK 2 DAY 2

필수 체크 전략 ①

대표 유형

[1~2] 다음 글을 읽고, 물음에 답하시오. 수능 기출

Industrial capitalism not only created work, it also created 'leisure' in the modern sense of the term. This might seem surprising, for the early cotton masters wanted to keep their machinery running as long as possible and forced their employees to work very long hours. However, by requiring continuous work during work hours and ruling out non-work activity, employers had (a) separated out leisure from work. Some did this quite explicitly by creating distinct holiday periods, when factories were shut down, because it was better to do this than have work (b) promoted by the casual taking of days off. 'Leisure' as a distinct non-work time, whether in the form of the holiday, weekend, or evening, was a result of the disciplined and bounded work time created by capitalist production. Workers then wanted more leisure and leisure time was enlarged by union campaigns, which first started in the cotton industry, and eventually new laws were passed that (c) limited the hours of work and gave workers holiday entitlements.

Leisure was also the creation of capitalism in another sense, through the commercialization of leisure. This no longer meant participation in traditional sports and pastimes. Workers began to (d) pay for leisure activities organized by capitalist enterprises. Mass travel to spectator sports, especially football and horse-racing, where people could be charged for entry, was now possible. The importance of this can hardly be exaggerated, for whole new industries were emerging to exploit and (e) develop the leisure market, which was to become a huge source of consumer demand, employment, and profit.

*discipline 통제하다 **enterprise 기업(체) ***exaggerate 과장하다

Words

- capitalism 자본주의 • term 용어 • cotton master 목화 농장주 • rule out 배제하다 • explicitly 명시적으로
- distinct 별개의, 구별되는 • casual 비정기적인, 일시적인 • day off 쉬는 날 • bound 제한하다 • enlarge 확대하다 • union 조합
- entitlement 권리, 자격 • commercialization 상업화 • pastime 취미 • mass 대중의 • travel 이동 • spectator sport 관중 스포츠
- entry 입장 • exploit 개발하다

1 이 글의 제목으로 가장 적절한 것은?

① What It Takes to Satisfy Workers
② Why Workers Have Struggled for More Leisure
③ The Birth and Evolution of Leisure in Capitalism
④ How to Strike a Balance Between Work and Leisure
⑤ The Light and Dark Sides of the Modern Leisure Industry

유형 해결 전략

- 반복해서 제시되는 소재와 개념을 통해 글의 중심 내용을 파악한다.
  capitalism, leisure, leisure market
- 핵심어를 사용하여 글의 중심 내용을 간결하게 ❶ ______ 한 선택지를 고르되, 글 전체를 아우를 수 있는 표현인지 확인해야 한다.

2 밑줄 친 (a)~(e) 중에서 문맥상 낱말의 쓰임이 적절하지 않은 것은?

① (a) ② (b) ③ (c) ④ (d) ⑤ (e)

유형 해결 전략

- 밑줄 친 낱말이 있는 문장이 글의 ❷ ______ 을 어색하게 만들지 않는지 확인한다. 앞뒤에 오는 문장과 어울리는지 살피고, 어색하게 만드는 낱말이 있으면 그 낱말이 답이 된다.

답 ❶ 압축 ❷ 흐름

ⓒ Csaba Peterdi / shutterstock

필수 체크 전략 ②

전략 체크 반복해서 제시되는 개념에 주목하기

[1~2] 다음 글을 읽고, 물음에 답하시오. 모평 기출

As a couple start to form a relationship, they can be seen to develop a set of constructs about their own relationship and, in particular, how it is similar or different to their parents' relationship. The couple's initial disclosures involve them forming constructs about how much similarity there is between them and each other's families. What each of them will remember is selective and (a) coloured by their family's constructs system. In turn it is likely that as they tell each other their already edited stories, there is a second process of editing whereby what they both hear from each other is again (b) interpreted within their respective family of origin's construct systems. The two sets of memories — the person talking about his or her family and the partner's edited version of this story — go into the 'cooking-pot' of the couple's new construct system. Subsequently, one partner may (c) randomly recall a part of the other's story as a tactic in negotiations: for example, Harry may say to Doris that she is being 'bossy — just like her mother'. Since this is probably based on what Doris has told Harry, this is likely to be a very powerful tactic. She may protest or attempt to rewrite this version of her story, thereby possibly adding further material that Harry could use in this way. These exchanges of stories need not always be (d) employed in such malevolent ways. These reconstructed memories can become very powerful, to a point where each partner may become confused even about the simple (e) factual details of what actually did happen in their past.

*malevolent 악의 있는

Words

- form 형성하다
- construct (구성된) 생각
- disclosure 털어놓은 이야기, 밝혀진 사실
- involve 수반하다
- similarity 유사점
- selective 선택적인
- whereby 그것 때문에
- respective 각자의
- subsequently 그 뒤
- recall 떠올리다, 상기하다
- tactic 전술
- negotiation 협상
- bossy 우두머리 행세를 하는
- protest 이의를 제기하다
- attempt 시도하다
- reconstructed 재구성된

1 이 글의 제목으로 가장 적절한 것은?

① Family Stories Disclose a Couple's True Faces
② Shaping a Couple: Reconstructing Family Stories
③ Reconstructing the Foundation of Family Reunion
④ Reconstruction of Love: Recalling Parents' Episodes
⑤ Beyond Couples' Problems: Reconstructing Harmony

2 밑줄 친 (a)~(e) 중에서 문맥상 낱말의 쓰임이 적절하지 않은 것은?

① (a) ② (b) ③ (c) ④ (d) ⑤ (e)

ⓒ fizkes / shutterstock

필수 체크 전략 ②

전략 체크 글쓴이의 생각이나 주장을 드러내는 강한 어조의 표현 찾기

[3~4] 다음 글을 읽고, 물음에 답하시오. 학평 기출

The history of the twentieth century revolved to a large extent around the (a) reduction of inequality between classes, races, and genders. Though the world of the year 2000 still had its share of hierarchies, it was nevertheless a far more equal place than the world of 1900. So people expected that the egalitarian process would continue and even accelerate. In particular, they hoped that globalization would (b) spread economic prosperity throughout the world, and that as a result people in India and Egypt would come to enjoy the same opportunities and privileges as people in Finland and Canada. An entire generation grew up on this promise.

Now it seems that this promise might not be fulfilled. Globalization has certainly benefited large segments of humanity, but there are signs of growing inequality both between and within societies. Some groups increasingly (c) monopolize the fruits of globalization, while billions are left behind. Today, the richest 1 percent own half the world's wealth. This situation could get far worse. The rise of AI might eliminate the economic value and political power of most humans. At the same time, improvements in biotechnology might make it (d) impossible to translate economic inequality into biological inequality. The superrich will finally have something really worthwhile to do with their enormous wealth. While up until now they have only been able to buy little more than status symbols, soon they might be able to buy life itself. If new treatments for extending life and upgrading physical and cognitive abilities prove to be (e) expensive, humankind might split into biological castes.

*egalitarian 인류 평등주의의 **caste 인도의 세습 계급

Words

- revolve 돌아가다 • to a large extent 대부분은, 크게 • inequality 불평등 • hierarchy 계급, 지배층 • nevertheless 그럼에도 불구하고
- accelerate 가속화하다 • spread 퍼지다 • prosperity 부, 번영 • privilege 특전, 특권 • fulfill 이행하다 • benefit 유익하다
- segment 부분, 조각 • monopolize 독식하다 • eliminate 제거하다 • biotechnology 생명 공학 • inequality 불평등
- worthwhile 가치가 있는 • cognitive 인지적인 • prove 입증하다, 증명하다 • split 나누다, 나뉘다

3 이 글의 제목으로 가장 적절한 것은?

① From Material Wealth to Spiritual Wealth
② Are We Headed for a More Equal Society?
③ Globalization: A Step Toward an Equal Society
④ Artificial Intelligence: Our Servant or Our Master?
⑤ How to Close the Gap Between the Rich and the Poor

4 밑줄 친 (a)~(e) 중에서 문맥상 낱말의 쓰임이 적절하지 <u>않은</u> 것은?

① (a) ② (b) ③ (c) ④ (d) ⑤ (e)

ⓒ Popartic / shutterstock

WEEK 2 DAY 3

필수 체크 전략 ①

대표 유형

[1~2] 다음 글을 읽고, 물음에 답하시오. 수능 기출

We might describe science that has no known practical value as basic science or basic research. Our exploration of worlds such as Jupiter would be called basic science, and it is easy to argue that basic science is not worth the effort and expense because it has no known practical use. Of course, the problem is that we have no way of knowing what knowledge will be of use until we acquire that knowledge. In the middle of the 19th century, Queen Victoria is supposed to have asked physicist Michael Faraday what good his experiments with electricity and magnetism were. He answered, "Madam, what good is a baby?" Of course, Faraday's experiments were the beginning of the electronic age. Many of the practical uses of scientific knowledge that fill our world — transistors, vaccines, plastics — began as basic research. Basic scientific research provides the raw materials that technology and engineering use to solve problems.

Basic scientific research has yet one more important use that is so valuable it seems an insult to refer to it as merely functional. Science is the study of nature, and as we learn more about how nature works, we learn more about what our existence in this universe means for us. The seemingly ______________ knowledge we gain from space probes to other worlds tells us about our planet and our own role in the scheme of nature. Science tells us where we are and what we are, and that knowledge is beyond value.

*space probe 우주탐사기(機)

Words

- practical 실용적인 • argue 주장하다 • expense 비용 • of use 쓸모있는, 유용한 • acquire 습득하다, 얻다
- be supposed to ~라고 생각되다 • physicist 물리학자 • electricity 전기 • magnetism 자성 • beginning 출발, 시작
- raw material 원료 • engineering 공학 • insult 모욕 • refer to *A* as *B* A를 B로 언급하다 • functional 기능 위주의, 기능적인
- existence 존재 • seemingly 겉보기에는, 외견상으로 • scheme 계획, 제도

1 이 글의 제목으로 가장 적절한 것은?

① What Does Basic Science Bring to Us?
② The Crisis of Researchers in Basic Science
③ Common Goals of Science and Technology
④ Technology: The Ultimate Aim of Basic Science
⑤ Michael Faraday, Frontiersman of the Electronic Age!

유형 해결 전략

- 반복해서 제시되는 소재와 개념을 통해 글의 중심 내용을 파악한다.
  basic science, basic scientific research, practical use, important use
- 제목이 의문문일 경우에는 의문에 대한 답이 곧 글의 ❶ ______ 라는 점에 유의한다.

2 이 글의 빈칸에 들어갈 말로 가장 적절한 것은?

① applicable ② impractical ③ inaccurate
④ priceless ⑤ resourceful

유형 해결 전략

- 빈칸이 있는 문장은 글쓴이의 ❷ ______ 을 재진술하고 있는 부분이므로 빈칸에 들어갈 말은 글의 주제와 밀접한 관련이 있다는 점에 유의한다.

답 ❶ 주제 ❷ 주장

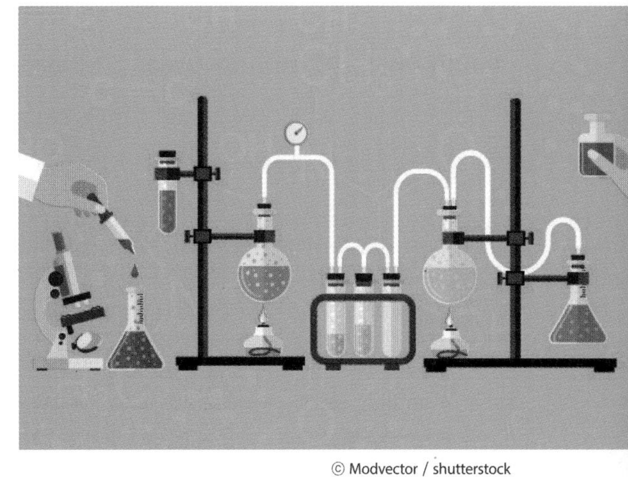

WEEK 2 DAY 3

필수 체크 전략 ②

전략 체크 글에 제시된 연구 · 실험의 결과와 시사점 파악하기

[1~2] 다음 글을 읽고, 물음에 답하시오.  기출

Alex Pentland's Human Dynamics Laboratory at MIT investigated a huge Bank of America call center where the emphasis was on productivity; reducing the average call handle time at that one call center by just 5 percent would save the company $1 million a year. The bank grouped employees into teams of about twenty, but they didn't interact much, in part because their work was entirely solitary, sitting in a cubicle with a phone and a computer. They were unlikely to run into each other very often anyway because the bank staggered break times in order to keep staffing levels steady. Here was a team that barely justified the term.

Yet the members did interact a bit, and when Pentland asked them to wear the sociometric badges for six weeks, he found that the best predictor of team productivity was how much the members interacted in the little time they had, and what he calls "engagement," the degree to which all team members were involved in the interaction. So Pentland proposed that managers try an experiment: Give a whole twenty-person team their coffee break at the same time. In a call center of over 3,000 employees, it was easy to shift others' breaks to maintain service. The result was that group members interacted more, though it still wasn't much; more of them were involved in the interaction; and productivity rocketed. The effects were so clear that the bank switched to ______________ breaks at all its call centers, estimating the move would save $15 million a year. *stagger 서로 엇갈리게 하다 **sociometric 사회관계를 측정하는

© vgstudio / shutterstock

Words

- dynamics 역학, 역학 관계 • investigate 조사하다 • productivity 생산성 • call handle time 통화 처리 시간 • interact 상호 작용하다
- entirely 완전히 • solitary 혼자 하는 • cubicle 칸막이 해서 만든 좁은 방 • run into 우연히 만나다 • staff 직원을 배치하다
- justify 정당화하다 • predictor 예측 변수 • engagement 관계함, 참여, 약속 • involve 관련시키다, 참여시키다 • shift 옮기다, 바꾸다
- rocket 급증하다

1 이 글의 제목으로 가장 적절한 것은?

① Want to Get More Done? Work More Slowly
② Social Interaction: A Booster of Performance
③ Human Relationships Can Be a Cause of Stress
④ Successful Management Relies on Power Distribution
⑤ High Productivity: Not an Indicator of Job Satisfaction

2 이 글의 빈칸에 들어갈 말로 가장 적절한 것은?

① team-based ② long-term ③ noise-free
④ time-limited ⑤ leader-initiated

필수 체크 전략 ②

전략 체크 글에 제시된 연구 · 실험의 결과와 시사점 파악하기

[3~4] 다음 글을 읽고, 물음에 답하시오. 수능 기출

Increased size affects group life in a number of ways. There is evidence that larger groups (five or six members) are more productive than smaller groups (two or three members). Members of larger groups tend to offer more suggestions than members of smaller groups, and although they seem to reach less agreement, they also show less tension. These differences may reflect the greater need of larger groups to solve organizational problems. Members may realize that their behavior must become more goal-directed, since it is unlikely that they can coordinate their actions without making a special effort to do so. Larger groups also put more pressure on their members to conform. In such groups, it is harder for everyone to take part equally in discussions or to have the same amount of influence on decisions.

There is evidence that groups with an even number of members differ from groups with an odd number of members. The former disagree more than the latter and suffer more deadlocks as a result. Groups with an even number of members may split into halves. This is impossible in groups with an odd number of members — one side always has a numerical advantage. According to some researchers, the number five has special significance. Groups of this size usually ______ the problems we have just outlined. Moreover, they are not plagued by the fragility and tensions found in groups of two or three. Groups of five rate high in member satisfaction; because of the odd number of members, deadlocks are unlikely when disagreements occur.

Words

- agreement 의견 일치 • tension 긴장 상태 • reflect 반영하다 • coordinate 조정하다 • conform 순응하다
- take part in ~에 참가하다 • even 짝수의 • odd 홀수의 • deadlock 교착 상태 • split into halves 반반으로 나뉘다
- advantage 우위 • significance 중요성 • outline 윤곽을 보여주다 • plague 괴롭히다, 성가시게 하다 • fragility 취약함
- rate 평가받다 • disagreement 의견 충돌

3 이 글의 제목으로 가장 적절한 것은?

① Why the Number of Group Members Counts
② Individuality vs. Collectivity in the Workplace
③ Equal Opportunities: Toward Maximum Satisfaction
④ How to Cope with Conflicts in Groups
⑤ Agreement on Group Size Pays Off!

4 이 글의 빈칸에 들어갈 말로 가장 적절한 것은?

① probe ② escape ③ mirror
④ trigger ⑤ escalate

누구나 합격 전략

[1~2] 다음 글을 읽고, 물음에 답하시오.  기출

A group of researchers designed a study about recycling. Participants were told that they would be evaluating a new brand of scissors. The process required them to rate how good the scissors were at cutting out shapes from a stack of 200 sheets of plain white paper. Half the participants tested the scissors in a room where there weren't any recycling facilities, only a trash can. The other half completed the task in a room where recycling facilities were available in addition to a regular trash can. The participants were purposely not given any specific instructions about the sizes of the shapes or the amount of paper that they should use in the task. Instead they were simply told to dispose of any scraps in the containers provided. Then they completed a "green attitude" questionnaire that asked them about their beliefs and attitudes toward the environment.

The results were quite simply startling. Participants who evaluated the scissors when recycling facilities were available used nearly three times more paper than the group who didn't have recycling facilities. Interestingly, this increase in the use of resources occurred regardless of how positive the participants' "green attitudes" were, as measured in the post-study questionnaire. So this study demonstrated that the ______ of paper-recycling facilities caused people to actually use more paper.

Words

- recycling 재활용 • participant 참여자, 참가자 • evaluate 평가하다 • stack 더미 • facility 시설 • trash can 쓰레기통
- purposely 의도적으로 • dispose of ~을 처리하다, ~을 없애다 • scrap (잘라낸) 조각 • attitude 태도 • questionnaire 설문지
- startling 놀라운 • regardless of ~와 관계없이 • measure 측정하다 • demonstrate 입증하다, 설명하다 • sustainable 지속 가능한

1 이 글의 제목으로 가장 적절한 것은?

① How Recycling Can Save the Economy
② Green Attitude: A Key to Sustainable Living
③ Why Evaluation Processes Must Be Objective
④ Paper and Steel: The Most Important Resources
⑤ Recycling Effort May Lead to an Unwanted Result

2 이 글의 빈칸에 들어갈 말로 가장 적절한 것은?

① presence ② diversity ③ shortage
④ expense ⑤ standardization

[3~4] 다음 글을 읽고, 물음에 답하시오. 학평 기출

One cannot take for granted that the findings of any given study will have validity. Consider a situation where an investigator is studying deviant behavior. In particular, she is investigating the extent to which cheating by college students occurs on exams. Reasoning that it is more (a) difficult for people monitoring an exam to keep students under surveillance in large classes than in smaller ones, she hypothesizes that a higher rate of cheating will occur on exams in large classes than in small. To test this hypothesis, she collects data on cheating in both large classes and small ones and then analyzes the data. Her results show that (b) more cheating per student occurs in the larger classes. Thus, the data apparently (c) reject the investigator's research hypothesis. A few days later, however, a colleague points out that all the large classes in her study used multiple-choice exams, whereas all the small classes used short answer and essay exams. The investigator immediately realizes that an extraneous variable (exam format) is interfering with the independent variable (class size) and may be operating as a (d) cause in her data. The apparent support for her research hypothesis may be nothing more than an artifact. Perhaps the true effect is that more cheating occurs on multiple-choice exams than on essay exams, regardless of class (e) size.

*validity 타당도 **surveillance 감독 ***artifact 가공물

Words
- take ~ for granted ~을 당연하게 생각하다
- investigator 연구자
- deviant 일탈의, 벗어난
- reason 추론하다
- hypothesize 가설을 세우다, 가정하다
- hypothesis 가설, 가정
- apparently 명백히
- point out 지적하다
- multiple-choice 선다형의 (여러 선택지 중에 고르는)
- extraneous 관계 없는
- extraneous variable 외부 변인
- interfere with ~을 간섭하다
- independent variable 독립 변인
- nothing more than ~에 불과한

3 이 글의 제목으로 가장 적절한 것은?

① Investigator's Attitude: Subjective vs. Objective
② Research Error from Wrong Experimental Design
③ Test Your Hypothesis to Obtain Academic Support
④ Limitations of Multiple-choice Exams in Large Classes
⑤ Is There Any Way to Discourage Students from Cheating?

4 밑줄 친 (a)~(e) 중에서 문맥상 낱말의 쓰임이 적절하지 않은 것은?

① (a) ② (b) ③ (c) ④ (d) ⑤ (e)

© ESB Professional / shutterstock

창의·융합·코딩 전략 ①

[1~3] 다음 글을 읽고, 물음에 답하시오. 학평 응용

An organization imported new machinery with the capacity to produce quality products at a lesser price. A manager was responsible for large quantities in a relatively short span of time. He started with the full utilization of the new machinery. He operated the new machinery 24/7 at maximum capacity. He paid the least attention to downtime, recovery breaks or the general maintenance of the machinery. As the machinery was new, it continued to produce results and, therefore, the organization's profitability soared.

After some time, this manager was promoted and transferred to a different location. A new manager came in his place. But this manager realized that a lot of the parts of the machinery were significantly worn and needed to be replaced or repaired. The new manager had to put significant time and effort into repair and maintenance of the machines. It resulted in lower production and thus a loss of profits.

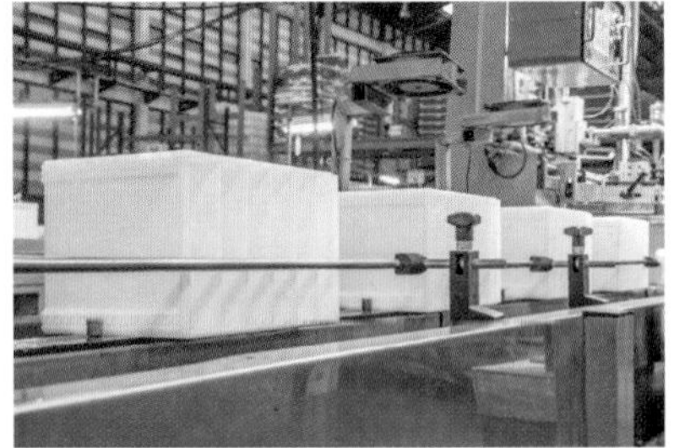
© Travelpixs / shutterstock

1 알맞은 단어를 골라 이 글의 제목을 완성하시오.

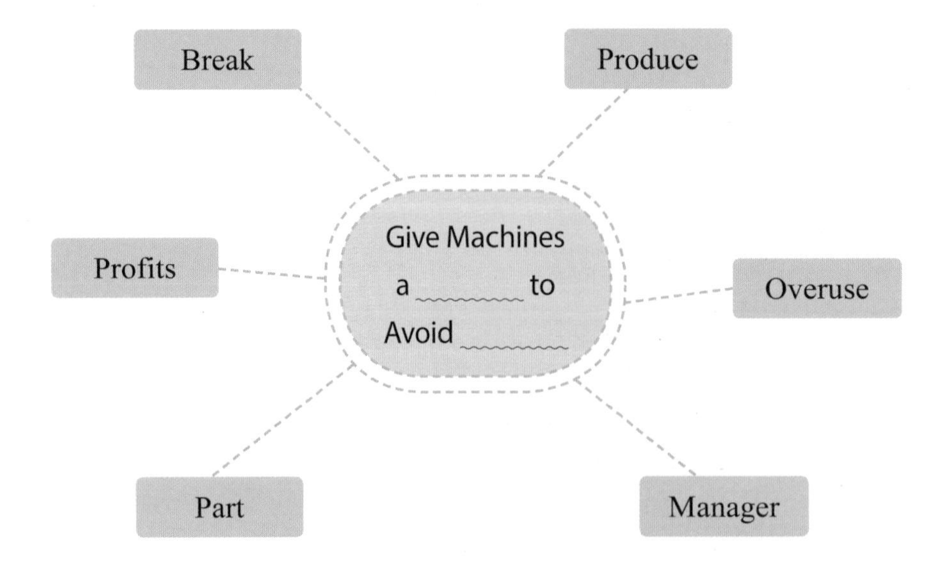

2 이 글의 내용과 일치하도록 빈칸에 알맞은 단어를 지문에서 찾아 쓰시오.

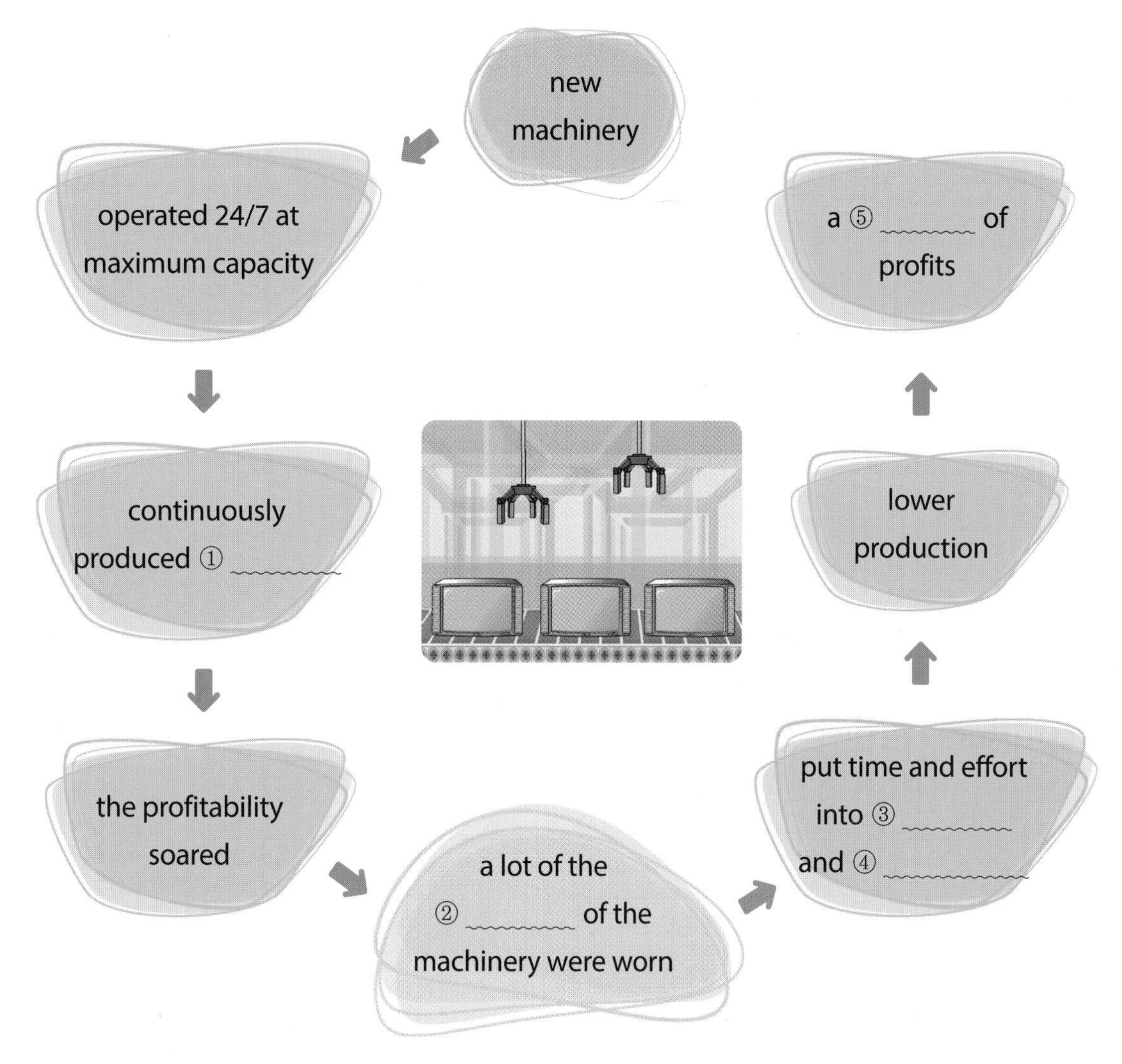

3 이 글을 한 문장으로 요약할 때, 알맞은 말을 고르시오.

> The manager operated the new machine at (minimum / maximum) capacity, but ultimately not giving attention to recovery and maintenance resulted in long-term (positive / negative) consequences.

창의·융합·코딩 전략 ②

[4~5] 다음 글을 읽고, 물음에 답하시오. 

응용

Many advertisements cite statistical surveys. But we should be cautious because we usually do not know how these surveys are conducted. For example, a toothpaste manufacturer once had a poster that said, "More than 80% of dentists recommend *Smiley Toothpaste*." This seems to say that most dentists prefer *Smiley Toothpaste* to other brands. But it turns out that the survey questions allowed the dentists to recommend more than one brand, and in fact another competitor's brand was recommended just as often as *Smiley Toothpaste*! No wonder the UK Advertising Standards Authority ruled that the poster was misleading and it could no longer be displayed.

4 이 글의 내용과 일치하도록 지문에서 알맞은 단어를 찾아 대화를 완성하시오.

Have you seen the ________ of *Smiley Toothpaste*?

Oh, I saw it on TV yesterday. It's a new brand.

Right. More than 80% of dentists recommended that toothpaste, so I will buy it.

Umm... Do you know how the ________ was conducted?

Well, I don't know. The ad didn't say about that.

I think you should be ________ about the statistical data in advertisements. They often mislead consumers.

5 알맞은 카드를 골라 이 글의 제목을 완성하시오.

Are ________ Data in ________ Reliable?

Advertisements | Dentists | Toothpaste | Recommended | Statistical

6 다음 문장을 읽어 보고, 주장의 내용이 다른 것을 고르시오. 학평 응용

- [ ] They argue that teenagers can study better with the TV or radio playing.
- [ ] They argue that many teenagers can actually study productively under less-than-ideal conditions because they've been exposed repeatedly to "background noise" since early childhood.
- [ ] They argue that insisting students turn off the TV or radio when doing homework will not necessarily improve their academic performance.
- [ ] They are convinced by their own experiences that students who study in a noisy environment often learn inefficiently.

ⓒ FocusStocker / shutterstock

BOOK 1 마무리 전략

핵심 한눈에 보기

지난 2주간 학습한 장문 독해 전략을 한눈에 살펴보세요.

1주 장문 독해

1 장문 독해란?

2 장문 독해 지문 읽기

이어서 공부할 내용 ❶ 신유형·신경향 전략 ❷ 1·2등급 확보 전략 1회, 2회

2주 장문 독해 유형 학습

1 제목 추론

2 문맥상 어색한 낱말 찾기

3 빈칸 추론

신유형·신경향 전략

[1~2] 다음 글을 읽고, 물음에 답하시오. 학평 기출

Although organisms interact with their surroundings in many ways, certain factors may be critical to a particular species' success. A shortage or absence of this factor restricts the success of the species; thus, it is known as a limiting factor. Limiting factors can be quite different from one species to another.

The limiting factor for many species of fish is the amount of dissolved oxygen in the water. In a swiftly flowing, tree-lined mountain stream, the level of dissolved oxygen is high and so provides a favorable environment for trout. As the stream continues down the mountain, the steepness of the slope decreases, which results in fewer rapids where the water tumbles over rocks and becomes oxygenated. ____(A)____, as the stream becomes wider, the canopy of trees over the stream usually is thinner, allowing more sunlight to reach the stream and warm the water. Warm water cannot hold as much dissolved oxygen as cool water. ____(B)____, slower-flowing, warm-water streams contain less oxygen than rapidly moving, cool streams. Fish such as black bass and walleye are adapted to such areas, since they are able to tolerate lower oxygen concentrations and higher water temperatures. Trout are not able to survive under such conditions and are not found in warm, less well-oxygenated water. Thus, low levels of oxygen and high water temperatures are limiting factors for the distribution of trout.

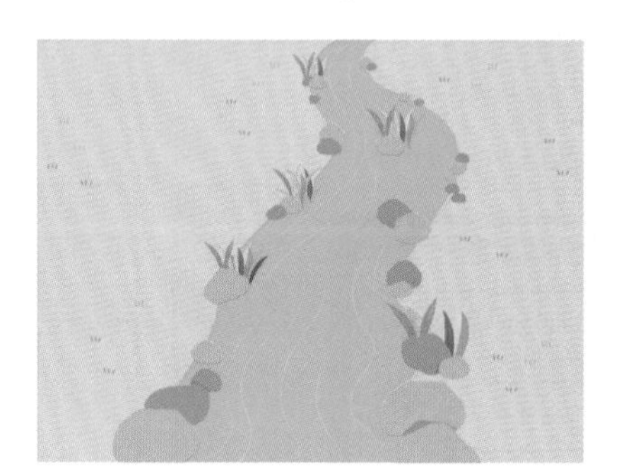

Words

- organism 유기체 • interact 상호 작용하다 • surroundings 환경 • critical 매우 중요한 • swiftly 재빨리
- tree-lined 나무가 일렬로 늘어선 • dissolved 용해된 • favorable 유리한 • trout 송어 • steepness 가파름 • slope 경사지, 비탈
- rapid 급류 • tumble over ~의 위로 굴러 떨어지다 • canopy (숲의 나뭇가지들이) 지붕 모양으로 우거진 것 • black bass 미국산 농어
- walleye 망상어 • be adapted to ~에 적응하다 • tolerate 견디다 • concentration 농도 • distribution 분포

1 이 글의 제목으로 가장 적절한 것은?

① What Determines Species' Survival
② Limiting Factors and Competition
③ Trout: Critically Endangered Species
④ Intriguing Cases of Animal Extinction
⑤ Key Factors to Keep Water Oxygenated

2 이 글의 빈칸 (A), (B)에 들어갈 연결어로 가장 적절한 것은?

	(A)		(B)
①	Nevertheless	......	Therefore
②	Nevertheless	......	Otherwise
③	In addition	......	Therefore
④	Conversely	......	Similarly
⑤	In addition	......	Otherwise

ⓒ Paul Winterman / shutterstock

How to Solve

1 글의 전체적인 ❶ [ ]을 파악한다. 즉, 글 속에 있는 다른 연결어, 명사의 반복, 대명사의 사용, 동의어의 사용, 병렬 구조의 문장 등에 주목하여 빈칸의 전후 관계를 파악한다.
2 빈칸을 중심으로 앞부분과 뒷부분의 내용을 파악하고 그 둘의 논리적 ❷ [ ]를 추론한다. 앞과 뒤의 내용이 역접, 인과, 대조, 첨가, 열거 등 어떤 관계인지를 파악한다.

답 ❶ 흐름 ❷ 관계

[3~4] 다음 글을 읽고, 물음에 답하시오. 학평 기출

We are accustomed to thinking of light as always going in straight lines. But it doesn't. This is manifest when you view a mirage on a long straight highway on a hot day. The road looks wet way up ahead because light from the sky refracts, bending as it crosses the many successive layers of warm air near the surface of the road, until it heads back up to your eye.

The French mathematician Pierre de Fermat showed another way to understand this phenomenon. Light travels faster in warmer, less dense air than it does in colder air. Because the warmest air is near the surface, the light takes less time to get to your eye if it travels down near the ground and then returns up to your eye than it would if it came directly in a straight line to your eye. Fermat formulated a principle, which says that, to determine the ultimate path of any light ray, you simply need to examine all possible paths from A to B and find the one that takes the least time.

This makes it sound as if light has ______________, and I resisted the temptation to say light considers all paths and chooses the one that takes the least time. This is because I fully expect that my online opponent Deepak Chopra would later quote me as implying that light has consciousness. Light does not have consciousness, but the mathematical result makes it appear as if light chooses the shortest distance.

Words

- be accustomed to V-ing ~에 익숙하다 • straight line 일직선 • manifest 분명한 • mirage 신기루 • refract 굴절시키다
- bend 꺾이다, 구부러지다 • successive 연속적인, 연이은 • layer 층 • head back 돌아가다 • mathematician 수학자
- dense 빽빽한, 짙은, 밀도가 높은 • formulate 만들다, 수립하다 • ultimate 궁극적인 • examine 검사하다 • resist 저항하다
- opponent (논쟁 등의) 상대, 대적자 • imply 암시하다 • consciousness 의식, 자각

3 이 글의 내용을 요약할 때 빈칸 (a), (b)에 들어갈 말로 가장 적절한 것은?

> Light travels in the ___(a)___ course as if it knows the path that takes the ___(b)___ time.

① straight …… most
② straight …… least
③ optimal …… most
④ opponent …… perfect
⑤ optimal …… least

4 이 글의 빈칸에 들어갈 말로 가장 적절한 것은?

① intentionality
② randomness
③ resistance
④ intensity
⑤ durability

How to Solve

1 요약문을 먼저 읽고 글의 전반적인 내용에 대한 ❶ ______ 를 파악한 뒤, 글을 읽는다.
2 반복해서 제시되는 단어와 문장 구조를 통해 필자가 주장하고 싶은 것을 파악한다.
3 글의 주제를 바탕으로 ❷ ______ 의 빈칸에 들어갈 말을 추론한다.

답 ❶ 단서 ❷ 요약문

1·2등급 확보 전략 1회

[1~2] 다음 글을 읽고, 물음에 답하시오. 학평 기출

Life in the earth's oceans simply would not exist without the presence of dissolved oxygen. This life-giving substance is not, however, distributed evenly with (a) depth in the oceans. Oxygen levels are typically high in a thin surface layer 10-20 metres deep. Here oxygen from the atmosphere can freely diffuse into the seawater, plus there is plenty of floating plant life producing oxygen through photosynthesis. Oxygen concentration then decreases rapidly with depth and reaches very low levels, sometimes close to zero, at depths of around 200-1,000 metres. This region is referred to as the oxygen (b) minimum zone. This zone is created by the low rates of oxygen diffusing down from the surface layer of the ocean, combined with the high rates of consumption of oxygen by decaying organic matter that sinks from the surface and accumulates at these depths. Beneath this zone, oxygen content (c) increases again with depth. The deep oceans contain quite high levels of oxygen, though not generally as high as in the surface layer. The higher levels of oxygen in the deep oceans reflect in part the origin of deep-ocean seawater masses, which are derived from cold, oxygen-rich seawater in the surface of polar oceans. That seawater sinks rapidly down, thereby (d) exhausting its oxygen content. As well, compared to life in near-surface waters, organisms in the deep ocean are comparatively scarce and have low metabolic rates. These organisms therefore consume (e) little of the available oxygen.

*dissolve 용해시키다 **diffuse 퍼지다

ⓒ Anna Lurye / shutterstock

1 이 글의 제목으로 가장 적절한 것은?

① Is Oxygen Content Consistent Through Marine Layers?
② Climate Change: The Ocean Is Running out of Oxygen
③ How to Calculate Oxygen Concentration in Seawater
④ What Happens When the Oceans Lack Oxygen?
⑤ Seasonal Variability of Ocean Oxygen Levels

2 밑줄 친 (a)~(e) 중에서 문맥상 낱말의 쓰임이 적절하지 않은 것은?

① (a) ② (b) ③ (c) ④ (d) ⑤ (e)

[3~4] 다음 글을 읽고, 물음에 답하시오. 모평 기출

To the extent that sufficient context has been provided, the reader can come to a well-crafted text with no expert knowledge and come away with a good approximation of what has been intended by the author. The text has become a public document and the reader can read it with a (a) minimum of effort and struggle; his experience comes close to what Freud has described as the deployment of "evenly-hovering attention." He puts himself in the author's hands (some have had this experience with great novelists such as Dickens or Tolstoy) and he (b) follows where the author leads. The real world has vanished and the fictive world has taken its place. Now consider the other extreme. When we come to a badly crafted text in which context and content are not happily joined, we must struggle to understand, and our sense of what the author intended probably bears (c) close correspondence to his original intention. An out-of-date translation will give us this experience; as we read, we must bring the language up to date, and understanding comes only at the price of a fairly intense struggle with the text. Badly presented content with no frame of reference can provide (d) the same experience; we see the words but have no sense of how they are to be taken. The author who fails to provide the context has (e) mistakenly assumed that his picture of the world is shared by all his readers and fails to realize that supplying the right frame of reference is a critical part of the task of writing.

*deployment (전략적) 배치 **evenly-hovering attention 고르게 주의를 기울이는 것

ⓒ MongPro / shutterstock

3 이 글의 제목으로 가장 적절한 것은?

① Building a Wall Between Reality and the Fictive World
② Creative Reading: Going Beyond the Writer's Intentions
③ Usefulness of Readers' Experiences for Effective Writing
④ Context in Writing: A Lighthouse for Understanding Texts
⑤ Trapped in Their Own Words: The Narrow Outlook of Authors

4 밑줄 친 (a)~(e) 중에서 문맥상 낱말의 쓰임이 적절하지 <u>않은</u> 것은?

① (a) ② (b) ③ (c) ④ (d) ⑤ (e)

© wavebreakmedia / shutterstock

1·2등급 확보 전략 2회

[1~2] 다음 글을 읽고, 물음에 답하시오. 학평 기출

Culture is a uniquely human form of adaptation. Some theorists view it as a body of knowledge that developed to provide *accurate* information to people that helps them (a) adjust to the many demands of life, whether that means obtaining food and shelter, defending against rival outgroups, and so on. Culture also tells us how groups of people work together to achieve mutually beneficial goals, and how to live our lives so that others will like and accept us — and maybe even fall in love with us. So if adaptation to physical and social environments were all that cultures were designed to (b) facilitate, perhaps cultures would always strive toward an accurate understanding of the world. However, adaptation to the metaphysical environment suggests that people do not live by truth and accuracy alone. Sometimes it is more adaptive for cultural worldviews to (c) reveal the truth about life and our role in it. Some things about life are too emotionally (d) devastating to face head on, such as the inevitability of death. Because overwhelming fear can get in the way of many types of adaptive action, it sometimes is adaptive for cultures to provide "rose-colored glasses" with which to understand reality and our place in it. From the existential perspective, the adaptive utility of accurate worldviews is tempered by the adaptive value of anxiety-buffering (e) illusions.

*temper 경감하다 **buffering 완화하는

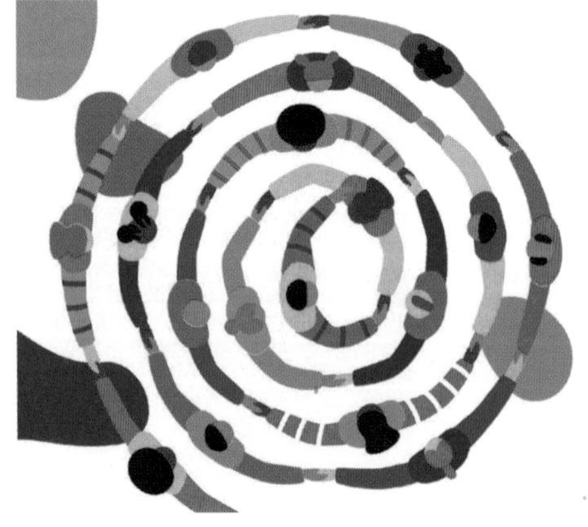

1 이 글의 제목으로 가장 적절한 것은?

① Culture Offers Us a Dual-Function Lens for Adaptation
② How the Obsession with Accuracy Harms Our Mind
③ Cultural Diversity: The Key to Human Prosperity
④ Adaptation: A Major Cause of Emotional Stress
⑤ Face Up to Reality for a Healthy Social Life!

2 밑줄 친 (a)～(e) 중에서 문맥상 낱말의 쓰임이 적절하지 <u>않은</u> 것은?

① (a) ② (b) ③ (c) ④ (d) ⑤ (e)

[3~4] 다음 글을 읽고, 물음에 답하시오. 모평 기출

The right to privacy may extend only to the point where it does not restrict someone else's right to freedom of expression or right to information. The scope of the right to privacy is (a) <u>similarly</u> restricted by the general interest in preventing crime or in promoting public health. However, when we move away from the property-based notion of a right (where the right to privacy would protect, for example, images and personality), to modern notions of private and family life, we find it (b) <u>easier</u> to establish the limits of the right. This is, of course, the strength of the notion of privacy, in that it can adapt to meet changing expectations and technological advances.

In sum, *what* is privacy today? The concept includes a claim that we should be unobserved, and that certain information and images about us should not be (c) <u>circulated</u> without our permission. *Why* did these privacy claims arise? They arose because powerful people took offence at such observation. Furthermore, privacy incorporated the need to protect the family, home, and correspondence from arbitrary (d) <u>interference</u> and, in addition, there has been a determination to protect honour and reputation. *How* is privacy protected? Historically, privacy was protected by restricting circulation of the damaging material. But if the concept of privacy first became interesting legally as a response to reproductions of images through photography and newspapers, more recent technological advances, such as data storage, digital images, and the Internet, (e) <u>pose</u> new threats to privacy. The right to privacy is now being reinterpreted to meet those challenges.

*arbitrary 임의의

ⓒ Frenzel / shutterstock

3 이 글의 제목으로 가장 적절한 것은?

① Side Effects of Privacy Protection Technologies
② The Legal Domain of Privacy Claims and Conflicts
③ The Right to Privacy: Evolving Concepts and Practices
④ Who Really Benefits from Looser Privacy Regulations?
⑤ Less Is More: Reduce State Intervention in Privacy!

4 밑줄 친 (a)～(e) 중에서 문맥상 낱말의 쓰임이 적절하지 않은 것은?

① (a) ② (b) ③ (c) ④ (d) ⑤ (e)

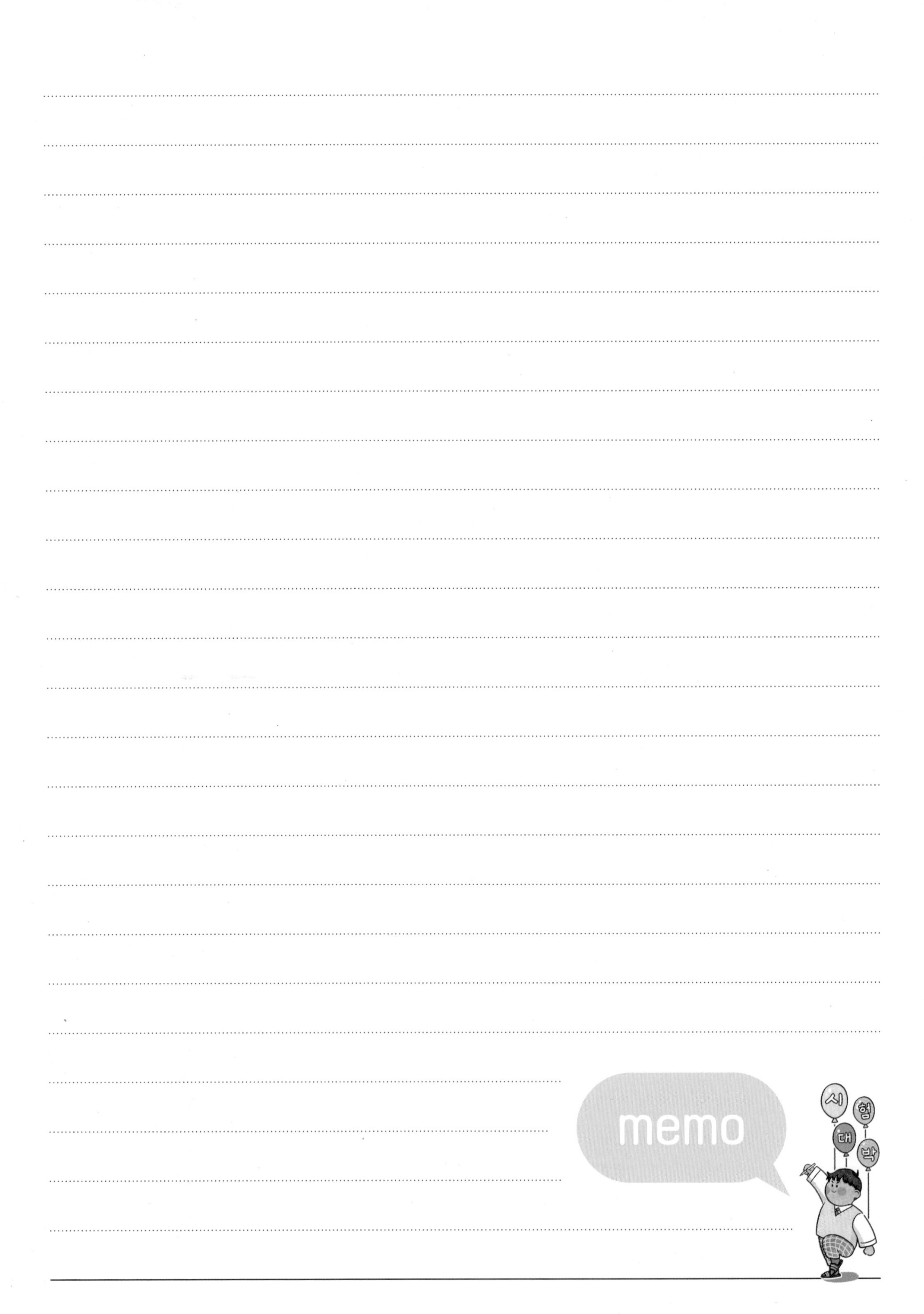
memo
시
험
대
박

유형 전략

• 문단 (A)를 읽고, 이야기의 배경과 주요 등장인물에 대한 정보를 파악한다.
• 문단 (A)의 내용을 통해 앞으로 전개될 이야기의 방향을 추측해 본다.

정답 전략

01 (A) 음악적 재능이 있는 시각 장애 소녀 Cheryl이 주인공으로, 다른 사람들 앞에서 자신의 재능을 선보이고 싶지만 자신의 꿈이 이루어지지 않을 것이라고 생각하는 상태이다. (B)는 Cheryl이 공연하러 콘서트홀에 도착해서 느낀 긴장감을 설명하는 문단이고, (C)는 Cheryl의 공연 후에 일어난 일이다. 그리고 (D)는 Cheryl을 위해 언니가 노래 경연 대회에 지원한 내용이므로, 이야기의 흐름상 ④ (D)-(B)-(C)가 적절하다.

02 (e)는 Cheryl의 언니를 가리키고, 나머지는 모두 Cheryl을 가리킨다.

03 ⑤ Cheryl의 언니가 노래 경연 대회에 지원해 주었으므로, 글의 내용과 일치하지 않는다.

복합 문단 지문은 대개 시간순으로 진행되는 이야기 형식의 글이나, 교훈을 주는 일화나 재미있는 내용의 사건을 다루는 글이야.

Words

• financial 경제적인 • struggle 고난, 어려움 • emptiness 공허감, 허무 • yearn 열망하다
• gift 재능 • overjoy 매우 기쁘게 하다 • terrify 무섭게 하다 • explode 폭발하다
• applause 박수갈채 • overwhelmed 압도된 • fulfill 달성하다, 성취하다 • annual 매년의
• on one's behalf ~을 대신하여

02 복합 문단 독해 지문 읽기

대표 유형 다음 글을 읽고, 물음에 답하시오. 수능 기출

(A)

The midday sun was glorious. The high school grounds were filled with well-dressed people, posing in fancy dresses and suits for cheerful photographers. Congratulations, hugs, and laughter were contagious. Hannah looked at all the familiar faces that had been part of (a) her life for the last few years. Soon her mother would be joining them. She recalled the first day of school when she had stood in that same place, in the middle of many anxious freshmen, some of whom had become her closest friends.

(B)

"Hannah, you look so serious. What are you thinking about?" "Oh, Mom, just, you know." Her mother smiled. "You'll miss this place, won't you?" Hannah nodded. "Quick," her mother said, "stand over there … and smile, Hannah. You have such a pretty smile." (b) She hurried out her cell phone, zoomed in on her daughter, and realized suddenly that she was looking at a young lady. "You're all grown-up," she whispered. Hannah took more photos with her teachers in the school garden. She wished all the memories would remain in her mind forever.

(C)

Hannah struggled with the many class hours, the endless assignments, and the exams. However, there were exciting events like sports days and school festivals. How could (c) she ever forget her second year! She had sung and danced with her friends in the festival, part of a sensational performance. After that, she had become more confident and active. Her thoughts wandering, Hannah vaguely heard her mother's voice. "Here you are!" Her mother hurried over, and gave (d) her a bundle of lilies and roses and a big hug.

(D)

That day was unusually foggy as if something mysterious were ahead. Hannah was nervous and trembling. The principal was energetically addressing them, talking of the challenges and thrills of high school life, but she could not concentrate. Later, a tall, strict-looking man introduced himself as (e) her homeroom teacher. The classroom was old, but neat and inviting. Hannah was seated in the fifth row, hallway side, even though she had wanted a window seat. High school life soon proved as challenging as the principal had predicted.

01 주어진 글 (A)에 이어질 내용을 순서에 맞게 배열한 것으로 가장 적절한 것은?

① (B) – (D) – (C) ② (C) – (B) – (D) ③ (C) – (D) – (B)
④ (D) – (B) – (C) ⑤ (D) – (C) – (B)

02 밑줄 친 (a)～(e) 중에서 가리키는 대상이 나머지 넷과 다른 것은?

① (a) ② (b) ③ (c) ④ (d) ⑤ (e)

03 이 글의 Hannah에 관한 내용과 일치하지 않는 것은?

① 다른 신입생들과 함께 운동장에 서 있었다.
② 학교 정원에서 선생님들과 사진을 찍었다.
③ 축제에서 노래를 부르고 춤을 추었다.
④ 교장 선생님의 말씀에 집중할 수가 없었다.
⑤ 교실에서 다섯 번째 줄 창가 자리에 앉았다.

02 복합 문단 독해 지문 읽기

해석

(A) 한낮의 태양은 빛났다. 고등학교 운동장은 화려한 드레스와 정장을 입고 즐거운 사진사들을 위해 포즈를 취하는, 옷을 잘 차려입은 사람들로 가득 찼다. 축하, 포옹, 그리고 웃음이 퍼져나갔다. Hannah는 지난 몇 년 동안 (a)자신의 삶의 일부였던 친숙한 모든 얼굴을 바라보았다. 곧 그녀의 어머니가 그들과 합류할 것이었다. 그녀는 자신이 그 똑같은 곳, 불안해하는 많은 신입생들의 한가운데에 서 있었던 학교에서의 첫날을 기억해 냈는데, 그들 중 몇 명은 그녀의 가장 친한 친구들이 되었다.

(D) 그날은 마치 불가사의한 뭔가가 앞에 있는 것처럼 평소와 달리 안개가 자욱했다. Hannah는 긴장하고 떨고 있었다. 교장 선생님은 고등학교 생활의 도전과 설렘에 대해 이야기하면서 그들에게 힘차게 말하고 있었지만, 그녀는 집중할 수 없었다. 후에 키가 크고 엄격해 보이는 남자가 스스로를 (e)그녀의 담임 선생님으로 소개했다. 교실은 낡았지만, 정돈되어 있었고 매력적이었다. Hannah는 창가 자리를 원했지만 복도 쪽 다섯 번째 줄에 앉았다. 고등학교 생활은 교장 선생님이 예측했던 대로 도전적이라는 것이 곧 드러났다.

(C) Hannah는 많은 수업 시간, 끝없는 과제, 그리고 시험과 씨름했다. 하지만, 운동회 날과 학교 축제처럼 신나는 사건도 있었다. (c)그녀가 어떻게 자신의 두 번째 해를 잊을 수 있겠는가! 훌륭한 공연의 일환으로 그녀는 축제에서 친구들과 함께 노래를 부르고 춤을 추었다. 그 후에 그녀는 자신감이 더 생기고 활동적이 되었다. 그녀의 생각이 떠돌고 있는데 Hannah는 어렴풋이 어머니의 목소리를 들었다. "자, 여기 있어!" 그녀의 어머니가 서둘러 (d)그녀에게 백합과 장미로 된 꽃다발을 주고 힘껏 포옹해 주었다.

(B) "Hannah, 너 아주 심각해 보여. 무엇에 대해 생각하고 있니?" "아, 엄마, 그저, 아시잖아요." 그녀의 어머니는 미소를 지었다. "넌 이곳을 그리워할 거야, 그렇지 않니?" Hannah는 고개를 끄덕였다. "빨리, 저쪽으로 서서… 그리고 미소를 지으렴, Hannah야. 넌 아주 예쁘게 잘 미소를 짓잖아."라고 그녀의 어머니가 말했다. (b)그녀는 자신의 휴대 전화를 서둘러 꺼내, 줌렌즈로 자신의 딸을 서서히 확대하고서, 자신이 한 어린 숙녀를 바라보고 있다는 것을 갑자기 깨달았다. "너 다 컸구나."라고 그녀는 속삭였다. Hannah는 학교 정원에서 선생님들과 사진을 더 찍었다. 그녀는 모든 추억이 자신의 마음속에 영원히 머물기를 바랐다.

유형 핵심

❶ 첫 번째 문단인 ❶ ______ 를 통해 앞으로 읽을 글의 흐름을 미리 짐작해 본다.

❷ 각 문단의 중심 내용을 파악하여 시간 순서나 사건의 ❷ ______ 에 따라 배열한다.

❸ 전체 흐름이 파악되면 빠르게 읽으면서 세부 사항을 확인한다.

답 ❶ (A) ❷ 흐름

유형 전략

- 문단 (A)에서 주요 인물의 성격, 배경, 사건의 실마리 등을 알아내면 글의 흐름을 예상하기 쉽다.
- 각 문단마다 중심이 되는 인물의 행동이나 상황이 뚜렷하게 드러난다는 점에 유의한다.
- 글에서 어떤 부분을 확인해야 하는지 미리 문제와 선택지를 훑어보고 지문을 읽는 것이 효과적이다.

정답 전략

01 문단 (A)에서 여러 단서(잘 차려입은 사람들, 사진사, 축하, 포옹 등)로 보아 Hannah가 고등학교 졸업식을 위해 학교 운동장에 서 있음을 알 수 있다. 그리고 마지막 부분에서 Hannah가 학교에서의 첫 날을 회상하므로 뒤에는 회상의 내용이 이어질 것이다. 따라서 입학식 날을 묘사하는 (D)가 오는 것이 알맞다. 그 뒤에 고등학교 생활에 대한 기억이 나오는 (C)가 이어진 뒤, 회상에서 현재 시점으로 돌아와 어머니와 만나는 (B)로 마무리되는 것이 적절하다.

02 (b)는 Hannah의 어머니를 가리키고, 나머지는 모두 Hannah를 가리킨다.

03 ⑤ Hannah는 복도 쪽 다섯 번째 줄에 앉았다고 했다. 창가 자리를 Hannah가 원했지만 앉지 못했다.

지칭 추론 문제와 내용 일치·불일치 문제는 세부 사항을 알아야 풀 수 있는 문제로, 관련 있는 부분을 발견하면 주의해서 읽어야 해.

Words

- midday 정오, 한낮 • glorious 빛나는 • fancy 화려한 • contagious 전염되는, 전염성의
- recall 기억해 내다 • zoom in on (줌 렌즈로) ~을 서서히 확대하다 • assignment 과제, 숙제
- sensational 환상적인, 선풍적인 • wander (정처 없이) 떠돌다 • vaguely 어렴풋이, 희미하게
- bundle 다발, 묶음 • tremble 떨다 • energetically 힘차게 • address 연설하다
- neat 정돈된 • hallway 복도

03 복합 문단 독해 유형 1 문단 순서 배열 (1)

대표 유형 다음 글을 읽고, 물음에 답하시오. 수능 기출

(A)

In the gym, members of the taekwondo club were busy practicing. Some were trying to kick as high as they could, and some were striking the sparring pad. Anna, the head of the club, was teaching the new members basic moves. Close by, her friend Jane was assisting Anna. Jane noticed that Anna was glancing at the entrance door of the gym. She seemed to be expecting someone. At last, when Anna took a break, Jane came over to (a) her and asked, "Hey, are you waiting for Cora?"

(B)

Cora walked in like a wounded soldier with bandages on her face and arms. Surprised, Anna and Jane simply looked at her with their eyes wide open. Cora explained, "I'm sorry I've been absent. I got into a bicycle accident, and I was in the hospital for two days. Finally, the doctor gave me the okay to practice." Anna said excitedly, "No problem! We're thrilled to have you back!" Then, Jane gave Anna an apologetic look, and (b) she responded with a friendly pat on Jane's shoulder.

(C)

Anna answered the question by nodding uneasily. In fact, Jane knew what her friend was thinking. Cora was a new member, whom Anna had personally invited to join the club. Anna really liked (c) her. Although her budget was tight, Anna bought Cora a taekwondo uniform. When she received it, Cora thanked her and promised, "I'll come to practice and work hard every day." However, unexpectedly, she came to practice only once and then never showed up again.

(D)

Since Cora had missed several practices, Anna wondered what could have happened. Jane, on the other hand, was disappointed and said judgingly, "Still waiting for her, huh? I can't believe (d) <u>you</u> don't feel disappointed or angry. Why don't you forget about her?" Anna replied, "Well, I know most newcomers don't keep their commitment to the club, but I thought that Cora would be different. She said she would come every day and practice." Just as Jane was about to respond to (e) <u>her</u>, the door swung open. There she was!

01 주어진 글 (A)에 이어질 내용을 순서에 맞게 배열한 것으로 가장 적절한 것은?

① (B) – (D) – (C) ② (C) – (B) – (D) ③ (C) – (D) – (B)
④ (D) – (B) – (C) ⑤ (D) – (C) – (B)

02 밑줄 친 (a)~(e) 중에서 가리키는 대상이 나머지 넷과 다른 것은?

① (a) ② (b) ③ (c) ④ (d) ⑤ (e)

03 이 글에 관한 내용으로 적절하지 않은 것은?

① Anna는 신입 회원에게 태권도를 가르쳤다.
② Anna와 Jane은 Cora를 보고 놀라지 않았다.
③ Anna는 Cora에게 태권도 도복을 사 주었다.
④ Cora는 여러 차례 연습에 참여하지 않았다.
⑤ Anna는 Cora를 대다수의 신입 회원과 다를 것이라 생각했다.

© Yurachevsky / shutterstock

03 복합 문단 독해 유형 1 문단 순서 배열 (1)

해석

(A) 체육관에서, 태권도 동아리 회원들이 부지런히 연습하고 있었다. 일부는 가능한 한 높이 발차기를 하려고 애쓰고 있었고, 일부는 스파링 패드 치기를 하고 있었다. 동아리 회장인 Anna는 신입 회원들에게 기본 동작을 가르치고 있었다. 바로 옆에서 그녀의 친구인 Jane이 Anna를 보조하고 있었다. Jane은 Anna가 체육관의 출입문을 힐끗 보고 있다는 것을 알아차렸다. 그녀는 누군가를 기다리고 있는 것처럼 보였다. 드디어, Anna가 휴식을 취할 때 Jane이 (a)그녀에게 다가와서 "야, Cora를 기다리고 있는 거야?"라고 물었다.

(C) Anna는 걱정스레 고개를 끄덕여 질문에 답했다. 사실, Jane은 친구가 무엇을 생각하고 있는지 알고 있었다. Cora는 신입 회원인데, Anna가 그녀에게 동아리에 가입하라고 직접 부탁했었다. Anna는 (c)그녀를 정말로 마음에 들어했다. 자기 비용도 빠듯했지만, Anna는 Cora에게 태권도 도복을 사 주었다. 그것을 받았을 때, Cora는 그녀에게 고마움을 표시하면서 "매일 연습하러 와서 열심히 할 거야."라고 약속했다. 그러나 예상과 달리, 그녀는 연습하러 단 한 번 왔을 뿐이고 그러고 나서 다시는 나타나지 않았다.

(D) Cora가 여러 번의 연습에 빠졌기 때문에 Anna는 무슨 일이 있었을지 궁금했다. 반면 Jane은 실망해서 "아직도 그녀를 기다리는 거야, 응? 나는 (d)네가 실망하거나 화를 내지 않는 게 믿기지가 않아. 그녀에 대해 잊어버리는 것이 어때?"라고 재단하듯이 말했다. Anna는 "글쎄, 난 대다수의 신참자가 동아리에 대한 약속을 지키지 않는 것은 알지만, Cora는 다를 것이라고 생각했어. 그녀는 매일 와서 연습할 거라고 말했거든."이라고 대답했다. Jane이 바로 막 (e)그녀에게 대답하려 했을 때, 문이 활짝 열렸다. 거기 그녀가 왔다!

(B) Cora는 얼굴과 두 팔에 붕대를 감고 부상당한 군인처럼 걸어 들어왔다. Anna와 Jane은 놀라서 두 눈을 크게 뜨고 그녀를 바라볼 뿐이었다. Cora는 "계속 오지 못해서 미안해. 난 자전거 사고가 나서 이틀 동안 입원해 있었어. 마침내 의사 선생님이 나에게 연습해도 좋다는 동의를 해 주셨어."라고 설명했다. Anna는 "괜찮아! 우리는 네가 돌아와서 기뻐."라고 흥분해서 말했다. 그때, Jane이 Anna에게 사과의 표정을 지어 보였고, (b)그녀는 Jane의 어깨를 다정하게 두드리며 응답했다.

유형 핵심

❶ 주어진 문단 (A)를 읽고, 이야기의 ❶ [ ] 방향을 짐작해 본다.

❷ 나머지 문단 (B), (C), (D)의 첫 문장과 마지막 문장을 읽고 글의 순서를 추측한다.

❸ 각 문단에서 서로 상응하는 핵심 내용을 파악하여 논리적인 전개가 되도록 순서를 배열해 보고, 접속사, 연결어, 대명사 등의 단서를 종합하여 ❷ [ ]를 확정한다.

답 ❶ 전개 ❷ 문단 순서

유형 전략

- 각 문단의 핵심 내용을 파악하면, 논리적인 순서에 따라 그것들을 배열하여 문단의 순서를 알 수 있다.
- 문단의 첫 문장에 이전 문단의 마지막 문장과 이어지는 단서가 제시되는 경우가 많으므로, 각 문단의 첫 문장과 마지막 문장을 유의해서 읽는다.

정답 전략

01 문단 (A)에는 태권도 동아리 회장인 Anna가 Cora를 기다리는 상황이 그려진다. Cora에 대한 정보가 (A)에 없으므로, 바로 뒤에는 Cora와 Anna의 관계를 설명하는 (C)가 오는 것이 적절하다. Anna는 Cora를 태권도 동아리에 가입시켰고, Cora는 열심히 연습에 참여하겠다고 했지만 한 번 온 뒤로 다시는 오지 않았다. 그러므로 (C) 뒤에는 그런 Cora를 걱정하는 Anna의 모습이 나오는 (D)가 이어지고, 마지막으로 Cora가 나타나 나오지 못했던 이유를 설명하고 Anna가 기뻐하는 장면인 (B)가 오는 것이 적절하다.

02 (c)는 Cora를 가리키고, 나머지는 모두 Anna를 가리킨다.

03 ② Anna와 Jane은 Cora를 보고 놀라서 눈만 크게 뜨고 바라보았다고 했으므로, 놀라지 않았다고 한 ②는 내용과 일치하지 않는다.

주로 문단 (A)에 앞으로의 일을 짐작할 수 있는 정보가 제시되는 경우가 많으므로, (A)의 내용을 잘 파악해서 나머지 문단의 이해에 도움이 되도록 해야 해.

Words

- sparring 대련, 스파링 • glance 흘끗 보다 • bandage 붕대 • apologetic 미안해하는, 사과하는
- respond 응답하다, 대답하다 • pat 가볍게 두드리다 • uneasily 걱정스럽게
- personally 직접, 개인적으로 • budget 예산, 비용 • reply 대답하다 • newcomer 신입자
- commitment 약속 • swing open 활짝 열리다

04 복합 문단 독해 유형 1 문단 순서 배열 (2)

대표 유형 다음 글을 읽고, 물음에 답하시오. 학평 기출

(A)

One young person applied for a managerial position in a big company. He passed the first interview, and the director did the last interview to make the final decision. The director found (a) his academic achievements were excellent all the way from secondary school until college. He asked, "Did you get any scholarships in school?" The youth answered, "None. My mother paid my school fees working as a clothes cleaner."

(B)

The next day, the youth went to the director's office. The director noticed something had changed in the youth and said, "I want to recruit a person who appreciates the help and sacrifice of others and doesn't think of money as the only goal in life. I want you to be our new sales manager." Later on, this young person worked very hard and earned the respect of (b) his colleagues. All the employees worked well together, and the company's performance improved tremendously.

(C)

The director asked the youth to show his hands. The youth presented (c) him a pair of hands that were smooth and perfect. The director asked, "Have you ever helped your mother wash the clothes before?" The youth answered, "No, she always wanted me to study and read more books." The director said, "I have a request. When you go back home today, clean your mother's hands, and then see me tomorrow morning."

(D)

That evening, the youth asked his mother to let him clean her hands. Her hands were so wrinkled, and there were so many bruises on her hands. Some bruises were so painful that (d) his mother shivered when her hands were cleaned. He shed tears as he cleaned his mother's hands. This was the first time he realized that it was this pair of hands that washed clothes every day to enable (e) him to study.

01 주어진 글 (A)에 이어질 내용을 순서에 맞게 배열한 것으로 가장 적절한 것은?

① (B) – (D) – (C)　② (C) – (B) – (D)　③ (C) – (D) – (B)
④ (D) – (B) – (C)　⑤ (D) – (C) – (B)

02 밑줄 친 (a)~(e) 중에서 가리키는 대상이 나머지 넷과 다른 것은?

① (a)　② (b)　③ (c)　④ (d)　⑤ (e)

03 이 글의 젊은이에 관한 내용으로 적절하지 않은 것은?

① 장학금을 받은 적이 없다.
② 판매 관리자로 채용되었다.
③ 열심히 일해서 동료들의 존경을 받았다.
④ 어머니가 세탁하는 것을 가끔 도왔다.
⑤ 어머니의 손은 주름지고 멍들어 있었다.

© Africa Studio / shutterstock

04 복합 문단 독해 유형 1 문단 순서 배열 (2)

해석

(A) 한 젊은이가 큰 회사의 관리직에 지원했다. 그는 첫 번째 면접을 통과했고, 이사가 마지막 결정을 내리기 위해 최종 면접을 했다. 이사는 (a)그의 학업 성취가 중등학교부터 대학교까지 내내 훌륭했음을 알게 되었다. 그는 "학교에서 장학금을 혹시 받았었나요?"라고 물었다. 그 젊은이는 "받은 적이 없습니다. 저의 어머니께서 세탁소 직원으로 일하면서 제 학비를 내셨습니다."라고 대답했다.

(C) 이사는 젊은이에게 그의 손을 보여 달라고 요청했다. 그 젊은이는 (c)그에게 부드럽고 완벽한 두 손을 내밀었다. 그 이사는 "어머니가 세탁하는 것을 전에 도와 드린 적이 있나요?"라고 물었다. 그 젊은이는 "없습니다. 그녀는 항상 제가 공부하고 책을 더 많이 읽기를 원하셨습니다."라고 대답했다. 그 이사는 "한 가지 부탁이 있습니다. 오늘 집으로 돌아가면, 어머니의 손을 씻어 드리고 그러고 나서 내일 오전에 저를 만나러 오세요."라고 말했다.

(D) 그날 저녁, 젊은이는 어머니에게 자신이 그녀의 손을 씻게 해달라고 부탁했다. 그녀의 손은 매우 주름지고, 아주 많이 멍들어 있었다. 어떤 멍은 너무 통증이 심해서 손이 씻겨질 때 (d)그의 어머니는 몸을 떨었다. 그는 자기 어머니의 손을 씻겨 드리면서 눈물을 흘렸다. (e)그가 공부할 수 있도록 매일 옷을 세탁했던 것이 바로 이 두 손이었음을 그가 깨달은 것은 이번이 처음이었다.

(B) 다음 날 그 젊은이는 이사의 사무실로 갔다. 이사는 그 젊은이에게 무언가 변화가 있었다는 것을 알아차렸고 "저는 다른 사람의 도움과 희생에 감사하고 돈을 인생의 유일한 목표로 생각하지 않는 사람을 채용하고 싶습니다. 저는 당신이 저희의 새로운 판매 관리자가 되었으면 합니다."라고 말했다. 그 뒤로 이 젊은이는 매우 열심히 일했고 (b)그의 동료들의 존경을 받았다. 모든 직원이 훌륭히 함께 일했고, 그 회사의 실적은 엄청나게 향상되었다.

유형 핵심

❶ 각 문단의 첫 문장과 마지막 문장을 읽고, 연결 [❶] 를 찾도록 한다.

❷ 주로 (A)에서 사건의 발단과 배경이 나오고, 이어지는 두 문단에서 사건이 진행되며, 마지막 문단에서 교훈이나 재미를 주는 [❷] 이 제시된다.

❸ 이야기의 논리적인 전개 과정에 따라 문단을 배열한 뒤 나머지 단서로 순서를 확정한다.

답 ❶ 고리 ❷ 결말

유형 전략

- 문단의 첫 문장에 이전 문단의 마지막 문장과 이어지는 단서가 제시되는 경우가 많으므로, 각 문단의 첫 문장과 마지막 문장을 유의해서 읽는다.
  (A) One young person applied for a managerial position in a big company.
  (C) The director asked the youth to show his hands.
  (D) That evening, the youth asked his mother to let him clean her hands.
  (B) The next day, the youth went to the director's office.
- 네 문단의 핵심 내용을 파악하여, 시간을 나타내는 단어나 논리적 흐름을 고려하여 배치한다.

정답 전략

01 문단 (A)에는 큰 회사의 이사가 관리직을 뽑기 위해 젊은이를 면접 보는 장면이 나오고 있다. 이사가 젊은이에게 학비에 대해 묻자 어머니가 세탁소에서 일하면서 학비를 냈다는 젊은이의 답변이 나오고 (C)에서 이사가 젊은이의 손을 보여 달라고 하면서, 집에 가서 어머니의 손을 씻어 드리고 내일 다시 오라고 말하는 장면이 나온다. 그날 저녁 젊은이가 어머니의 거친 손을 보면서 깨달음을 얻는 (D)가 이어지고, 마지막으로 다음날 이사의 사무실로 가서 깨달음을 이야기하고 관리자로 채용되는 장면인 (B)가 오는 것이 적절하다.

02 (c)는 the director를 가리키고, 나머지는 모두 the youth를 가리킨다.

03 ④ 어머니를 도와 드린 적이 있냐는 이사의 질문에 젊은이는 어머니는 항상 젊은이가 공부하고 책을 더 많이 읽기를 원하셔서 도와 드린 적이 없다고 대답했다.

각 문단이 무엇을 말하는지를 파악하여 공통된 요소를 찾아내고, 문단의 시간적·논리적 전후 관계를 살펴 봐.

Words

- apply for ~에 지원하다
- managerial position 관리직
- secondary school 중등학교
- scholarship 장학금
- recruit 채용하다
- sacrifice 희생
- performance 실적
- improve 향상되다
- tremendously 엄청나게
- request 부탁, 요청
- wrinkle 주름
- bruise 멍, 타박상
- shiver (몸을) 떨다

05 복합 문단 독해 유형 2 지칭 추론

대표 유형 다음 글을 읽고, 물음에 답하시오. 모평 기출

(A)

Nancy and her daughter, Carol, were at the Eiffel Tower, as the sun was setting over Paris. The sunset that they saw was beyond description. "Thank you, Carol. I can't believe I am in Paris with you. It has been my lifelong dream to visit this beautiful city." Nancy thanked her daughter for this special trip that she had prepared in secret. Their trip to France was Carol's surprise gift for the sixtieth birthday of her mother — a woman who had sacrificed all (a) her life for her only daughter.

(B)

While they were enjoying dessert, a server approached them and asked, "Excuse me, who is Nancy Holloway between the two of you?" "I am," answered Nancy with a curious look. Then he gave a lovely bouquet of roses to Nancy, saying, "This gift is from your daughter. (b) She called yesterday and asked us to prepare this celebration for you." Surprised, she looked at her smiling daughter. Carol winked and said, "(c) You deserve this and more, Mom. Thank you for everything you have ever done for me."

(C)

When at last they arrived at the restaurant, to make matters worse, they were charged three times more than the usual fare due to the heavy traffic. Yet a happy turn of events was waiting for them. The restaurant was fantastic and all the staff were very polite and kind. The French cuisine was delicious. "This is the best food (d) I have ever had! I will never forget this dinner with you," said Nancy, thanking Carol for another surprise gift.

(D)

As the sky grew dark, Carol hurried because she had prepared another secret surprise for Nancy. "Mom, let's go enjoy our dinner before it gets too late. I reserved a table at a French restaurant for (e) you." Their pleasant evening, however, was unexpectedly interrupted as they waited to get a taxi. It took them a really long time to catch one. Even after they finally got in, the taxi got caught in heavy traffic. They were late for their reservation.

01 주어진 글 (A)에 이어질 내용을 순서에 맞게 배열한 것으로 가장 적절한 것은?

① (B) – (D) – (C)　② (C) – (B) – (D)　③ (C) – (D) – (B)
④ (D) – (B) – (C)　⑤ (D) – (C) – (B)

02 밑줄 친 (a)~(e) 중에서 가리키는 대상이 나머지 넷과 다른 것은?

① (a)　② (b)　③ (c)　④ (d)　⑤ (e)

03 이 글에 관한 내용으로 적절하지 않은 것은?

① Nancy와 Carol은 에펠탑에서 석양을 바라보았다.
② Carol은 Nancy에게 꽃다발을 직접 전달했다.
③ 레스토랑의 직원들은 모두 예의 바르고 친절했다.
④ Carol은 Nancy를 위해 깜짝 선물을 다양하게 준비했다.
⑤ Nancy와 Carol은 예약한 저녁 식사 시간에 늦었다.

05 복합 문단 독해 유형 2 지칭 추론

해석

(A) 해가 파리 너머로 지고 있을 때, Nancy와 그녀의 딸 Carol은 에펠탑에 있었다. 그들이 본 일몰은 이루 형언할 수 없었다. "고맙다, Carol. 내가 너와 함께 파리에 있다는 것을 믿을 수가 없구나. 이 아름다운 도시를 방문하는 것이 내 일생의 꿈이었단다." Nancy는 자신의 딸이 비밀리에 준비한 이 특별한 여행에 대해 그녀에게 고마움을 표했다. 그들의 프랑스 여행은 하나밖에 없는 딸을 위해 (a)자신의 일생을 바친 여인인, 엄마의 60번째 생신을 위한 Carol의 깜짝 선물이었다.

(D) 하늘이 어두워져 가자, Carol은 Nancy를 위해 또 하나의 비밀 깜짝 선물을 준비해 두었기에 서둘렀다. "엄마, 너무 늦기 전에 저녁 먹으러 가요. 제가 (e)엄마를 위해 한 프랑스 식당에 자리를 예약했어요." 그러나, 그들의 즐거운 저녁은 그들이 택시를 기다리던 중 예기치 못하게 방해받았다. 그들이 택시를 잡는 데는 정말이지 오랜 시간이 걸렸다. 심지어 그들이 마침내 택시를 탄 이후에도, 그 택시는 심한 교통 체증에 갇혔다. 그들은 예약 시간에 늦었다.

(C) 그들이 마침내 식당에 도착했을 때, 설상가상으로, 그들은 심한 교통 체증 때문에 평상시 요금보다 세 배나 많은 금액을 청구받았다. 하지만 행복한 반전이 그들을 기다리고 있었다. 식당은 환상적이었으며, 모든 직원이 매우 정중하고 친절했다. 프랑스 요리는 맛있었다. "이것은 지금껏 (d)내가 먹어 본 것 중 최고의 음식이야! 너와 함께한 이 저녁식사를 결코 잊을 수 없을 거야."라고 말하며, Nancy는 또 하나의 깜짝 선물에 대해 Carol에게 고마움을 표했다.

(B) 그들이 디저트를 즐기고 있을 때, 한 종업원이 그들에게 다가와 물었다. "실례합니다만, 두 분 중 어느 분이 Nancy Holloway이신가요?" "저예요."라고 Nancy가 호기심 어린 표정으로 답했다. 그러자 그는 사랑스러운 장미 꽃다발을 Nancy에게 주며, "이 선물은 손님의 따님이 손님께 드리는 겁니다. (b)그녀가 어제 전화해 저희에게 손님을 위해 이 축하 행사를 준비하도록 부탁했습니다." 깜짝 놀라, 그녀는 미소 짓는 자신의 딸을 바라보았다. Carol은 윙크를 하고는 말했다. "엄마, (c)엄마는 이 이상의 것을 받으실 자격이 있어요. 지금껏 저를 위해 해 주신 모든 것에 감사드려요."

유형 핵심

❶ 밑줄 친 명사나 ❶ [　　　] 가 가리키는 대상이 무엇인지 정확히 파악하며 글을 읽는다.

❷ 밑줄 친 말이 대명사일 경우, 성별과 수에 유의하며 앞뒤에서 가리키는 대상을 찾는다.

❸ 보통 성별이 같은 두 등장인물을 구별하는 문제가 출제되는데, 글의 흐름에 유의하여 그 ❷ [　　　] 을 찾는다.

답 ❶ 대명사 ❷ 대상

유형 전략

• 일반적으로 두 명의 핵심 등장인물이 나오는데 (a)가 가리키는 대상이 둘 중에 누구인지 먼저 파악한다. (a)가 가리키는 대상이 뒤에 나오는 (b)~(e)와 일치하는지 파악하면서 읽는다.
• 하나의 명사나 대명사로 지칭되는 것이 아니라 여러 형태로 지칭될 수 있음에 주의한다.

정답 전략

01 엄마의 60번째 생신을 맞아 딸이 깜짝 선물로 준비한 파리 여행 중 에펠탑에서 일몰을 지켜보는 Nancy와 그녀의 딸 Carol의 모습이 묘사된 (A) 다음에는, 딸이 저녁 식사 장소로 엄마를 모셔가는 과정과 교통 체증으로 예약한 장소에 늦게 도착하게 된 장면을 묘사하는 (D)가 이어져야 한다. 그런 다음 식당에서 맛있는 식사를 즐기는 (C)가 이어지고, 마지막으로 식사 후 디저트를 즐기는 중에 Carol이 식당 종업원으로 하여금 엄마에게 장미 꽃다발을 주게 하는 축하 행사를 준비했다는 내용과 딸이 엄마에게 고마움을 표하는 결말이 담긴 (B)가 이어져야 글의 흐름이 자연스럽다.

02 (b)는 Nancy의 딸 Carol을 가리키고, 나머지는 모두 Nancy를 가리킨다.

03 ② 식당 종업원이 Nancy에게 꽃다발을 주었으므로 Carol이 직접 전달한 것은 아니다.

대명사가 문장에서 가리키는 것을 찾는 경우에는 글의 흐름을 파악하는 데 집중해야 하며, 특히 지시대명사를 포함하고 있는 문장이나 바로 앞 문장에 더욱 유의해야 해.

Words

• sunset 일몰 • beyond description 이루 형언할 수 없는 • lifelong 일생의, 평생동안의
• in secret 비밀리에 • sacrifice 바치다, 희생하다 • curious 호기심 어린 • bouquet 꽃다발
• deserve (~을 받을) 자격이 있다 • to make matters worse 설상가상으로 • charge 청구하다
• fare 요금, 운임 • turn 반전, 차례 • cuisine 요리(법) • unexpectedly 예기치 못하게, 뜻밖에
• interrupt 방해하다 • reservation 예약

06 복합 문단 독해 유형 3 내용 일치·불일치

대표 유형 **다음 글을 읽고, 물음에 답하시오.** 학평 기출

(A)

Every May was the entrance examination period for a famous art school. On the first day's sketch test, Professor Wells noticed great potential in a boy named Jack. During the second day's color test, when (a) he walked past the boy, something special caught his attention. Every paint was labeled, and there was a small piece of paper written in the boy's half-hidden paint box: *apples are red, pears are bright yellow*. This talented student must be color blind!

(B)

The room was full of paintings and sculptures. Professor Wells said, "Once, my dream was to be a basketball player." Jack was puzzled. "Why did you stop playing basketball?" Wells gently rolled up his left trouser leg — (b) his left leg was an artificial limb. "Even if we cannot realize our original dream, we will eventually open another door to our dreams." Wells told Jack to close his eyes and touch a sculpture, and Jack did so. "An artist's hands are a second pair of eyes. Try to see with them as well."

(C)

After that day, Professor Wells never saw Jack again. It was not until six years later that he saw a report in the newspaper about a recent exhibition of modern art. The article said "This young sculptor was unable to attend art school due to his color blindness. But with inspiration shared by a mentor, (c) he replaced the eyes that could not distinguish colors with his own hands and has become a star in the field of sculpture. The sculptor was Jack.

(D)

After the art school announced the list of newly-admitted students, Professor Wells found Jack looking longingly through the school gate. It was the same boy who had captured (d) his attention on the test. Wells greeted him. "I'm Professor Wells, and I teach oil painting here." "My name is Jack," replied the boy, "and I was rejected." Seeing that the boy was heartbroken, (e) he invited him to a small workshop of his own.

01 주어진 글 (A)에 이어질 내용을 순서에 맞게 배열한 것으로 가장 적절한 것은?

① (B) – (D) – (C)　② (C) – (B) – (D)　③ (C) – (D) – (B)
④ (D) – (B) – (C)　⑤ (D) – (C) – (B)

02 밑줄 친 (a)~(e) 중에서 가리키는 대상이 나머지 넷과 다른 것은?

① (a)　② (b)　③ (c)　④ (d)　⑤ (e)

03 이 글의 Wells 교수에 관한 내용으로 적절하지 않은 것은?

① 입학시험에서 한 소년의 잠재력을 알아차렸다.
② 한때 농구 선수를 꿈꿨다.
③ 눈을 감고 조각 작품을 만져 보았다.
④ 현대 미술 전시회에 대한 신문기사를 읽었다.
⑤ 예술 학교에서 유화를 가르친다.

© Denis Kornilov/shutterstock

06 복합 문단 독해 유형 3 내용 일치·불일치

해석

(A) 매년 5월은 한 유명한 예술 학교의 입학시험 기간이었다. 첫날의 스케치 시험에서 Wells 교수는 Jack이라는 이름의 소년에게서 큰 잠재력을 알아차렸다. 둘째 날의 채색화 시험에서, (a)그가 그 소년을 지나갈 때, 뭔가 특별한 것이 그의 주의를 끌었다. 모든 물감에 라벨이 붙어 있었고 그 소년의 반쯤 숨겨진 물감통 안에 '사과는 빨갛다, 배는 밝은 노란색이다.'라고 쓰여진 작은 종이 조각이 있었다. 이 재능 있는 학생은 분명 색맹이다!

(D) 그 예술 학교가 신입생 명단을 발표한 후, Wells 교수는 Jack이 학교 정문 사이로 간절히 보고 있음을 발견했다. 그는 시험에서 (d)그의 관심을 사로잡았던 바로 그 학생이었다. Wells 교수는 "나는 Wells 교수이고, 여기서 유화를 가르친단다."라고 인사했다. "제 이름은 Jack이에요. 그리고 입학시험에서 떨어졌어요."라고 Jack이 대답했다. 그 소년이 상심해 있는 것을 보고 (e)그는 자신의 작은 작업실로 그를 초대했다.

(B) 그 방은 그림과 조각으로 가득 차 있었다. Wells 교수는 "한때 내 꿈은 농구 선수가 되는 것이었다네."라고 말했다. Jack은 어리둥절했다. "교수님은 왜 농구하는 것을 그만두셨어요?" Wells 교수는 조용히 자신의 왼쪽 바짓단을 걷어올렸고, (b)그의 왼쪽 다리는 의족이었다. "우리가 우리의 원래 꿈을 이루지 못한다 하더라도, 결국 우리의 꿈들로 가는 다른 문을 열게 될 거란다." Wells 교수는 Jack에게 눈을 감고 조각 작품을 만져 보라고 말했고, Jack은 그렇게 했다. "예술가의 손은 또 다른 한 쌍의 눈이란다. 그것으로도 보도록 노력해 보렴."

(C) 그날 이후, Wells 교수는 Jack을 다시는 보지 못했다. 6년이 지나서야 비로소 그는 신문에서 최근 현대 미술 전시회에 대한 기사를 보았다. 그 기사에는 이렇게 쓰여 있었다. '이 젊은 조각가는 색맹 때문에 예술 학교에 다닐 수 없었다. 하지만 멘토가 공유해 준 영감을 받아 (c)그는 색을 구별할 수 없었던 눈을 자신의 손으로 대신했고, 조각 분야에서 유명해졌다.' 그 조각가는 Jack이었다.

유형 핵심

❶ [❶ ______]를 미리 읽은 다음, 문단에 제시된 순서대로 선택지에 있는 정보를 확인하고 관련이 없는 것은 제외시킨다.

❷ 선택지 내용의 적절성을 판단할 때 반드시 지문에서 [❷ ______]를 찾아야 한다.

❸ 선택지 옆에 일치 여부를 작게 표시해 두어 헷갈리지 않도록 주의한다.

답 ❶ 선택지 ❷ 근거

유형 전략

• 선택지를 읽어 본 후, 선택지와 지문을 차례로 비교한다. 선택지의 순서는 이야기의 순서가 아닌, 지문이 제시된 순서와 동일하다.
• 읽은 내용을 바탕으로 일치하지 않는 내용을 빠르게 표시한 뒤, 고른 답이 맞는지 지문에서 한 번 더 확인하도록 한다.

정답 전략

01 문단 (A)에서는 예술 학교 입학시험에서 Wells 교수는 Jack이라는 소년이 큰 잠재력을 가지고 있지만 색맹임을 알아차린다. (D)에서는 Wells 교수가 입학시험에 떨어진 Jack을 자신의 작업실로 초대하는 내용이 나오고 (B)에서는 Wells 교수는 한때 농구 선수를 꿈꿨지만 그의 왼쪽 다리가 의족임을 보여주고 Wells 교수는 Jack에게 예술가의 손으로 보도록 노력하라고 조언한다. (C)는 6년이 지나서 Jack이 Wells 교수가 공유해 준 영감을 받아 조각가로 성장한 모습이 나오므로 이야기의 흐름상 (D)–(B)–(C)의 순서가 알맞다.

02 (c)는 Jack을 가리키고, 나머지는 모두 Wells 교수를 가리킨다.

03 ③ Wells 교수는 Jack에게 눈을 감고 조각 작품을 만져 보라고 말했으므로 글의 내용과 일치하지 않는다.

내용 일치·불일치 문제를 풀 때는 꼼꼼하고 정확하게 읽어야 해. 선택지의 내용만을 보고 상식적으로 판단하여 답을 선택하면 실수할 가능성이 높으므로 조심해야 해.

Words

• entrance examination 입학 시험 • potential 잠재력 • color blind 색맹 • sculpture 조각품
• puzzle 어리둥절하게 만들다 • roll up (걷어) 올리다 • trouser leg 바짓단
• artificial limb 의족, 의수 • sculptor 조각가 • inspiration 영감
• replace *A* with *B* A를 B로 대치하다 • longingly 간절히 • workshop 작업장

Word List for Week 1

001	acceptance	p. 18	받아들임, 수용
002	accompany	p. 26	동행하다, 동반하다
003	accordingly	p. 14	그에 맞춰
004	acquainted	p. 28	안면 있는, 알고 있는
005	admiration	p. 12, 20	감탄, 탄복
006	aisle seat	p. 24	통로 좌석
007	all of one's life	p. 33	평생
008	ambassador	p. 28	대사
009	an air of	p. 22	분위기
010	announce	p. 8	공고하다, 발표하다
011	announcement	p. 31	알림, 공고
012	antique	p. 28	오래된, 고대의
013	apologetically	p. 22	미안해하며
014	ashamed	p. 20	부끄러운
015	aspire	p. 26	열망하다, 동경하다
016	assist with	p. 14	~을 돕다
017	assure	p. 24	확신하다
018	at sunrise	p. 14	동틀 녘에
019	at the sight of	p. 16	~을 보고
020	atmosphere	p. 22	분위기, 대기
021	back yard	p. 33	뒷마당
022	be armed with	p. 16	~으로 무장하다, ~을 갖추다
023	be lost in	p. 26	~에 빠지다
024	be startled by	p. 18	~에 깜짝 놀라다
025	beg	p. 8	간청하다

026	beggar	p. 30	거지
027	blackout	p. 8	정전
028	bless	p. 24	축복하다
029	boarding area	p. 24	탑승구역
030	burst	p. 14	터지다
031	bury	p. 10	묻다
032	by far the best	p. 12	단연 최고, 월등히 좋은
033	cabbage patch	p. 16	양배추밭
034	call out	p. 59	~를 부르다
035	cancel	p. 12	취소하다
036	car wash	p. 30	세차장
037	challenge	p. 28, 33	도전, 역경
038	come up	p. 31	다가오다
039	conductor	p. 31	승무원
040	confidence	p. 26	자신감
041	confuse	p. 31	혼란시키다, 혼란스럽게 만들다
042	connect	p. 8	연결하다
043	constant	p. 18	일정한, 변함없는
044	content	p. 24	만족시키다
045	count	p. 10	세다, 계산하다
046	cross-counrty	p. 24	국토횡단의
047	crossover	p. 12	크로스오버(활동이나 스타일이 두 가지 이상의 분야에 걸친 것)
048	damage	p. 22	손상시키다
049	dart around	p. 18	재빨리 둘러보다
050	dead	p. 22	절대적인, 완전한

Word List for Week 1

051	deliver	p. 31	전달하다
052	demeanor	p. 18	행동거지
053	dig	p. 10	파다
054	discouraged	p. 16	낙담한
055	dislike	p. 12	싫어하다
056	disturb	p. 16	방해하다
057	ego	p. 26	자아
058	electric	p. 8	전기의
059	emulate	p. 12	따라가다, 모방하다
060	entertain	p. 24	즐겁게 하다
061	enthusiasm	p. 26	열의, 열정
062	entire	p. 24	전체의
063	exhausted	p. 16	지친
064	face	p. 33	(대담하게) 맞서다
065	feast	p. 14	진수성찬
066	fee	p. 30	수수료, 학비
067	filter	p. 28	여과 장치
068	flawless	p. 26	흠 잡을 데 없는, 완벽한
069	formal	p. 26	정규의
070	frequent	p. 28	자주 방문하다
071	generator	p. 8	발전기
072	get off	p. 31	떠나다
073	get rid of	p. 16	~을 없애다
074	granary	p. 14	곡물창고
075	gratitude	p. 18	감사

076	harvest	p. 14	수확
077	have a flat tire	p. 22	타이어에 펑크가 나다
078	heartbroken	p. 20	상심한
079	heartily	p. 30	진심으로
080	hole	p. 10	구덩이, 구멍
081	host	p. 30	주최하다
082	hurriedly	p. 32	황급히, 다급하게
083	identify	p. 24	알아보다
084	in despair	p. 16	절망하여
085	in return	p. 14	(~에 대한) 보답으로
086	in spirits	p. 14	활기 넘치는
087	in turn	p. 28	결국, 차례차례
088	in vain	p. 20	소용없는
089	incredible	p. 26	믿을 수 없는
090	indoors	p. 33	실내에
091	infant	p. 24	유아
092	insecure	p. 18	불안정한
093	institute	p. 26	(교육 관련) 기관
094	instruct	p. 28	지시하다
095	irritated	p. 14	짜증이 난
096	keep an eye on	p. 26	~을 계속 지켜보다
097	knot	p. 32	매듭
098	land a job	p. 28	일자리를 얻다
099	lay	p. 16	(알을) 낳다
100	lay out	p. 28	펼치다

Word List for Week 1

101	layer	p. 20	층, 겹
102	leap	p. 20	뛰어오르다; 도약
103	lift up a prayer for	p. 24	~을 위해 기도를 올리다
104	load	p. 14	짐
105	loudspeaker	p. 31	확성기
106	magnifying glass	p. 28	돋보기, 확대경
107	make fun of	p. 16	~을 놀리다
108	make it	p. 20	해내다
109	marble	p. 28	구슬
110	master	p. 12	대가, 거장
111	miserable	p. 10	절망적인
112	Mother Nature	p. 16	(만물의 어머니 같은) 대자연
113	nearby	p. 33	근처의
114	neighborhood	p. 8	근처, 지역, 이웃
115	no longer	p. 10	더 이상 ~이 아닌
116	nomination	p. 22	추천, 지명
117	note	p. 10, 28	언급하다; 음, 음표
118	nursery	p. 33	묘목장
119	nurture	p. 18	돌보다
120	option	p. 33	선택
121	orphan	p. 30	고아
122	out of (one's) sight	p. 10	보이지 않는 곳에
123	outage	p. 8	정전, 단수
124	outside	p. 33	바깥쪽의
125	overtake	p. 24	엄습하다, 닥치다

126	permission	p. 12	허락, 허가
127	piece	p. 12	(음악 작품) 한 점
128	pleasantry	p. 24	사교적인 인사
129	polish	p. 26	다듬다, 연마하다
130	pollen	p. 16	꽃가루
131	pretend	p. 14	~인 체하다
132	private	p. 8	사유의, (특정) 전용의
133	privilege	p. 18	특권
134	professional	p. 26	전문적인
135	pull over	p. 20, 22	정차하다, 차를 대다
136	purchase	p. 33	사다, 구매하다
137	put aside	p. 14	~을 한쪽에 두다
138	put off	p. 8	미루다, 연기하다
139	raise	p. 30	모으다
140	rapport	p. 28	(친밀한) 관계
141	reassurance	p. 18	안심시키는 말
142	recess time	p. 18	쉬는 시간
143	recital	p. 30	연주회
144	redirection	p. 18	재지시
145	register	p. 22	등록하다
146	replace	p. 32	대체하다
147	retire	p. 20	은퇴하다
148	roam around	p. 26	돌아다니다, 배회하다
149	roll down	p. 26	흘러내리다
150	routine	p. 12	규칙적으로 하는 일의 통상적인 순서와 방법

Word List for Week 1

151	routinely	p. 28	일상적으로
152	run for	p. 22	~에 출마하다
153	sack	p. 14	자루
154	salmon	p. 20	연어
155	seize	p. 10	움켜쥐다
156	semester	p. 22	학기
157	sharply	p. 22	날카롭게
158	shoemaker	p. 10	제화공, 구두 제조인
159	sigh	p. 14, 16	한숨을 쉬다
160	similar	p. 32	비슷한
161	soon after	p. 14	곧이어
162	sparkle	p. 26	반짝임
163	spill out	p. 20	쏟아져 나오다
164	spin	p. 20	빙빙 돌다, 회전하다
165	splash	p. 20	물을 튀기다
166	spot	p. 22	발견하다
167	spread	p. 32	펼쳐놓다
168	stalk	p. 14	줄기
169	stroller	p. 24	유모차
170	struggle	p. 20	애쓰다, 분투하다
171	sure enough	p. 24	아니나 다를까
172	swing into	p. 12	~에 들어가다
173	take a deep breath	p. 12	심호흡하다
174	tear apart	p. 32	찢어버리다, 해체하다
175	tension	p. 22	긴장

176	terribly	p. 14	몹시
177	texture	p. 28	질감
178	threesome	p. 24	3인조
179	tie	p. 32	묶다
180	to one's surprise	p. 10	놀랍게도
181	toddler	p. 24	걸음마하는 아이
182	tough	p. 20	힘든
183	treasure	p. 24	보물; 귀중히 여기다
184	treasure chest	p. 18	보물 상자
185	treat	p. 18	대우하다
186	trio	p. 12	3인조
187	unaware of	p. 26	~을 알지 못하는
188	unconditional	p. 18	무조건적인
189	underestimate	p. 12	과소평가하다
190	unwilling	p. 18	내키지 않는
191	upstream	p. 20	상류로
192	utter	p. 10	(말, 소리 등을) 내뱉다
193	valuables	p. 32	귀중품
194	vast	p. 16	드넓은, 광대한
195	virtuoso	p. 12	거장
196	widen	p. 30	커지다, 키우다
197	wiggly	p. 24	꼼지락거리는
198	with a heavy heart	p. 18	무거운 마음으로
199	wrestle with	p. 16	~와 싸우다
200	wriggle	p. 16	꿈틀거리다

Word List for Week 2

001	accumulate	p. 54	(서서히) 모이다, 쌓이다
002	accusation	p. 64	비난, 고발
003	after all	p. 74	결국
004	alter	p. 48	바꾸다
005	amount	p. 46	액수
006	approach	p. 60	다가오다, 접근하다
007	ask for	p. 46	~을 요구하다
008	aspect	p. 48	면, 특징
009	at the top of one's lungs	p. 56	목청껏 큰 소리로
010	athlete	p. 52	운동선수
011	attack	p. 37	공격
012	attend	p. 70	참석하다
013	awhile	p. 61	잠시, 잠깐
014	backfield	p. 52	후위
015	bait	p. 42	미끼
016	bang	p. 54, 74	꽝하고 치다
017	banquet	p. 52	연회, 만찬
018	bargain	p. 68	할인 품목
019	barn	p. 74	헛간
020	be absorbed	p. 50	열중하다
021	be at hand	p. 66	가까이 다가오다
022	be in disgrace	p. 72	면목을 잃고 있다
023	be willing to	p. 33	흔쾌히 …하다
024	beast	p. 56	짐승
025	benevolently	p. 46	자애롭게

026	bewilder	p. 46	당황하게 하다
027	binoculars	p. 50	쌍안경
028	black robin	p. 50	검은 울새
029	blank	p. 64	얼빠진, 멍한
030	blanket	p. 56	담요
031	bleed	p. 36	피를 흘리다, 피가 나다
032	bother	p. 64	성가시게 하다
033	branch	p. 54	나뭇가지
034	bravery	p. 44	용감(성)
035	break into	p. 66	갑자기 (웃음, 눈물 등을) 터뜨리다
036	breathtaking	p. 44	숨 막힐 듯한
037	briskly	p. 68	기분 좋게, 힘차게
038	broomstick	p. 38	빗자루
039	bungalow	p. 54	단층집, 방갈로
040	butt	p. 74	(머리로) 들이받다, 밀다
041	ceiling	p. 40	천장
042	charge	p. 46	청구하다
043	charity	p. 68	자선, 자선 기금
044	check	p. 46	수표
045	choke	p. 52	숨이 막히다
046	chop	p. 48	(음식 재료를 토막으로) 썰다
047	clarification	p. 46	설명, 해명
048	collapse	p. 40	무너지다, 붕괴하다
049	come up with	p. 74	~을 찾아내다
050	commit oneself to	p. 64	~에 전념하다

Word List for Week 2

051	competitive	p. 52	경쟁을 하는
052	concentration	p. 61	집중(력)
053	concern	p. 50	걱정, 우려
054	conduct oneself	p. 72	처신하다
055	container	p. 48	그릇, 용기
056	cottage	p. 56	작은 별장, 오두막집
057	crash	p. 44	세게 부딪치다
058	creep	p. 38	살금살금 기어가다
059	crop	p. 46	농작물
060	crowd	p. 40	군중
061	cruel	p. 36	잔혹한, 잔인한
062	crush	p. 37	으스러뜨리다
063	cubicle	p. 68	(칸막이를 한) 병실
064	cultivate	p. 52	구축하다, 쌓다
065	cure	p. 36	치유하다
066	curious	p. 48	궁금한, 호기심이 많은
067	cut into	p. 38	~을 줄이다
068	cutting board	p. 48	도마
069	daring	p. 44	위험을 마다하지 않는, 대담한
070	debt	p. 40	빚, 채무
071	deceptively	p. 42	현혹시키게, 눈을 속여서
072	defiantly	p. 70	반항적으로
073	definitely	p. 68	분명히
074	depression	p. 52	우울함
075	depth	p. 52	절정, 구렁텅이

076	diagnose as	p. 52	~로 진단하다
077	differing	p. 46	상이한, 다른
078	direction	p. 72	방향
079	distaste	p. 72	불쾌감
080	ditch	p. 59	배수로, 도랑
081	donkey	p. 59	당나귀
082	doubtful	p. 74	의심스러운
083	downstairs	p. 38	아래층으로
084	dribble	p. 72	똑똑 떨어지다
085	drill	p. 70	반복 연습시키다
086	duck into	p. 68	(몸을) 숙여 들어가다
087	dump	p. 72	~을 털썩 내려놓다, 떨어뜨리다
088	ease	p. 50	덜어주다
089	edge	p. 42	가장자리
090	emerge	p. 40	나오다
091	escape	p. 36	달아나다, 탈출하다
092	etch	p. 52	새기다
093	exceptionally	p. 52	유난히, 특별히
094	excessively	p. 50	과도하게, 지나치게
095	expedition	p. 42	탐험, 원정
096	expense	p. 46	비용
097	expose	p. 56	드러내다
098	extraordinary	p. 50	비범한
099	fading	p. 50	흐려져 가는
100	fair	p. 66	시장, 박람회

Word List for Week 2

101	fall into	p. 59	~에 빠지다
102	farmhouse	p. 59	농가
103	fascination	p. 50	매혹, 매료
104	fatal	p. 61	치명적인
105	feast one's eyes on	p. 66	~을 실컷 보며 즐기다
106	fierce	p. 40, 61	사나운, 험악한, 격렬한
107	fingernail	p. 56	손톱
108	fireplace	p. 38	벽난로
109	fisherman's knot	p. 42	두 밧줄을 양끝으로 잇는 매듭의 일종
110	fishing line	p. 42	낚싯줄
111	flatter	p. 52	돋보이게 하다
112	fling	p. 72	(신체 일부를 갑자기) 내밀다
113	flower bed	p. 60	화단
114	fork	p. 50	(나뭇가지, 길 등의) 갈라진 곳, 분기
115	free of charge	p. 42	공짜로
116	frequently	p. 52	빈번하게
117	frustrate	p. 48	~를 좌절시키다
118	frustration	p. 66	좌절감
119	gasp	p. 68	숨이 턱 막히다
120	gather	p. 38	모으다
121	get rid of	p. 64	~에게서 벗어나다
122	gift	p. 50	재능
123	glance	p. 54	흘끗 보다
124	glow	p. 38	불빛
125	go with	p. 48	~와 어울리다

126	grab	p. 38, 40, 56	움켜잡다, 붙잡다
127	harvest	p. 46	수확하다
128	head straight to	p. 61	~로 직행하다
129	heartfelt	p. 66	진심 어린
130	herb	p. 36	약초, 향초
131	highlight	p. 42	가장 빛나는 순간
132	hire	p. 46	고용하다
133	hook	p. 42	낚싯바늘
134	house number	p. 66	집의 번지
135	hunter	p. 37	사냥꾼
136	immediately	p. 64	즉시
137	impulsively	p. 40	충동적으로
138	in public	p. 72	사람들이 있는데서
139	inch	p. 54	조금씩 움직이다
140	ingredient	p. 48	재료, 구성 요소
141	injured	p. 37	부상을 입은, 다친
142	inquire	p. 46	묻다, 문의하다
143	insist	p. 50	고집하다
144	interfere	p. 64	간섭하다
145	judge	p. 37	판사
146	keen	p. 42	간절히 ~을 하고 싶은, 열망하는
147	keep it to oneself	p. 70	혼자만 알고 있다
148	knight	p. 61	(체스의 말) 나이트
149	lamb	p. 37	양
150	lecture	p. 64	강의

Word List for Week 2

151	let go of	p. 56	~을 놓아주다
152	let ~ in	p. 54	안으로 들어오게 하다
153	light up	p. 68	밝아지다
154	lock	p. 36	잠그다
155	logical	p. 42	논리적인
156	long-delayed	p. 66	오래 지연된
157	look over	p. 66	~을 살펴보다
158	make up	p. 48	~을 구성하다
159	match	p. 61	시합
160	meal allowance	p. 46	식비
161	meanwhile	p. 66	그럭저럭 하는 동안
162	memorable	p. 61	잊지 못할
163	messy	p. 72	지저분한
164	mighty	p. 60	아주
165	mindset	p. 44	마음가짐
166	minister	p. 72	목사
167	mischievously	p. 64	장난기 있게
168	miserable	p. 74	비참한
169	mistake	p. 36	실수
170	moan	p. 72	투덜거리다
171	naked	p. 54	벌거벗은, 나체의
172	narrow escape	p. 42	가까스로 모면하기
173	naughtily	p. 64	짓궂게
174	naughty	p. 64	개구쟁이인
175	needle	p. 54	바늘

수능전략

영·어·영·역

독해 300

BOOK 2

이 책의 구성과 활용

본책인 BOOK 1과 BOOK 2의 구성은 아래와 같습니다.

BOOK 1
1주, 2주

BOOK 2
1주, 2주

BOOK 3
정답과 해설

주 도입

본격적인 학습에 앞서, 재미있는 만화를 살펴보며 이번 주에 학습할 내용을 확인해 봅니다.

1일

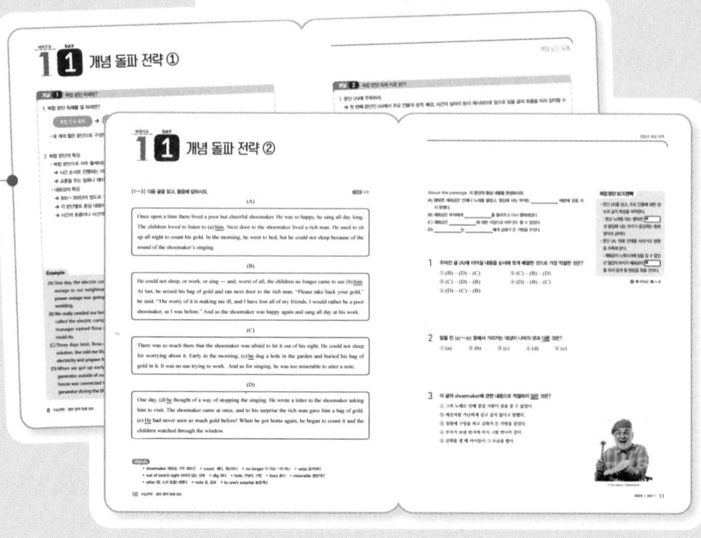

개념 돌파 전략

수능 영어 영역 복합 문단 독해를 대비하기 위해 꼭 알아야 할 복합 문단 읽기 전략과 유형을 익힌 뒤, 간단한 문제를 풀며 개념을 잘 이해했는지 확인해 봅니다.

2일, 3일

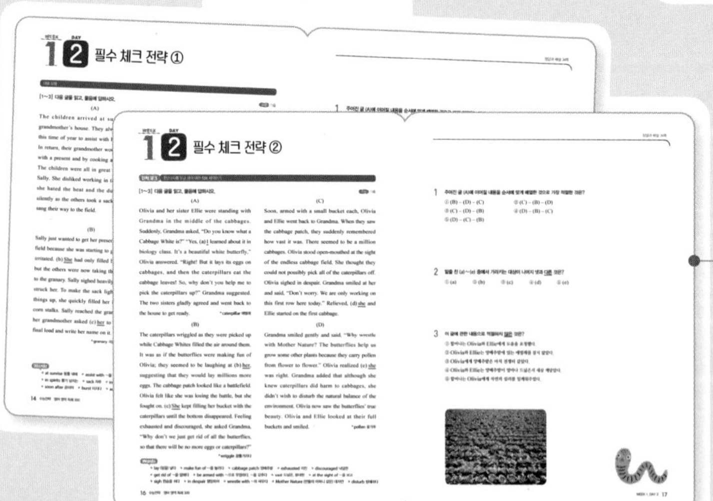

필수 체크 전략

기출 문제에서 선별한 대표 유형 문제와 추가 문제를 풀며 문제에 접근하는 과정과 해결 전략을 체계적으로 익혀 봅니다.

본 책에서 다룬 대표 유형과 그 해결 전략을 집중적으로 연습할 수 있도록 권두 부록을 구성했습니다. 부록을 뜯으면 미니북으로 활용할 수 있습니다.

주 마무리 코너

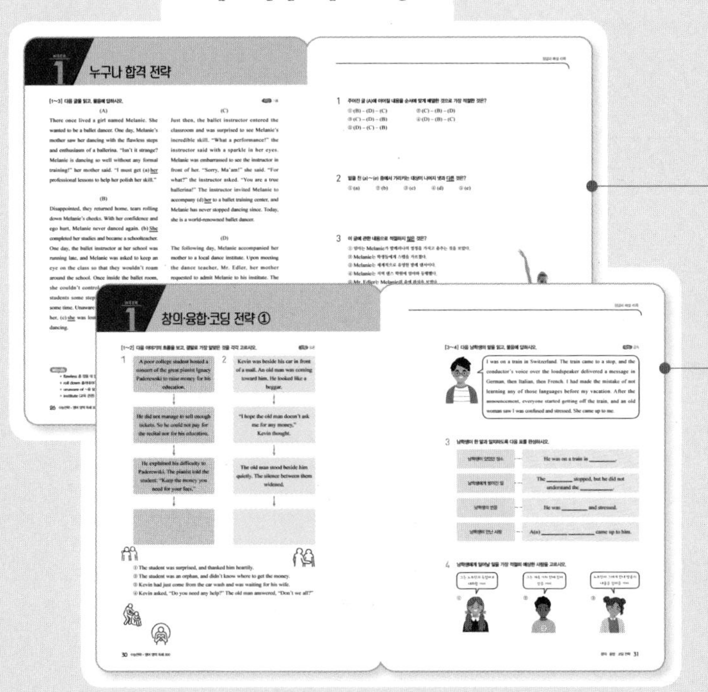

누구나 합격 전략
난이도가 낮은 기출 문제를 풀며 학습 자신감을 높일 수 있습니다.

창의·융합·코딩 전략
수능에서 요구하는 융복합적 사고력과 문제 해결력을 기를 수 있는 재미있는 문제를 풀어 봅니다.

권 마무리 코너

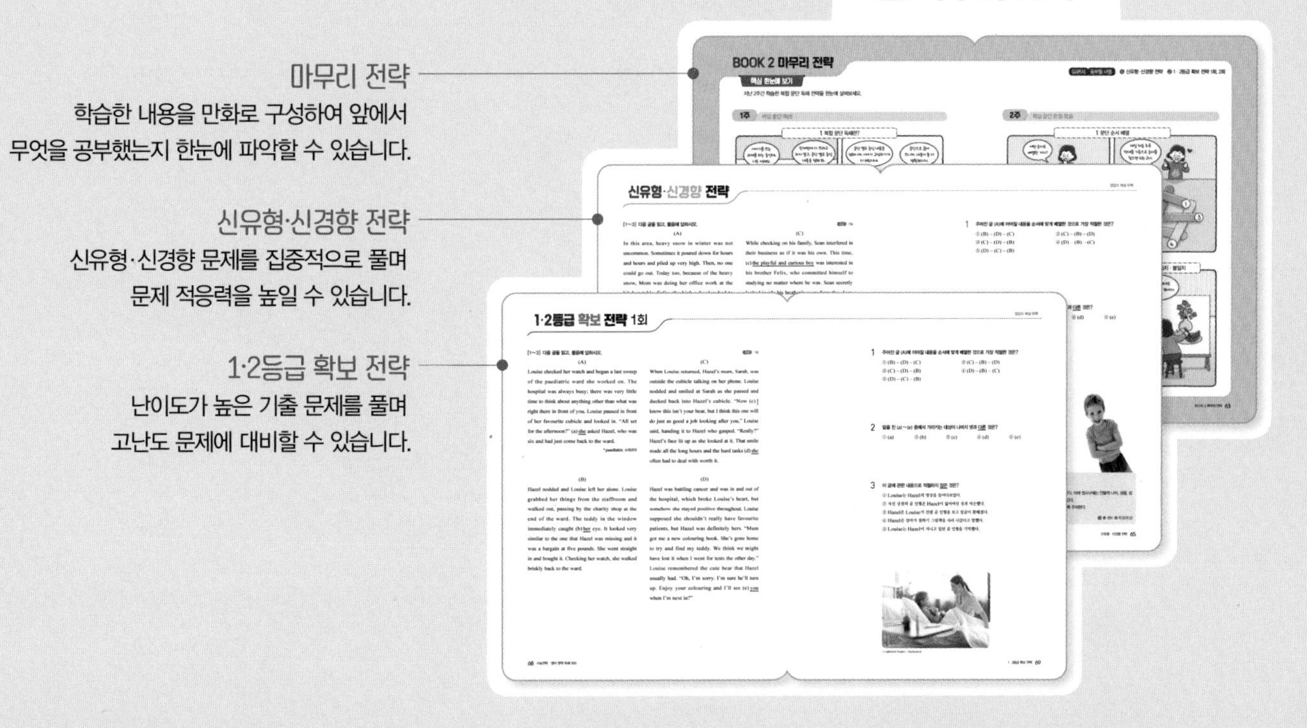

마무리 전략
학습한 내용을 만화로 구성하여 앞에서 무엇을 공부했는지 한눈에 파악할 수 있습니다.

신유형·신경향 전략
신유형·신경향 문제를 집중적으로 풀며 문제 적응력을 높일 수 있습니다.

1·2등급 확보 전략
난이도가 높은 기출 문제를 풀며 고난도 문제에 대비할 수 있습니다.

이 책의 차례

BOOK 2

WEEK 1

복합 문단 독해

WEEK 2

복합 문단 유형 학습

<수능전략 영어 영역 독해 300>은
장문 독해 유형(41~42번)과
복합 문단 독해 유형(43~45번)을 다룹니다.
'300'은 이 유형들의 독해 지문 평균
어휘 수를 의미합니다.

BOOK 1

WEEK 1

장문 독해

WEEK 2

장문 독해 유형 학습

WEEK

1 복합 문단 독해

공부할 내용 1. 복합 문단 독해란? 2. 복합 문단 독해 지문 읽기

WEEK 1 DAY 1

개념 돌파 전략 ①

개념 1 복합 문단 독해란?

1 복합 문단 독해를 잘 하려면?

복합 문단 독해 ➔ 여러 문단으로 된 이야기 읽기

• 네 개의 짧은 문단으로 구성되어 있는 이야기 형식의 지문을 읽고, 글의 흐름과 세부 내용을 모두 파악할 수 있어야 한다.

2 복합 문단의 특징

• 복합 문단으로 자주 출제되는 글

➔ 시간 순서로 진행되는 이야기 형식의 글

➔ 교훈을 주는 일화나 재미있는 내용의 사건

• 내용상의 특징

➔ 300~350단어 정도로 구성된 긴 지문이지만, 어휘와 문장의 난이도가 높지 않다.

➔ 각 문단별로 중심 내용이 뚜렷하고, 기승전결을 가지고 이야기가 전개된다.

➔ 시간의 흐름이나 사건의 순서를 이해하게 돕는 단서로 대명사, 지시어, 연결어 등이 자주 사용된다.

Example

(A) One day, the electric company announced a future power outage in our neighborhood. The problem was that the power outage was going to be on the day of my daughter's wedding.

(B) We really needed our house to prepare for the wedding, so I called the electric company to beg to put off the plans. A manager named Rosa said that she would see what she could do.

(C) Three days later, Rosa called to say that she had found a solution. She told me that my daughter would be able to use electricity and prepare for ⓐ her wedding at home.

(D) When we got up early on the wedding day, we found a generator outside of our house — it was ⓑ her solution. Our house was connected to electricity all day from the private generator during the blackout!

해석

(A) 어느 날, 전기 회사가 우리 동네에 정전이 있을 것이라고 발표했다. 문제는 정전이 내 딸의 결혼식 날 있을 것이라는 점이었다.

(B) 우리는 결혼식을 준비하기 위해 집이 정말로 필요했고, 그래서 나는 계획을 미뤄달라 부탁하려고 전기 회사에 전화했다. Rosa라는 이름의 관리자는 무엇을 할 수 있을지 알아보겠다고 말했다.

(C) 사흘 뒤, Rosa는 해결책을 찾았다고 전화를 걸어 말했다. 그녀는 내 딸이 집에서 전기를 사용하고 ⓐ자신의 결혼식을 준비할 수 있을 것이라고 내게 말했다.

(D) 우리가 결혼식 날 일찍 일어났을 때, 집 밖에서 발전기를 발견했고, 그것이 ⓑ그녀의 해결책이었다. 우리 집은 정전 동안 개별 발전기로부터 하루 종일 전기에 연결되었다!

개념 2 복합 문단 독해 지문 읽기

1 문단 (A)에 주목하라.

➔ 첫 번째 문단인 (A)에서 주요 인물의 성격, 배경, 사건의 실마리 등이 제시되므로 앞으로 읽을 글의 흐름을 미리 짐작할 수 있다.

e.g. • 문단 (A): 두 인물의 갈등 상황 → 갈등의 전개와 문제 해결 과정이 이어질 것이다.

• 문단 (A): 한 인물의 어려운 유년 시절 → 어려움을 극복하고 성장하는 과정이 이어질 것이다.

2 각 문단의 중심 내용을 파악하라.

➔ 각 문단마다 중심이 되는 인물의 행동이나 상황이 뚜렷하게 드러나며, 이를 논리적인 순서로 배열할 수 있어야 한다.

3 시간적 관계나 논리적 전후 관계를 파악하라.

➔ 시간적 관계나 논리적 전후 관계를 살피면서 글의 흐름을 파악하고 빠르게 읽도록 한다.

4 세부 사항을 놓치지 마라.

➔ 지칭 추론 문제와 내용 일치 문제 등을 풀기 위해 관련 있는 부분은 주의해서 읽어야 한다.

각 문단이 서로 다른 내용이더라도, 의미상 서로 상응하는 부분들이 있으므로 그 부분을 놓치지 않도록 한다.

이야기라서 내용 파악이 쉽고 문장 난이도가 낮으니, 긴 글이라고 겁먹지 않는 것이 중요합니다.

Q 1 문단 (A)에서 알 수 있는 주인공의 문제는 무엇인가?

: 딸의 ❶ ______ 날 동네에 ❷ ______ 이 있을 것이라는 사실을 알게 되었다.

Q 2 문단 (A) 뒤에 어떤 내용이 이어질 것이라고 예상할 수 있는가?

: 정전 문제를 해결하기 위해 노력하는 주인공의 모습이 나타날 것이다.

Q 3 이어지는 세 문단의 중심 내용은 무엇인가?

: (B) 전기 회사에 ❸ ______ 계획을 미뤄 달라고 요청함

(C) 전기 회사의 관리자가 해결책을 찾았다고 말함

(D) 결혼식 날 전기 회사에서 ❹ ______ 를 보내 주어 전기를 사용함

Q 4 밑줄 친 ⓐ와 ⓑ가 각각 가리키는 사람은?

: ⓐ → 주인공의 ❺ ______ ⓑ → Rosa (전기 회사 관리자)

답 ❶ 결혼식 ❷ 정전 ❸ 정전 ❹ 발전기 ❺ 딸

WEEK 1 DAY 1

개념 돌파 전략 ②

[1~3] 다음 글을 읽고, 물음에 답하시오. 학평 응용

(A)

Once upon a time there lived a poor but cheerful shoemaker. He was so happy, he sang all day long. The children loved to listen to (a) him. Next door to the shoemaker lived a rich man. He used to sit up all night to count his gold. In the morning, he went to bed, but he could not sleep because of the sound of the shoemaker's singing.

(B)

He could not sleep, or work, or sing — and, worst of all, the children no longer came to see (b) him. At last, he seized his bag of gold and ran next door to the rich man. "Please take back your gold," he said. "The worry of it is making me ill, and I have lost all of my friends. I would rather be a poor shoemaker, as I was before." And so the shoemaker was happy again and sang all day at his work.

(C)

There was so much there that the shoemaker was afraid to let it out of his sight. He could not sleep for worrying about it. Early in the morning, (c) he dug a hole in the garden and buried his bag of gold in it. It was no use trying to work. And as for singing, he was too miserable to utter a note.

(D)

One day, (d) he thought of a way of stopping the singing. He wrote a letter to the shoemaker asking him to visit. The shoemaker came at once, and to his surprise the rich man gave him a bag of gold. (e) He had never seen so much gold before! When he got home again, he began to count it and the children watched through the window.

Words

- shoemaker 제화공, 구두 제조인 • count 세다, 계산하다 • no longer 더 이상 ~이 아닌 • seize 움켜쥐다
- out of (one's) sight 보이지 않는 곳에 • dig 파다 • hole 구덩이, 구멍 • bury 묻다 • miserable 절망적인
- utter (말, 소리 등을) 내뱉다 • note 음, 음표 • to one's surprise 놀랍게도

About the passage 각 문단의 중심 내용을 완성하시오.

(A) 행복한 제화공은 언제나 노래를 불렀고, 옆집에 사는 부자는 ______ 때문에 잠을 자지 못했다.

(B) 제화공은 부자에게 ______를 돌려주고 다시 행복해졌다.

(C) 제화공은 ______에 대한 걱정으로 아무것도 할 수 없었다.

(D) ______는 ______에게 금화가 든 가방을 주었다.

복합 문단 읽기 전략

- 문단 (A)를 읽고, 주요 인물에 대한 정보와 글의 특징을 파악한다.
  : 항상 노래를 하는 행복한 ❶ ______과 옆집에 사는 부자가 등장하는 동화 형식의 글이다.
- 문단 (A) 뒤에 전개될 이야기의 방향을 추측해 본다.
  : 제화공의 노랫소리에 잠을 잘 수 없었던 옆집의 부자가 제화공이 ❷ ______를 하지 않게 할 방법을 찾을 것이다.

답 ❶ 제화공 ❷ 노래

1 주어진 글 (A)에 이어질 내용을 순서에 맞게 배열한 것으로 가장 적절한 것은?

① (B) – (D) – (C)
② (C) – (B) – (D)
③ (C) – (D) – (B)
④ (D) – (B) – (C)
⑤ (D) – (C) – (B)

2 밑줄 친 (a)~(e) 중에서 가리키는 대상이 나머지 넷과 <u>다른</u> 것은?

① (a) ② (b) ③ (c) ④ (d) ⑤ (e)

3 이 글의 shoemaker에 관한 내용으로 적절하지 <u>않은</u> 것은?

① 그의 노래로 인해 옆집 사람이 잠을 잘 수 없었다.
② 예전처럼 가난하게 살고 싶지 않다고 말했다.
③ 정원에 구멍을 파고 금화가 든 가방을 묻었다.
④ 부자가 보낸 편지에 즉시 그를 만나러 갔다.
⑤ 금화를 셀 때 아이들이 그 모습을 봤다.

© Just dance / shutterstock

[4~6] 다음 글을 읽고, 물음에 답하시오. 모평 응용

(A)

Master Brooks was playing a Mozart piece on the violin for his class to learn, and the class tried to emulate the music. Among the students in the class, Joe Brooks was by far the best. In fact, Joe was the master's son. Now he was only sixteen, but he was already on (a) his way to becoming a virtuoso like his father.

*emulate 열심히 배우다 **virtuoso 거장

(B)

When they finished practicing, Joe noticed his father standing in the corner. "Wow, that was quite wonderful," he said with admiration. Master Brooks came toward his son. "I love the way (b) you created those unique sounds while keeping the spirit of the violin. I underestimated the power that crossover music can create," said Master Brooks to (c) him.

(C)

"Well, did you get permission?" asked Brian as soon as Joe entered the practice room the following day. "Um, I'm not sure," answered Joe without confidence. Joe thought that it would be (d) his last practice with them. The trio — with Brian on keyboard, Nick on guitar, and Joe on violin — swung into their routine, as easily as only a group that had practiced long together could.

(D)

After the class, Joe was alone with his father. Joe took a deep breath and said, "I would like your permission for something. I have been asked to play in a crossover concert." Master Brooks looked surprised. "Father," Joe continued, "I know you dislike crossover music, but it is not what (e) you think. Why don't you come and listen to our practice tomorrow? If you don't like it, I will cancel."

Words

- master 대가, 거장 • piece (음악 작품) 한 점 • by far the best 단연 최고, 월등히 좋은 • admiration 감탄
- underestimate 과소평가하다 • crossover 크로스오버(활동이나 스타일이 두 가지 이상의 분야에 걸친 것) • permission 허락, 허가
- trio 3인조 • swing into ~에 들어가다 • routine 규칙적으로 하는 일의 통상적인 순서와 방법 • take a deep breath 심호흡하다
- dislike 싫어하다 • cancel 취소하다

About the passage 각 문단의 중심 내용을 완성하시오.

(A) 바이올린을 전공하는 Joe의 아버지는 바이올린의 거장이었다.

(B) 아버지는 Joe가 속한 밴드가 ______ 하는 모습을 보고, Joe가 하는 음악을 존중하게 되었다.

(C) Joe는 아버지의 ______ 을 받지 못한 채 연습에 참여했다.

(D) Joe는 아버지가 싫어하는 음악 장르의 콘서트에 참여하게 해 달라고 허락을 구했다.

복합 문단 읽기 전략

- 문단 (A)를 읽고, 뒤에 전개될 이야기의 방향을 추측해 본다.
  : 바이올린의 거장인 아버지 ❶ ______ 와 뛰어난 바이올린 연주자로 성장해 가는 아들 ❷ ______ 사이에 갈등이 생길 것이다.
- 각 문단의 내용을 파악하고, 그것들의 논리적인 순서를 생각한다.

답 ❶ Master Brooks ❷ Joe

4 주어진 글 (A)에 이어질 내용을 순서에 맞게 배열한 것으로 가장 적절한 것은?

① (B) – (D) – (C)　② (C) – (B) – (D)
③ (C) – (D) – (B)　④ (D) – (B) – (C)
⑤ (D) – (C) – (B)

5 밑줄 친 (a)~(e) 중에서 가리키는 대상이 나머지 넷과 다른 것은?

① (a)　② (b)　③ (c)　④ (d)　⑤ (e)

6 이 글에 관한 내용으로 적절하지 않은 것은?

① Joe는 학급에서 가장 뛰어난 학생이었다.
② Master Brooks는 Joe가 참여한 콘서트를 보러 갔다.
③ Master Brooks는 크로스오버 음악에 관한 자신의 견해를 바꾸었다.
④ Joe가 속한 밴드는 세 명의 연주자로 구성되었다.
⑤ Joe는 수업이 끝난 후에 아버지와 단둘이 대화를 나눴다.

WEEK 1 DAY 2

필수 체크 전략 ①

대표 유형

[1~3] 다음 글을 읽고, 물음에 답하시오.

모평 기출

(A)

The children arrived at sunrise at their grandmother's house. They always gathered at this time of year to assist with her corn harvest. In return, their grandmother would reward them with a present and by cooking a delicious feast. The children were all in great spirits. But not Sally. She disliked working in the corn field as she hated the heat and the dust. (a) She sat silently as the others took a sack each and then sang their way to the field.

(B)

Sally just wanted to get her present and leave the field because she was starting to get hot and feel irritated. (b) She had only filled her sack twice, but the others were now taking their third sacks to the granary. Sally sighed heavily. Then an idea struck her. To make the sack lighter and speed things up, she quickly filled her last sack with corn stalks. Sally reached the granary first, and her grandmother asked (c) her to put aside the final load and write her name on it.

*granary 곡물창고 **stalk 줄기

(C)

They reached the field and started to work happily. Soon after, Sally joined them with her sack. Around mid-morning, their grandmother came with ice-cold lemonade and peach pie. After finishing, the children continued working until the sun was high and their sacks were bursting. Each child had to make three trips to the granary. Grandmother was impressed by their efforts and (d) she wanted to give them presents accordingly.

(D)

Grandmother asked the other children to do the same thing. Then, all of the children enjoyed their grandmother's delicious lunch. "I am so pleased with your work," she told them after lunch. "This year, you can all take home your final load as a present!" The children cheered for joy, gladly thanked her, and lifted their sacks to take home. Sally was terribly disappointed. There was nothing but useless corn stalks in (e) her sack. She then made the long walk home, pretending that she was carrying a heavy load.

Words

- at sunrise 동틀 녘에 • assist with ~을 돕다 • harvest 수확 • in return (~에 대한) 보답으로 • feast 진수성찬
- in spirits 활기 넘치는 • sack 자루 • irritated 짜증이 난 • sigh 한숨을 쉬다 • put aside ~을 한쪽에 두다 • load 짐
- soon after 곧이어 • burst 터지다 • accordingly 그에 맞춰 • terribly 몹시 • pretend ~인 체하다

정답과 해설 34쪽

1 주어진 글 (A)에 이어질 내용을 순서에 맞게 배열한 것으로 가장 적절한 것은?

① (B) – (D) – (C)
② (C) – (B) – (D)
③ (C) – (D) – (B)
④ (D) – (B) – (C)
⑤ (D) – (C) – (B)

복합 문단 해결 전략

- 문단 (A)를 통해 이야기의 ❶ [ ] 이 누구인지 파악하고, 이야기가 흘러갈 방향을 짐작해 볼 수 있다.
- 시간적 관계를 나타내는 표현 at sunrise, around mid-morning, until the sun was high, delicious lunch 등에 유의한다.

2 밑줄 친 (a)~(e) 중에서 가리키는 대상이 나머지 넷과 다른 것은?

① (a) ② (b) ③ (c) ④ (d) ⑤ (e)

복합 문단 해결 전략

- 문단마다 서로 ❷ [ ] 하는 내용이 있으므로, 그 부분을 중심으로 지칭 추론 문제와 내용 일치 문제를 풀도록 한다.

답 ❶ 주인공 ❷ 상응

3 이 글에 관한 내용으로 적절하지 않은 것은?

① 아이들은 할머니의 옥수수 수확을 돕기 위해 모였다.
② Sally는 덥고 짜증나서 옥수수 밭을 떠나고 싶었다.
③ 아이들은 각자 세 번씩 옥수수가 담긴 자루를 곡물창고로 날라야 했다.
④ 할머니는 아이들에게 맛있는 점심을 제공했다.
⑤ Sally는 옥수수가 담긴 무거운 자루를 가지고 집으로 갔다.

WEEK 1 DAY 2

필수 체크 전략 ②

전략 체크 문단 (A)를 읽고 글에 대한 정보 파악하기

[1~3] 다음 글을 읽고, 물음에 답하시오. 수능 기출

(A)

Olivia and her sister Ellie were standing with Grandma in the middle of the cabbages. Suddenly, Grandma asked, "Do you know what a Cabbage White is?" "Yes, (a) I learned about it in biology class. It's a beautiful white butterfly," Olivia answered. "Right! But it lays its eggs on cabbages, and then the caterpillars eat the cabbage leaves! So, why don't you help me to pick the caterpillars up?" Grandma suggested. The two sisters gladly agreed and went back to the house to get ready.

*caterpillar 애벌레

(B)

The caterpillars wriggled as they were picked up while Cabbage Whites filled the air around them. It was as if the butterflies were making fun of Olivia; they seemed to be laughing at (b) her, suggesting that they would lay millions more eggs. The cabbage patch looked like a battlefield. Olivia felt like she was losing the battle, but she fought on. (c) She kept filling her bucket with the caterpillars until the bottom disappeared. Feeling exhausted and discouraged, she asked Grandma, "Why don't we just get rid of all the butterflies, so that there will be no more eggs or caterpillars?"

*wriggle 꿈틀거리다

(C)

Soon, armed with a small bucket each, Olivia and Ellie went back to Grandma. When they saw the cabbage patch, they suddenly remembered how vast it was. There seemed to be a million cabbages. Olivia stood open-mouthed at the sight of the endless cabbage field. She thought they could not possibly pick all of the caterpillars off. Olivia sighed in despair. Grandma smiled at her and said, "Don't worry. We are only working on this first row here today." Relieved, (d) she and Ellie started on the first cabbage.

(D)

Grandma smiled gently and said, "Why wrestle with Mother Nature? The butterflies help us grow some other plants because they carry pollen from flower to flower." Olivia realized (e) she was right. Grandma added that although she knew caterpillars did harm to cabbages, she didn't wish to disturb the natural balance of the environment. Olivia now saw the butterflies' true beauty. Olivia and Ellie looked at their full buckets and smiled.

*pollen 꽃가루

Words

- lay (알을) 낳다 • make fun of ~을 놀리다 • cabbage patch 양배추밭 • exhausted 지친 • discouraged 낙담한
- get rid of ~을 없애다 • be armed with ~으로 무장하다, ~을 갖추다 • vast 드넓은, 광대한 • at the sight of ~을 보고
- sigh 한숨을 쉬다 • in despair 절망하여 • wrestle with ~와 싸우다 • Mother Nature (만물의 어머니 같은) 대자연 • disturb 방해하다

1 주어진 글 (A)에 이어질 내용을 순서에 맞게 배열한 것으로 가장 적절한 것은?

① (B) – (D) – (C)　　② (C) – (B) – (D)
③ (C) – (D) – (B)　　④ (D) – (B) – (C)
⑤ (D) – (C) – (B)

2 밑줄 친 (a)～(e) 중에서 가리키는 대상이 나머지 넷과 <u>다른</u> 것은?

① (a)　② (b)　③ (c)　④ (d)　⑤ (e)

3 이 글에 관한 내용으로 적절하지 <u>않은</u> 것은?

① 할머니는 Olivia와 Ellie에게 도움을 요청했다.
② Olivia와 Ellie는 양배추밭에 있는 애벌레를 잡지 않았다.
③ Olivia에게 양배추밭은 마치 전쟁터 같았다.
④ Olivia와 Ellie는 양배추밭이 얼마나 드넓은지 새삼 깨달았다.
⑤ 할머니는 Olivia에게 자연의 섭리를 일깨워주었다.

필수 체크 전략 ②

전략 체크 시간적 관계나 논리적 전후 관계 파악하기

[4~6] 다음 글을 읽고, 물음에 답하시오.

학평 기출

(A)

Mr. Green was startled by the sudden appearance in the doorway of a tall young man. His dark trench coat caught Mr. Green's attention. He was Jacob. He had grown a bit since Mr. Green last saw him and his demeanor was certainly different, but Mr. Green recognized the lost, insecure first grader (a) he had taught and loved many years ago. At that time, some children didn't have the privilege of a nurturing family.

*demeanor 행동거지

(B)

Even after Jacob left first grade, he would return year after year, willing to give up his recess time to see Mr. Green. Jacob simply needed that unconditional acceptance. Family circumstances eventually took Jacob to another state, and with a heavy heart Mr. Green thought he would never see him again. (b) He was worried how life would treat Jacob. So, Mr. Green felt great relief and joy to see him standing in the doorway. He waved Jacob to come in.

(C)

Jacob was one of those children. In the first grade, (c) he required constant reassurance and redirection from his teachers. He often was unable or unwilling to participate or cooperate in the classroom. Mr. Green took the responsibility not only for Jacob's education, but for his social and emotional needs as well. Jacob quickly became one of (d) his favorites, and began to willingly engage in the process of learning.

(D)

Entering the classroom, Jacob greeted him back. His eyes darted around Mr. Green's classroom. Suddenly, with a laugh, he asked, "Do you still have that treasure chest for your students?" Mr. Green reached under (e) his desk to pull out the old treasure chest. Jacob began digging for his favorite candy. They sat down for conversation over the candies. Jacob must have eaten ten before he was finished. On the way out he gave Mr. Green both a hug and a look of gratitude. Both his stomach and his emotional "bucket" were filled.

Words

- be startled by ~에 깜짝 놀라다 • insecure 불안정한 • privilege 특권 • nurture 돌보다 • recess time 쉬는 시간
- unconditional 무조건적인 • acceptance 받아들임, 수용 • with a heavy heart 무거운 마음으로 • treat 대우하다
- constant 일정한, 변함없는 • reassurance 안심시키는 말 • redirection 재지시 • unwilling 내키지 않는
- dart around 재빨리 둘러보다 • treasure chest 보물 상자 • gratitude 감사

4 주어진 글 (A)에 이어질 내용을 순서에 맞게 배열한 것으로 가장 적절한 것은?

① (B) – (D) – (C)
② (C) – (B) – (D)
③ (C) – (D) – (B)
④ (D) – (B) – (C)
⑤ (D) – (C) – (B)

5 밑줄 친 (a)~(e) 중에서 가리키는 대상이 나머지 넷과 다른 것은?

① (a) ② (b) ③ (c) ④ (d) ⑤ (e)

6 이 글에 관한 내용으로 적절하지 않은 것은?

① Green 선생님은 갑자기 나타난 젊은이를 보고 놀랐다.
② Jacob은 쉬는 시간을 포기하고 Green 선생님을 보러 왔다.
③ Jacob은 가정 형편 때문에 다른 주로 이사했다.
④ Jacob은 1학년 내내 수업에 열심히 참여했다.
⑤ Jacob은 자신이 좋아하는 사탕을 찾기 시작했다.

WEEK 1 DAY 3

필수 체크 전략 ①

대표 유형

[1~3] 다음 글을 읽고, 물음에 답하시오. 수능 기출

(A)

The colors of the trees looked like they were on fire, the reds and oranges competing with the yellows and golds. This was Nina's favorite season, but she remained silent for hours while Marie was driving. Nina had been heartbroken after losing her championship belt. Now a former champion, she was thinking of retiring from boxing. Marie, her long-time friend and trainer, shared her pain. After another silent hour, Marie and Nina saw a sign: Sauble Falls. Marie thought this would be a good place for (a) them to stop.

(B)

Then, with a great push, a small one turned a complete circle and made it over the falls. "He made it!" Nina shouted at the success with admiration. More salmon then followed and succeeded. She felt ashamed to be looking at (b) them. After a moment, she turned to Marie and said, "Giving up is not in my vocabulary. Marie, I'll get my championship belt back." Marie nodded with a bright smile. "Our training begins tomorrow. It's going to be tough. Are you ready?" Walking up the path and back to the car, (c) they could still hear the fish splashing in the water.

*splash 물을 튀기다

(C)

Marie pulled over into the parking lot. Marie and Nina went down a path to watch the falls. Another sign: Watch Your Step. Rocks Are Slippery. (d) They found the falls spilling out in various layers of rock. No one was there except them. "Look at them!" Marie pointed to movement in the water moving toward the falls. Hundreds of fish tails were flashing and catching light from the sun, moving upstream. Beneath them in the water, they saw salmon slowly moving their bodies.

(D)

While Marie and Nina kept watching the salmon, a big one suddenly leapt. It threw itself up and over the rushing water above, but in vain. (e) They were standing without a word and watching the fish struggling. Another jumped, its body spinning until it made it over the falls. Another one leapt and was washed back by the power of the water. Watching the salmon, Marie noticed Nina fixing her eyes on their continuing challenge. Nina's heart was beating fast at each leap and twist.

Words

- heartbroken 상심한 • retire 은퇴하다 • make it 해내다 • admiration 감탄, 탄복 • salmon 연어 ashamed 부끄러운
- tough 힘든 • pull over 정차하다, 차를 대다 • spill out 쏟아져 나오다 • layer 층, 겹 • upstream 상류로 • leap 뛰어오르다; 도약
- in vain 소용없는 • struggle 애쓰다, 분투하다 • spin 빙빙 돌다, 회전하다

1 주어진 글 (A)에 이어질 내용을 순서에 맞게 배열한 것으로 가장 적절한 것은?

① (B) – (D) – (C)
② (C) – (B) – (D)
③ (C) – (D) – (B)
④ (D) – (B) – (C)
⑤ (D) – (C) – (B)

복합 문단 해결 전략

• 도입에 해당하는 문단 (A)를 통해 등장인물들의 ❶ [   ]와 앞으로 벌어질 이야기의 배경이 될 정보를 파악할 수 있다.

2 밑줄 친 (a)~(e) 중에서 가리키는 대상이 나머지 넷과 다른 것은?

① (a) ② (b) ③ (c) ④ (d) ⑤ (e)

3 이 글에 관한 내용으로 적절하지 않은 것은?

① Marie가 운전하는 동안 Nina는 말이 없었다.
② Marie는 Nina의 오랜 친구이자 트레이너였다.
③ 폭포에서 Nina는 Marie에게 권투를 그만두겠다고 말했다.
④ 폭포에 있는 사람은 Marie와 Nina뿐이었다.
⑤ Nina는 폭포 위로 뛰어오르는 연어를 유심히 바라보았다.

복합 문단 해결 전략

• 빠르게 세부 내용을 파악하기 위해서는 미리 문제의 지시문과 선택지를 보고 글의 ❷ [   ]을 따라 갈 수도 있다.

답 ❶ 관계 ❷ 흐름

WEEK 1 DAY 3

필수 체크 전략 ②

전략 체크 시간적 관계나 논리적 전후 관계 파악하기

[1~3] 다음 글을 읽고, 물음에 답하시오.

수능 기출

(A)

It was the first day of the new semester. Steve and Dave were excited that they would be back at school again. They rode their bicycles to school together that morning, as they usually did. Dave had math on the first floor, and Steve was on the second with history. On his way to the classroom, Steve's teacher came up to him to ask if (a) he wanted to run for student president. Steve thought for a moment and answered, "Sure, it'll be a great experience."

(B)

Steve won the election. Upon hearing the result, Dave went over to Steve and congratulated (b) him, shaking his hand. Steve could still see the disappointment burning in his eyes. It wasn't until later that evening, on the way home, that Dave said apologetically, "I'm so sorry, Steve! This election hasn't damaged our friendship, has it?" "Of course not, Dave. We're friends as always!" Steve responded with a smile. As Steve arrived home, his dad was proudly waiting for him and said, " Congratulations on the win! How did Dave take it?" Steve replied, "We're fine now, best friends for life!" (c) His dad laughed, "Sounds like you won two battles today!"

(C)

After class, Steve spotted Dave in the hallway and ran to him excitedly, "I've got good news! I'm going for student president and I think mine will be the only nomination." Dave cleared his throat and replied with surprise, "Actually, I've just registered my name, too!" (d) He continued sharply, "Well, best of luck! But don't think you'll win the election, Steve." Dave walked quickly away and from that moment on, there was an uncomfortable air of tension between the two friends. Steve tried to be friendly toward Dave, but he just didn't seem to care.

(D)

When the election day came, Steve found that his bicycle had a flat tire, so he started to run to school. Just as he reached the end of the street, Dave's dad, who was driving Dave to school, pulled over to give him a ride. The dead silence in the car made the drive painful. Noticing the bad atmosphere, Dave's dad said, "You know, only one of you can win. You have known each other since birth. Don't let this election ruin your friendship. Try to be happy for each other!" His words hit Dave hard. Looking at Steve, Dave felt the need to apologize to (e) him later that day.

Words

- semester 학기 • run for ~에 출마하다 • apologetically 미안해하며 • damage 손상시키다 • spot 발견하다
- nomination 추천, 지명 • register 등록하다 • sharply 날카롭게 • an air of ~의 분위기 • tension 긴장
- have a flat tire 타이어에 펑크가 나다 • pull over 길 한쪽으로 차를 대다 • dead 절대적인, 완전한 • atmosphere 분위기, 대기

1 주어진 글 (A)에 이어질 내용을 순서에 맞게 배열한 것으로 가장 적절한 것은?

① (B) – (D) – (C)
② (C) – (B) – (D)
③ (C) – (D) – (B)
④ (D) – (B) – (C)
⑤ (D) – (C) – (B)

2 밑줄 친 (a)~(e) 중에서 가리키는 대상이 나머지 넷과 다른 것은?

① (a) ② (b) ③ (c) ④ (d) ⑤ (e)

3 이 글에 관한 내용으로 적절하지 않은 것은?

① 개학 날 아침에 Steve와 Dave는 함께 등교했다.
② Steve는 학생회장으로 당선되었다.
③ Steve는 Dave에게 선거 출마 사실을 숨겼다.
④ Dave의 아버지는 학교로 뛰어가던 Steve를 차에 태워 주었다.
⑤ Dave의 아버지는 선거로 인해 우정을 잃지 말라고 충고했다.

필수 체크 전략 ②

전략 체크 문단 (A)를 읽고 글에 대한 정보 파악하기

[4~6] 다음 글을 읽고, 물음에 답하시오.

학평 기출

(A)

People were gathering in the boarding area for the cross-country flight from Chicago to Portland. Southwest Airlines has open seating. I wanted to be early in line for my boarding section so I could get a choice seat near the front. It was then I noticed the young mother with (a) her toddler and infant. "Nobody is going to want to sit next to that wiggly boy," I thought to myself. "I'm traveling alone. I could do it. I might even be able to help the lady."

*wiggly 꼼지락거리는

(B)

Then it was my turn to play little games with her. How easy it was to entertain this contented baby! I offered to help the children into their stroller on the jet way, but the mother assured (b) she could manage quite well on her own. In the terminal stood a young father waiting for his family to return from baby's first visit to far away grandparents. He was easily identified from his wife's description. As I passed him I smiled and lifted up a prayer for God's blessing on this lovely young family.

(C)

Sure enough, no one had chosen the aisle seat by the threesome. "May I sit here?" I requested. We exchanged a few pleasantries after which I suggested that she let me hold her sleeping darling while she attended to the wiggly one. (c) Her treasure was gratefully handed over. The little boy was well-behaved, but constantly moving. If she had had to hold the baby on (d) her lap and entertain the wiggly one it would have been much more difficult.

(D)

I mentally recalled some of my own journeys with wiggly ones on my lap, especially the day my own toddler cried the entire trip from Chicago to Florida, which was something of a nightmare. At least neither of these children was crying or being difficult. The sleeping baby seemed to get heavier as time went on. The book I had planned to read remained in my bag under the seat. Sleepiness overtook me for a short while. Then we could see the snow on Mt. Hood, and I knew the flight would soon end. Finally the wiggly one slept. The baby sister had slept all the way across the country. Now (e) she opened her big blue eyes and smiled at me, unafraid.

Words

- boarding area 탑승 구역 • cross-counrty 국토 횡단의 • toddler 걸음마하는 아이 • infant 유아 • content 만족시키다
- stroller 유모차 • assure 확신하다 • identify 알아보다 • lift up a prayer for ~을 위해 기도를 올리다 • bless 축복하다
- aisle seat 통로 좌석 • threesome 3인조 • pleasantry 사교적인 인사 • entire 전체의 • overtake 엄습하다, 닥치다

4 주어진 글 (A)에 이어질 내용을 순서에 맞게 배열한 것으로 가장 적절한 것은?

① (B) – (D) – (C)
② (C) – (B) – (D)
③ (C) – (D) – (B)
④ (D) – (B) – (C)
⑤ (D) – (C) – (B)

5 밑줄 친 (a)~(e) 중에서 가리키는 대상이 나머지 넷과 다른 것은?

① (a) ② (b) ③ (c) ④ (d) ⑤ (e)

6 이 글의 'I'에 관한 내용으로 적절하지 않은 것은?

① 앞쪽 근처 좌석을 얻기 위해 일찍 줄을 서고 싶었다.
② 터미널에서 아이들의 아버지를 쉽게 알아보았다.
③ 아이들의 어머니에게 자고 있는 아이를 안아주겠다고 했다.
④ 자신의 아이가 여행 내내 울었던 경험이 있다.
⑤ 읽으려고 계획했던 책을 비행기 안에서 다 읽었다.

© sirtravelalot / shutterstock

WEEK 1

누구나 합격 전략

[1~3] 다음 글을 읽고, 물음에 답하시오.

학평 기출

(A)

There once lived a girl named Melanie. She wanted to be a ballet dancer. One day, Melanie's mother saw her dancing with the flawless steps and enthusiasm of a ballerina. "Isn't it strange? Melanie is dancing so well without any formal training!" her mother said. "I must get (a) her professional lessons to help her polish her skill."

(B)

Disappointed, they returned home, tears rolling down Melanie's cheeks. With her confidence and ego hurt, Melanie never danced again. (b) She completed her studies and became a schoolteacher. One day, the ballet instructor at her school was running late, and Melanie was asked to keep an eye on the class so that they wouldn't roam around the school. Once inside the ballet room, she couldn't control herself. She taught the students some steps and kept on dancing for some time. Unaware of time or the people around her, (c) she was lost in her own little world of dancing.

(C)

Just then, the ballet instructor entered the classroom and was surprised to see Melanie's incredible skill. "What a performance!" the instructor said with a sparkle in her eyes. Melanie was embarrassed to see the instructor in front of her. "Sorry, Ma'am!" she said. "For what?" the instructor asked. "You are a true ballerina!" The instructor invited Melanie to accompany (d) her to a ballet training center, and Melanie has never stopped dancing since. Today, she is a world-renowned ballet dancer.

(D)

The following day, Melanie accompanied her mother to a local dance institute. Upon meeting the dance teacher, Mr. Edler, her mother requested to admit Melanie to his institute. The teacher asked Melanie to audition. (e) She was happy and showed him some of her favorite dance steps. However, he wasn't interested in her dance. He was busy with other tasks in the dance room. "You can leave now! The girl is just average. Don't let her waste her time aspiring to be a dancer," he said. Melanie and her mother were shocked to hear this.

Words

- flawless 흠 잡을 데 없는, 완벽한 • enthusiasm 열의, 열정 • formal 정규의 • professional 전문적인 • polish 다듬다, 연마하다
- roll down 흘러내리다 • confidence 자신감 • ego 자아 • keep an eye on ~을 계속 지켜보다 • roam around 돌아다니다, 배회하다
- unaware of ~을 알지 못하는 • be lost in ~에 빠지다 • incredible 믿을 수 없는 • sparkle 반짝임 • accompany 동행하다, 동반하다
- institute (교육 관련) 기관 • aspire 열망하다, 동경하다

1 **주어진 글 (A)에 이어질 내용을 순서에 맞게 배열한 것으로 가장 적절한 것은?**

① (B) – (D) – (C)
② (C) – (B) – (D)
③ (C) – (D) – (B)
④ (D) – (B) – (C)
⑤ (D) – (C) – (B)

2 **밑줄 친 (a)～(e) 중에서 가리키는 대상이 나머지 넷과 <u>다른</u> 것은?**

① (a) ② (b) ③ (c) ④ (d) ⑤ (e)

3 **이 글에 관한 내용으로 적절하지 <u>않은</u> 것은?**

① 엄마는 Melanie가 발레리나의 열정을 가지고 춤추는 것을 보았다.
② Melanie는 학생들에게 스텝을 가르쳤다.
③ Melanie는 세계적으로 유명한 발레 댄서이다.
④ Melanie는 지역 댄스 학원에 엄마와 동행했다.
⑤ Mr. Edler는 Melanie의 춤에 관심을 보였다.

© Ayakovlev / shutterstock

[4~6] 다음 글을 읽고, 물음에 답하시오. 학평 기출

(A)

Susan met Phillip, the son of her close friend, at a local coffee shop. Phillip had recently graduated from a small-town college and landed his first job in Los Angeles, where she lived. He was single and wanted to make new friends. (a) He had lived his entire life in small towns but suddenly found himself in a big city, where making friends seemed like a challenge.

(B)

In addition to such advice, Susan told Phillip to build a good rapport with the café owner because he would become Phillip's ambassador to the members in the community. Because the owner had direct contact with Phillip, other customers would naturally ask (b) him who the new person was. When they did, he would say nice things about Phillip, which in turn would form a filter through which the other customers would view Phillip.

(C)

Susan advised him to routinely frequent a local café near his apartment and to sit alone at a table. Phillip told her that he was an antique marble collector. Susan instructed him to bring a magnifying glass and a bag of marbles with him each time (c) he visited the café. She further instructed him to set the marbles on the table and thoughtfully examine each one with the magnifying glass.

(D)

Phillip chose to take her advice. The first time he visited the café he ordered a drink, laid out the marbles, and examined them one by one with the magnifying glass. A few minutes after the owner served Phillip his drink, he asked (d) him about his unusual activity. Phillip told him briefly about his marble collection and noted the differences in size, color, and texture of each marble. After several visits to the café, Phillip and the owner became better acquainted. The owner liked Phillip and introduced (e) him to several people who were obviously interested in his hobby.

Words

- land a job 일자리를 얻다 • challenge 도전 • rapport (친밀한) 관계 • ambassador 대사 • in turn 결국, 차례차례 • filter 여과 장치
- routinely 일상적으로 • frequent 자주 방문하다 • antique 오래된, 고대의 • marble 구슬 • instruct 지시하다
- magnifying glass 돋보기, 확대경 • lay out 펼치다 • note 언급하다 • texture 질감 • acquainted 안면 있는, 알고 있는

4 주어진 글 (A)에 이어질 내용을 순서에 맞게 배열한 것으로 가장 적절한 것은?

① (B) – (D) – (C)　② (C) – (B) – (D)
③ (C) – (D) – (B)　④ (D) – (B) – (C)
⑤ (D) – (C) – (B)

5 밑줄 친 (a)~(e) 중에서 가리키는 대상이 나머지 넷과 다른 것은?

① (a)　② (b)　③ (c)　④ (d)　⑤ (e)

6 이 글의 Phillip에 관한 내용으로 적절하지 않은 것은?

① Susan이 살고 있는 도시에서 직장을 구했다.
② 카페 주인과 친하게 지내라는 조언을 받았다.
③ 오래된 구슬을 수집하는 취미가 있었다.
④ 구슬을 카페로 가져가 확대경으로 살펴보았다.
⑤ 구슬로 인해 카페 주인과 사이가 나빠졌다.

창의·융합·코딩 전략 ①

[1~2] 다음 이야기의 흐름을 보고, 결말로 가장 알맞은 것을 각각 고르시오. 학평 응용

1

A poor college student hosted a concert of the great pianist Ignacy Paderewski to raise money for his education.

↓

He did not manage to sell enough tickets. So he could not pay for the recital nor for his education.

↓

He explained his difficulty to Paderewski. The pianist told the student: "Keep the money you need for your fees."

↓

(빈칸)

2

Kevin was beside his car in front of a mall. An old man was coming toward him. He looked like a beggar.

↓

"I hope the old man doesn't ask me for any money," Kevin thought.

↓

The old man stood beside him quietly. The silence between them widened.

↓

(빈칸)

① The student was surprised, and thanked him heartily.
② The student was an orphan, and didn't know where to get the money.
③ Kevin had just come from the car wash and was waiting for his wife.
④ Kevin asked, "Do you need any help?" The old man answered, "Don't we all?"

[3~4] 다음 남학생의 말을 읽고, 물음에 답하시오.

학평 응용

I was on a train in Switzerland. The train came to a stop, and the conductor's voice over the loudspeaker delivered a message in German, then Italian, then French. I had made the mistake of not learning any of those languages before my vacation. After the announcement, everyone started getting off the train, and an old woman saw I was confused and stressed. She came up to me.

3 남학생이 한 말과 일치하도록 다음 표를 완성하시오.

남학생이 있었던 장소	He was on a train in ________.
남학생에게 벌어진 일	The ________ stopped, but he did not understand the ________.
남학생의 반응	He was ________ and stressed.
남학생이 만난 사람	A(n) ________ ________ came up to him.

4 남학생에게 일어날 일을 가장 적절히 예상한 사람을 고르시오.

그는 노부인과 독일어로 대화할 거야.
그는 계속 기차 안에 앉아 있을 거야.
노부인이 그에게 안내 방송의 내용을 알려줄 거야.
①
②
③

창의·융합·코딩 전략 ②

[5~6] 다음 이야기를 읽고, 물음에 답하시오. 학평 응용

❶ A rich merchant lived alone in his house. One day, a thief entered his home. Although he was awake, the merchant pretended to be in a deep sleep.

❷ When the thief had finished collecting as many valuables as he could, he hurriedly tied a knot in the white sheet which he thought was his.

❸ While the thief was busy gathering expensive items, the merchant replaced the new white sheet with a similar looking white sheet, which was much weaker and much cheaper than the thief's one.

❹ All the stolen goods fell down on the floor creating a very loud noise. Seeing many people run towards him, the thief had to give up on all of the stolen goods.

❺ The thief had brought a new white sheet with him to carry away the stolen goods. He spread it out on the floor with the idea of putting all the stolen valuables into it.

❻ The thief quickly lifted the sheet. To his surprise, the thin white sheet, filled with stolen goods, was torn apart.

5 이야기를 알맞은 순서대로 배열하시오.

❶ ⋯▸ ______ ⋯▸ ______ ⋯▸ ______ ⋯▸ ______ ⋯▸ ❹

6 도둑이 마지막에 할 말로 가장 적절한 것을 고르시오.

① If I had had enough time, I wouldn't have been caught.
② I need to buy a new, strong, white sheet to carry away the stolen goods.
③ The merchant has not only managed to save his valuables but has also taken away my new sheet.

7 알맞은 단어를 골라 글의 흐름에 맞게 각 문단을 완성하시오.

학평 응용

outside	never grow	the indoor tree	In a few years
in the future	the other tree	to achieve	

1

The grandmother walked eight-year-old Yolanda to a nearby plant nursery. There, they purchased two small trees. They returned home and planted one of them in the back yard and planted ________ in a pot and kept it indoors. Then her grandmother asked her which of the trees she thought would be more successful ________. Yolanda thought for a moment and said ________ would be more successful because it was protected and safe.

2

________, Yolanda, now a teenager, came to visit her grandmother again. The grandmother showed Yolanda the indoor tree and then took her outside to have a look at the towering tree outside. "Which one is greater?" the grandmother asked. Yolanda replied, "The ________ one."

3

The grandmother smiled and said, "Remember this, and you will be successful in whatever you do: If you choose the safe option all of your life, you will ________. But if you are willing to face the world with all of its challenges, you will learn from those challenges and grow ________ great heights."

WEEK

2 복합 문단 유형 학습

공부할 내용 1. 문단 순서 배열 2. 지칭 추론 3. 내용 일치·불일치

WEEK 2 DAY 1

개념 돌파 전략 ①

유형 1 문단 순서 배열

→ **문단 (A)를 읽고, 나머지 문단을 순서대로 배열하는 유형**

1 주어진 문단 ❶ [　　　] 를 읽고, 이야기의 전개 방향을 짐작해 본다.

2 나머지 문단 (B), (C), (D)의 첫 문장과 마지막 문장을 읽고 글의 ❷ [　　　] 를 추측한다.

➔ 문단의 첫 문장에서 이전 문단의 마지막 문장과 이어지는 단서가 제시되는 경우가 많으므로, 이를 통해 순서를 짐작할 수 있다.

3 각 문단에서 서로 상응하는 핵심 어구를 파악하고, 접속사, 연결어, 대명사 등의 단서를 종합하여 문단 순서를 배열한다.

➔ 각 문단의 핵심 어구를 파악하여, 이야기의 논리적인 전개 과정에 따라 문단을 배열한 뒤 나머지 단서로 순서를 확정할 수 있다.

주로 (A)에서 사건의 발단과 배경이 나오고, 이어지는 두 문단에서 사건이 진행되며, 마지막 문단에서 교훈이나 재미를 주는 결말이 제시됩니다.

지시문 주어진 글 (A)에 이어질 내용을 순서에 맞게 배열한 것으로 가장 적절한 것은?

답 ❶ (A) ❷ 순서

CHECK

[1~2] 문단 (A)와 (B)를 읽고, 다음 물음에 답하시오.

(A) Once in a village lived a rich man. He was very unkind and cruel to his slaves and servants. One day one of the slaves made a mistake while cooking food. He overcooked the food. When the rich man saw the food, he became angry and punished the slave. ⓐ He kept the slave in a small room and locked it from outside.

(B) ⓑ Somehow the slave escaped from that room and ran away. He went to a forest. There he saw a lion. Instead of running away, he went close to the lion. He saw the lion was injured and one of his legs was bleeding. The slave searched for herbs to cure the lion's wound and took care of the lion.

1 (A)와 (B)의 내용을 요약하여 문장을 완성하시오.

➔ (A) 한 부자가 요리할 때 실수한 ________ 를 작은 방에 가두었다.

(B) 노예는 그 방에서 도망쳐 ________ 으로 갔다가 다친 ________ 를 만나 치료해 주었다.

2 문단 (A)와 (B)가 이어지는 단서를 문장 ⓐ, ⓑ에서 찾으시오.

➔ 문장 ⓑ의 'that room'이 문장 ⓐ의 ____________ 을 가리키므로, (A) 뒤에 (B)가 이어진다.

유형 2 지칭 추론

→ 가리키는 대상이 다른 하나를 고르는 유형

1 밑줄 친 명사나 대명사가 가리키는 대상이 무엇인지 정확히 파악하며 글을 읽는다.

2 밑줄 친 말이 대명사일 경우, 성별과 ❶ ______에 유의하며 앞뒤에서 가리키는 대상을 찾는다.

3 동일한 대상을 여러 표현으로 나타내는 경우, 글의 ❷ ______에 유의하여 그 대상을 찾는다.

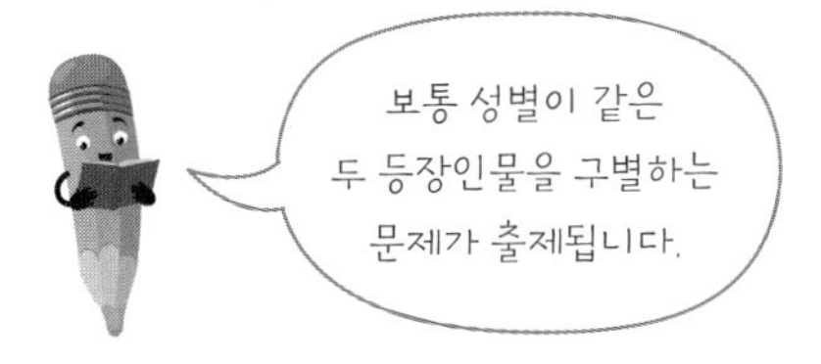

보통 성별이 같은
두 등장인물을 구별하는
문제가 출제됩니다.

지시문 밑줄 친 (a)~(e) 중에서 가리키는 대상이 나머지 넷과 다른 것은?

답 ❶ 수 ❷ 흐름

CHECK

3 밑줄 친 (a)~(c) 중에서 가리키는 대상이 나머지 둘과 다른 것은?

Everyone was looking around in the crowd when an old man stood up and said with a shaking voice, "(a) I will enter the contest against James Walker." Everyone burst out laughing thinking that it was a joke. James would crush (b) him in a minute. When James saw the old man, he was speechless. He thought that the old man had a death wish. The old man asked James to come closer since he wanted to say something to (c) him.

① (a) ② (b) ③ (c)

tip (a)가 가리키는 대상을 파악하여 작게 표시해 두고, 그 다음 대상이 (a)와 같은지 다른지 확인한다.

유형 3 내용 일치 · 불일치

→ 글과 선택지의 내용이 일치하는지 판단하는 유형

1 이 문제의 선택지를 미리 읽은 뒤, 글을 읽는다.

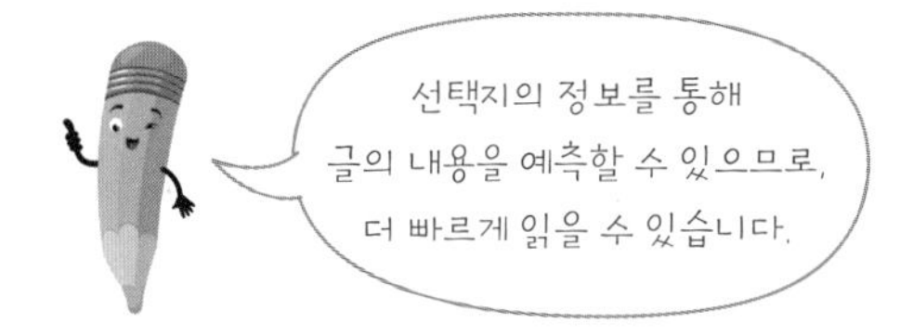

선택지의 정보를 통해
글의 내용을 예측할 수 있으므로,
더 빠르게 읽을 수 있습니다.

2 문단에 제시된 ❶ ______대로 선택지에 있는 정보를 확인하고 관련이 없는 것은 제외시킨다.

3 선택지 내용의 적절성을 판단할 때 반드시 ❷ ______에서 근거를 찾아야 한다.

4 선택지 옆에 일치 여부를 작게 표시해 두어 헷갈리지 않도록 주의한다.

지시문 윗글에 관한 내용으로 적절하지 않은 것은?
윗글의 내용과 일치하지 않는 것은?

답 ❶ 순서 ❷ 지문

CHECK

4 이 글의 농부에 관한 내용으로 적절하지 않은 것은?

A long time ago, a farmer in a small town had a neighbor who was a hunter. The hunter owned a few fierce and poorly-trained hunting dogs. One day when the dogs jumped the fence, they attacked and severely injured several of the lambs. The farmer had had enough by this point. He went to the nearest city to consult a judge. After listening carefully to his story, the judge said he could offer him a solution.

① 사냥꾼인 이웃이 있었다.
② 그의 양이 사냥개의 공격을 받았다.
③ 멀리 떨어진 도시로 조언을 구하러 갔다.

tip 지문에서 선택지 내용을 확인한 뒤에 일치 여부를 선택지 옆에 작게 표시해 두어 헷갈리지 않도록 한다.

개념 돌파 전략 ②

[1~3] 다음 글을 읽고, 물음에 답하시오.

(A)

William Miller stayed up after the family had gone to bed, then read until the morning. Candles were expensive, but there were plenty of pine knots, and all (a) he had to do was gather them from the woods. So William used to burn pine knots in the fireplace for his nightly reading light.

*pine knot 관솔

(B)

William's "secret life" continued for some time, though. Night after night (b) he read as long as he could, then crept upstairs quietly. But one night something happened. His father awoke and saw a glow downstairs. Thinking the house was on fire, (c) he came rushing down the stairs to save his family.

(C)

Instead of a house fire, however, he saw his son reading a book before the fireplace. His father grabbed a broomstick and yelled, "If you don't get to bed right now, I'll kick you out of the house!" William ran up to bed. (d) He was only trying to get more knowledge.

(D)

But his father didn't like the habit and tried to stop it. His father felt that his son's late-night reading would cut into (e) his energy for the next day's work on the farm. And his father thought the growing boy should sleep soundly through the night.

Words

- gather 모으다 • fireplace 벽난로 • nightly 밤의, 밤에 활동하는 • creep 살금살금 기어가다 • upstairs 위층으로 • glow 불빛
- downstairs 아래층으로 • rush down the stairs 계단을 급하게 내려가다 • grab 움켜잡다 • broomstick 빗자루
- yell 소리치다, 외치다 • cut into ~을 줄이다 • sleep soundly 푹 자다

유형 1 문단 순서 배열

1 주어진 글 (A)에 이어질 내용을 순서에 맞게 배열한 것으로 가장 적절한 것은?

① (B) – (D) – (C)　　② (C) – (B) – (D)
③ (C) – (D) – (B)　　④ (D) – (B) – (C)
⑤ (D) – (C) – (B)

복합 문단 풀이 전략

- (A)의 내용을 파악한 뒤, 나머지 세 문단의 첫 문장과 마지막 문장을 읽고 서로 연결되는 부분을 찾아본다.
- 네 문단의 핵심 내용을 파악한다.
  (A) William은 관솔 불빛에 의지해 밤에 책을 읽음
  (B) William의 ❶ [　　] 가 관솔 불빛을 화재로 오해함
  (C) 아버지가 William에게 화를 냄
  (D) 아버지는 William이 밤에 책을 읽는 것을 싫어함

유형 2 지칭 추론

2 밑줄 친 (a)~(e) 중에서 가리키는 대상이 나머지 넷과 다른 것은?

① (a)　② (b)　③ (c)　④ (d)　⑤ (e)

복합 문단 풀이 전략

- (a)가 가리키는 대상을 먼저 파악한다. (a)는 ❷ [　　] 을 가리킨다.

유형 3 내용 일치 · 불일치

3 이 글의 내용과 일치하지 않는 것은?

① William은 관솔을 태워 그 빛으로 책을 읽었다.
② 아버지는 밤에 일어나서 아래층의 불빛을 보았다.
③ William은 벽난로 앞에서 자다가 아버지에게 발각되었다.
④ 아버지는 빗자루를 들고 William을 쫓아다녔다.
⑤ 아버지는 William이 밤늦게 책 읽는 것을 싫어했다.

복합 문단 풀이 전략

- 선택지와 지문을 비교하여 ❸ [　　] 여부를 확인한다. 판단의 근거는 반드시 지문 안에서 찾아야 한다.

답 ❶ 아버지 ❷ William ❸ 일치

[4~6] 다음 글을 읽고, 물음에 답하시오.

(A)

It was an unbearably hot Chicago day. The emergency call came over the radio for Jacob's firefighting crew to handle a fire in a downtown apartment building. When they arrived, the roaring fire was spreading through the whole building. It was already looking hopeless. But suddenly, a woman came running up to (a) him, yelling "My baby, my Kris is on the fifth floor!"

(B)

The crowd broke into cheers as they saw Jacob emerge from the building with the boy. Holding Kris against (b) his chest, Jacob could feel the boy's heart pounding. Paramedics tended to the boy while Jacob himself fell to the ground. Two weeks after the rescue, Kris and his mother visited Jacob at the station. They told him they were forever in his debt.

*paramedic 응급 구조대원

(C)

Her desperate voice made Jacob decide to enter the building instantly. He made his way up to the fifth floor with another firefighter. They made it up to the fifth floor, but the fire had grown more fierce. Neither could see more than a few feet in front of them. Jacob's partner looked at him and gave him the thumbs-down. As a fireman, (c) he knew his partner was right, but he just kept seeing that mother's face in his head.

(D)

Impulsively, Jacob ran down the hall without his partner, disappearing into the flames. As flames shot out of the apartment like fireballs (d) he could see a little boy lying on the floor in just about the only spot that wasn't on fire. He just grabbed (e) him and rushed out. Jacob could hear the sound of the ceiling behind him collapsing.

Words

- unbearably 견딜 수 없게
- roaring 으르렁거리는, 아우성치는 듯한
- spread 퍼지다, 확산시키다
- crowd 군중
- emerge 나오다
- pound 쿵쿵거리다
- rescue 구조
- debt 빚, 채무
- fierce 험악한
- impulsively 충동적으로
- shoot 내뿜다, 분사하다
- spot 지점, 반점
- grab 붙잡다
- rush out 밖으로 뛰어나가다
- ceiling 천장
- collapse 무너지다, 붕괴하다

유형 1 문단 순서 배열

4 주어진 글 (A)에 이어질 내용을 순서에 맞게 배열한 것으로 가장 적절한 것은?

① (B) – (D) – (C)
② (C) – (B) – (D)
③ (C) – (D) – (B)
④ (D) – (B) – (C)
⑤ (D) – (C) – (B)

복합 문단 풀이 전략

• 네 문단의 핵심 내용을 파악하여, 논리적으로 배치한다.
(A) 소방관인 Jacob이 화재 현장에서 아들이 불이 난 건물 안에 있다고 외치는 어머니를 만남
(B) Jacob이 소년을 구조했고, 2주 뒤 모자가 ❶ ______ 을 찾아 옴
(C) Jacob이 소년을 구하러 건물에 들어가기로 결심함
(D) Jacob이 소년을 발견함

유형 2 지칭 추론

5 밑줄 친 (a)~(e) 중에서 가리키는 대상이 나머지 넷과 다른 것은?

① (a) ② (b) ③ (c) ④ (d) ⑤ (e)

복합 문단 풀이 전략

• (a)가 가리키는 대상을 먼저 파악한다. (a)는 ❷ ______ 을 가리킨다.

유형 3 내용 일치 · 불일치

6 이 글에 관한 내용으로 적절하지 않은 것은?

① 불이 건물 전체로 퍼지고 있었다.
② Kris와 엄마는 소방서에 방문했다.
③ Jacob은 혼자 5층으로 올라갔다.
④ 소년은 불이 붙지 않은 바닥에 누워 있었다.
⑤ Jacob은 뒤에서 천장이 무너지는 소리를 들었다.

복합 문단 풀이 전략

• 선택지와 지문을 차례로 비교한다. 선택지의 순서는 이야기의 순서가 아닌, 지문이 제시된 순서와 동일하다.

답 ❶ Jacob ❷ Jacob

WEEK 2 DAY 2

필수 체크 전략 ①

대표 유형

[1~3] 다음 글을 읽고, 물음에 답하시오.

학평 기출

(A)

The last Saturday of each month was always a highlight in Adrian's life. He and his dad had a regular fishing date. Adrian learned a lot about fishing and about life on these expeditions. (a) His father pointed out that there are some rocks that are too dangerous to go onto, even when the sea looks calm. It might look like a perfect spot for fishing, but rocks that are too close to the water's edge can be deceptively dangerous.

(B)

When he did so, he started catching really big fish — and his mom was delighted with the fresh fish she could cook for supper. Adrian gradually realized that it pays to listen to people with experience and knowledge of dangerous places. He also realized how stupid it was not to listen to his dad who gave (b) him precious advice free of charge!

(C)

On top of that, (c) he soon knew exactly how to make fishermen's knots and how to untie tricky knots in his fishing lines. But Adrian wasn't always keen to take his dad's advice. When his dad showed him how to bait his hook, (d) he said that a little piece of the hook should always stick out, but Adrian thought otherwise. He thought it logical for the bait to hide the hook, so he ignored his dad — but after quite a few days of catching nothing, decided to follow his dad's advice.

(D)

Many careless fishermen had lost their lives on these rocks. Concrete crosses marked the spots where these people had been swept into the sea. Adrian had had a few narrow escapes when he had ventured too close to the edge. (e) He quickly learned to respect the mighty waters of the ocean. Adrian's dad also taught him which kinds of bait were suitable for catching various kinds of fish, and he also learned which sinkers were right for the different fishing areas.

*sinker (낚싯줄의) 추, 봉돌

Words

- highlight 가장 빛나는 순간 • expedition 탐험, 원정 • edge 가장자리 • deceptively 현혹시키게, 눈을 속여서 • precious 귀중한
- free of charge 공짜로 • fisherman's knot 두 밧줄을 양끝으로 잇는 매듭의 일종 • untie (매듭 등을) 풀다 • fishing line 낚싯줄
- keen 간절히 ~을 하고 싶은, 열망하는 • bait 미끼 • hook 낚싯바늘 • logical 논리적인 • narrow escape 가까스로 모면하기
- venture (위험을 무릅쓰고) 가다 • suitable 적합한

1 주어진 글 (A)에 이어질 내용을 순서에 맞게 배열한 것으로 가장 적절한 것은?

① (B) – (D) – (C)　② (C) – (B) – (D)
③ (C) – (D) – (B)　④ (D) – (B) – (C)
⑤ (D) – (C) – (B)

유형 해결 전략

- 문단 (A)를 읽고, 글의 방향을 파악한다.
  ➔ Adrian은 아버지에게 ❶ ______ 와 인생에 관해 많은 것을 배웠다.
- 나머지 문단의 첫 부분과 마지막 부분을 읽고 앞뒤로 연결되는 문단을 파악한다.

2 밑줄 친 (a)~(e) 중에서 가리키는 대상이 나머지 넷과 다른 것은?

① (a)　② (b)　③ (c)　④ (d)　⑤ (e)

유형 해결 전략

- 밑줄 친 대명사가 가리키는 대상을 파악하며 읽는다. Adrian과 Adrian의 ❷ ______ 를 구분해야 한다.

3 이 글의 Adrian에 관한 내용과 일치하지 않는 것은?

① 아버지와 함께 정기적으로 낚시를 갔다.
② 올라가면 너무 위험한 바위가 몇 군데 있다는 말을 들었다.
③ 큰 물고기를 잡아 어머니께 드려 어머니를 기쁘게 했다.
④ 아버지의 조언에 따랐지만 며칠간 아무것도 잡지 못했다.
⑤ 물고기의 종류에 따라 어떤 미끼가 적합한지 배웠다.

유형 해결 전략

- 읽은 내용을 바탕으로 일치하지 않는 내용을 빠르게 표시한 뒤, 고른 답이 맞는지 지문에서 한 번 더 확인한다.

답 ❶ 낚시 ❷ 아버지

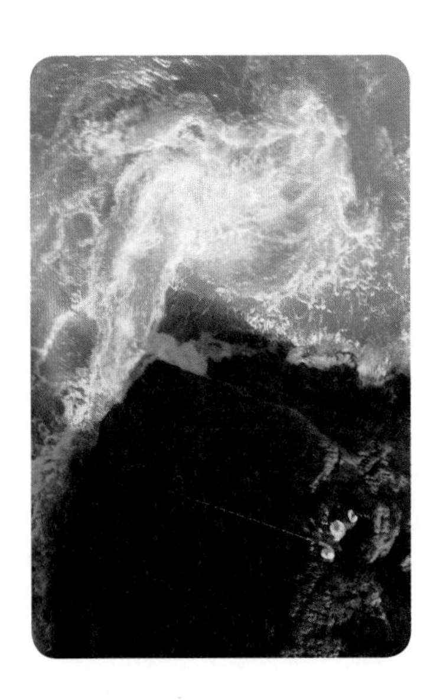

WEEK 2 DAY 2

필수 체크 전략 ②

전략 체크 문단 (A)의 내용으로 글의 전개 방향 짐작하기

[1~3] 다음 글을 읽고, 물음에 답하시오.

모평 기출

(A)

Fighting against the force of the water was a thrilling challenge. Sophia tried to keep herself planted firmly in the boat, paying attention to the waves crashing against the rocks. As the water got rougher, she was forced to paddle harder to keep the waves from tossing her into the water. Her friends Mia and Rebecca were paddling eagerly behind her to balance the boat. They were soaked from all of the spray. Mia shouted to Sophia, "Are you OK? Aren't (a) you scared?"

*paddle 노를 젓다

(B)

"You've got a good point. It's a real advantage to graduate from college with the mindset of a daring adventurer," Mia said. Rebecca quickly added, "That's why I went to Mongolia before I started my first job out of college. Teaching English there for two months was a big challenge for me. But (b) I learned a lot from the experience. It really gave me the courage to try anything in life." Listening to her friends, Sophia looked at (c) her own reflection in the water and saw a confident young woman smiling back at her.

(C)

"I'm great!" Sophia shouted back excitedly. Even though the boat was getting thrown around, the girls managed to avoid hitting any rocks. Suddenly, almost as quickly as the water had got rougher, the river seemed to calm down, and they all felt relaxed. With a sigh of relief, Sophia looked around. "Wow! What a wonderful view!" (d) she shouted. The scenery around them was breathtaking. Everyone was speechless. As they enjoyed the emerald green Rocky Mountains, Mia said, "No wonder rafting is the best thing to do in Colorado!"

(D)

Agreeing with her friend, Rebecca gave a thumbs-up. "Sophia, your choice was excellent!" she said with a delighted smile. "I thought you were afraid of water, though, Sophia," Mia said. Sophia explained, "Well, I was before I started rafting. But I graduate from college in a few months. And, before I do, I wanted to do something really adventurous to test my bravery. I thought that if I did something completely crazy, it might give (e) me more confidence when I'm interviewing for jobs." Now they could see why she had suggested going rafting.

Words

- thrilling 짜릿한 • plant oneself 딱 버티어 자리잡다 • crash 세게 부딪치다 • rough 거친 • toss 던지다 • soak 젖게 하다, 젖다
- spray 물보라 • mindset 마음가짐 • daring 위험을 마다하지 않는, 대담한 • reflection 반영, (물, 거울 등에) 비친 모습 • view 풍경
- scenery 경치 • breathtaking 숨 막힐 듯한 • speechless 말문이 막힌 • bravery 용감(성)

1 주어진 글 (A)에 이어질 내용을 순서에 맞게 배열한 것으로 가장 적절한 것은?

① (B) – (D) – (C) ② (C) – (B) – (D)
③ (C) – (D) – (B) ④ (D) – (B) – (C)
⑤ (D) – (C) – (B)

2 밑줄 친 (a)~(e) 중에서 가리키는 대상이 나머지 넷과 다른 것은?

① (a) ② (b) ③ (c) ④ (d) ⑤ (e)

3 이 글에 관한 내용으로 적절하지 않은 것은?

① Mia와 Rebecca는 보트의 균형을 유지하려고 애썼다.
② Rebecca는 몽골에서 영어를 가르친 경험이 있다.
③ Sophia와 친구들이 함께 탄 보트는 바위에 부딪치지 않았다.
④ Sophia는 래프팅을 하기 전에는 물을 두려워했다.
⑤ Sophia는 용기를 시험할 모험을 대학 졸업 후에 하길 원했다.

© Ammit Jack / shutterstock

필수 체크 전략 ②

전략 체크 각 문단의 내용을 파악하여 논리적인 흐름으로 배열하기

[4~6] 다음 글을 읽고, 물음에 답하시오.

학평 기출

(A)

One day my father hired three young men to harvest the crop. At the end of the day (a) he gathered them around to pay them. "What do I owe you, John?" my dad asked the first young man he had hired. "Fifty-five dollars, Mr. Burres," John said. Dad wrote him a check for fifty-five dollars. "What do I owe you, Michael?" (b) he asked the second young man who had worked the same number of hours as John. "You owe me seventy-five dollars," Michael said.

(B)

Again my father was surprised. (c) He asked for clarification. "And how did you arrive at that figure?" The third young man, like the other two, had been hired for the same job and had put in equal time. "Well," said Nathan, "I didn't charge you for the lunch break since your wife prepared and served lunch. I didn't have gas expenses since I came with my buddies. So the actual number of hours worked brings my pay to thirty-eight dollars and fifty cents." My father wrote him out a check for one hundred dollars.

(C)

Dad then looked at the three young men — stricken silent by my father's actions — all of whom were a bit bewildered by the differing amounts on their individual check. "I always pay a man his worth, boys. Where I come from we call that equal pay for equal worth." (d) He looked benevolently at the three young men and in his typical fatherly style added, "The values in a man create the value of a man."

(D)

With a look of surprise, my dad asked quietly, "How do you figure that, Michael?" "Oh," said Michael, "I charge from the time I get into my car to drive to the job site, until the time I get back home, plus gas mileage and meal allowance." "Meal allowance — even if we provide the meals?" my dad said. "Yup," replied Michael. "I see," said my dad, writing him a check for the seventy-five dollars (e) he requested. "And what about you, Nathan?" Dad inquired. "You owe me thirty-eight dollars and fifty cents, Mr. Burres," Nathan said.

Words

- hire 고용하다 • harvest 수확하다 • crop 농작물 • owe 지불할 의무가 있다 • check 수표 • ask for ~을 요구하다
- clarification 설명, 해명 • charge 청구하다 • expense 비용 • strike ~ silent ~을 말문이 막히게 하다 • bewilder 당황하게 하다
- differing 상이한, 다른 • amount 액수 • benevolently 자애롭게 • meal allowance 식비 • request 요청하다
- inquire 묻다, 문의하다

4 주어진 글 (A)에 이어질 내용을 순서에 맞게 배열한 것으로 가장 적절한 것은?

① (B) – (D) – (C)　　② (C) – (B) – (D)
③ (C) – (D) – (B)　　④ (D) – (B) – (C)
⑤ (D) – (C) – (B)

5 밑줄 친 (a)~(e) 중에서 가리키는 대상이 나머지 넷과 <u>다른</u> 것은?

① (a)　② (b)　③ (c)　④ (d)　⑤ (e)

6 이 글에 관한 내용으로 적절하지 <u>않은</u> 것은?

① Burres 씨는 농작물 수확을 위해 젊은이들을 고용했다.
② Michael은 John보다 더 많은 품삯을 요구했다.
③ Nathan은 점심 식사를 제공받지 못했다.
④ 젊은이들은 수표에 적힌 액수를 보고 약간 어리둥절했다.
⑤ Michael은 일터로 가는 시간을 품삯 계산에 포함했다.

WEEK 2 DAY 3

필수 체크 전략 ①

대표 유형

[1~3] 다음 글을 읽고, 물음에 답하시오. 모평 기출

(A)

When Sally came back home from her photography class, she could hear Katie moving around, chopping things on a wooden cutting board. Wondering what her roommate was doing, (a) she ran to the kitchen. Sally watched Katie cooking something that looked delicious. But Katie didn't notice her because she was too focused on preparing for her cooking test the next day. She was trying to remember what her professor had said in class that day.

(B)

Katie, surprised by her roommate's words, turned her head to Sally and sighed, "I don't know. This is really hard." Stirring her sauce for pasta, Katie continued, "Professor Brown said that visual aspects make up a key part of a meal. My recipe seems good, but I can't think of any ways to alter the feeling of the final dish." Visibly frustrated, (b) she was just about to throw away all of her hard work and start again, when Sally suddenly stopped her.

(C)

"Wait! You don't have to start over. You just need to add some color to the plate." Being curious, Katie asked, "How can (c) I do that?" Sally took out a container of vegetables from the refrigerator and replied, "How about making colored pasta to go with (d) your sauce?" Smiling, she added, "It's not that hard, and all you need are brightly colored vegetables to make your pasta green, orange, or even purple." Katie smiled, knowing that now she could make her pasta with beautiful colors like a photographer.

(D)

In that class, Professor Brown said, "You have to present your food properly, considering every stage of the dining experience. Imagine you are a photographer." Recalling what the professor had mentioned, Katie said to herself, "We need to see our ingredients as colors that make up a picture." Sally could clearly see that Katie was having a hard time preparing for her cooking test. Trying to make (e) her feel better, Sally kindly asked, "Is there anything I can do to help?"

Words

- chop (음식 재료를 토막으로) 썰다 • cutting board 도마 • stir 젓다, 섞다 • visual 시각의, 눈에 보이는 • aspect 면, 특징
- make up ~을 구성하다 • alter 바꾸다 • frustrate ~를 좌절시키다 • plate 그릇, 요리 • curious 궁금한, 호기심 많은
- container 그릇, 용기 • go with ~와 어울리다 • properly 적당하게, 알맞게 • recall 기억해내다, 상기하다
- ingredient 재료, 구성 요소

1 주어진 글 (A)에 이어질 내용을 순서에 맞게 배열한 것으로 가장 적절한 것은?

① (B) – (D) – (C) ② (C) – (B) – (D)
③ (C) – (D) – (B) ④ (D) – (B) – (C)
⑤ (D) – (C) – (B)

유형 해결 전략

- (A)에서 등장인물과 그들의 상황에 대한 정보를 파악한다.
- 나머지 문단의 핵심 내용을 파악하여 이야기를 ❶ [ ] 에 맞게 배열하고, 연결어, 지시어, 대명사 등의 정보를 이용하여 순서를 확정한다.

2 밑줄 친 (a)~(e) 중에서 가리키는 대상이 나머지 넷과 <u>다른</u> 것은?

① (a) ② (b) ③ (c) ④ (d) ⑤ (e)

유형 해결 전략

- 밑줄 친 대명사는 Sally 또는 Katie를 가리키는 것이라는 점을 파악해야 한다. (a)의 she는 ❷ [ ] 를 가리킨다.

3 이 글에 관한 내용으로 적절하지 <u>않은</u> 것은?

① Sally는 사진 수업 후 집으로 돌아왔다.
② Brown 교수님은 음식에서 시각적인 면이 중요하다고 말했다.
③ Sally는 냉장고에서 채소가 든 그릇을 꺼냈다.
④ Sally는 색깔 있는 파스타를 만드는 것이 어렵다고 말했다.
⑤ Katie는 요리 시험 준비에 어려움을 겪고 있었다.

유형 해결 전략

- 글에 주어진 정보를 적절히 해석할 수 있어야 한다.

답 ❶ 흐름 ❷ Sally

WEEK 2 DAY 3

필수 체크 전략 ②

전략 체크 각 문단의 첫 부분과 마지막 부분 읽고, 연결 고리 찾기

[1~3] 다음 글을 읽고, 물음에 답하시오. 모평 기출

(A)

Over the last week, Jason had been feeling worried about his daughter, Sally. For two months now, Sally had been absorbed, perhaps even excessively, in studying birds. He was afraid she might begin to ignore her schoolwork. While shopping, Jason was glad to run into his old friend Jennifer, a bird expert working at the local university. Maybe (a) she could help ease his concern. Upon hearing about Sally's interest, Jennifer invited them both to visit her office to see just how deep Sally's fascination was.

(B)

Approaching the tree, Sally shouted excitedly, "There, that's the nest!" Jennifer looked up to see a small cup-shaped nest within a fork of the branches. Quickly, (b) she took out her binoculars and peered where Sally pointed. In the fading evening light, she found the two rare black birds in their nest. "See, didn't I tell you?" exclaimed Sally. Looking at her in joyful surprise, both Jason and Jennifer were proud of Sally. They now recognized her extraordinary gift and passion as a bird-watcher.

*binoculars 쌍안경

(C)

Two days later, Jason and Sally visited Jennifer's office. Sally was delighted by the books about birds and she joyfully looked at the beautiful pictures in them. It was while Jason and Jennifer were talking that Sally suddenly shouted, "Oh, I've seen this bird!" "Impossible," replied Jennifer, not believing it. "This book shows rare birds. You can't see any of them around here." But (c) she insisted, "I spotted a pair of them in their nest in a huge oak tree nearby!"

(D)

Jennifer walked up to Sally and took a close look at the page. (d) She calmly said, "That's the black robin of Chathas Island. It's one of the rarest birds, Sally. You couldn't have seen it in this town." Yet Sally persisted. "In that case, can you show (e) me the nest?" asked Jennifer. "Yes, I can right now if you want," answered Sally full of confidence. Jennifer put on her coat, pulled out a pair of binoculars, and stepped out. Sally and Jason followed.

Words

- be absorbed 열중하다 • excessively 과도하게, 지나치게 • run into ~와 우연히 마주치다 • ease 덜어주다 • concern 걱정, 우려
- fascination 매혹, 매료 • fork (나뭇가지, 길 등의) 갈라진 곳, 분기 • peer 응시하다, 유심히 보다 • fading 흐려져 가는 • rare 희귀한, 드문
- extraordinary 비범한 • gift 재능 • insist 고집하다 • spot 발견하다, 찾다 • black robin 검은 울새 • persist (계속) 주장하다

1 주어진 글 (A)에 이어질 내용을 순서에 맞게 배열한 것으로 가장 적절한 것은?

① (B) – (D) – (C)
② (C) – (B) – (D)
③ (C) – (D) – (B)
④ (D) – (B) – (C)
⑤ (D) – (C) – (B)

2 밑줄 친 (a)~(e) 중에서 가리키는 대상이 나머지 넷과 <u>다른</u> 것은?

① (a) ② (b) ③ (c) ④ (d) ⑤ (e)

3 이 글에 관한 내용으로 적절하지 <u>않은</u> 것은?

① Sally는 두 달 동안 새를 공부하는 데 몰두해 왔었다.
② Jennifer는 대학교에서 근무하는 새 전문가이다.
③ Jason은 Sally가 새 관찰자로서 재능이 있다는 것을 알게 되었다.
④ Jason과 Sally는 Jennifer의 사무실을 방문했다.
⑤ Jennifer는 Sally가 희귀한 새를 보았다는 말을 처음부터 믿었다.

필수 체크 전략 ②

전략 체크 시간의 흐름 파악하기

[4~6] 다음 글을 읽고, 물음에 답하시오. 학평 기출

(A)

Gayle Sayers was one of the best running backs the Chicago Bears ever had. He was black. In 1967, Sayers' teammate in the backfield was another great running back by the name of Brian Piccolo. Piccolo was white. Blacks and whites often played on the same professional teams, but these two athletes were different. They were roommates on away games, which was a first for race relations in professional football. Sayers had never had a close relationship with any white man before, except with George Halas, the head coach of the Bears. And Piccolo admitted that he had never really known a black person during (a) his lifetime. These two athletes became friends immediately and grew exceptionally close.

(B)

Sayers and Piccolo, and their wives, had made plans to sit together at the annual Professional Football Writers' Banquet in New York, where Gayle Sayers was to receive the George S. Halas award as "the most courageous player in professional football." By the time of the banquet, Piccolo was too sick to attend. When Sayers stood to receive (b) his award at the banquet, tears began to flow.

(C)

Sayers, choking through his tears, said, "You flatter me by giving me this award, but I tell you that I accept this award not for me, but for Brian Piccolo. However, Brian cannot be here tonight. He is too ill. But (c) he is a man who has more courage than any of us here tonight." Shortly after that memorable night, Brian Piccolo died. (d) His memory will forever be etched in the heart of Gayle Sayers. Piccolo and Sayers had cultivated more than a superficial, tough-guy relationship. Although tough and competitive men to the core, a true and caring love had developed between these two strong athletes.

*etch 새기다

(D)

During the 1969 season, Brian Piccolo was diagnosed as having cancer. Although (e) he fought to play out the season, Piccolo was in the hospital more than he was on the playing field. It was during this time when Piccolo was battling his illness and fighting the daily depths of depression, that these two athletes shared a very special relationship. Frequently, Sayers flew to be at the bedside of his friend, as the cancer gripped Piccolo's weakened body tighter and tighter.

Words

- backfield 후위 • athlete 운동선수 • race relations 인종간의 관계 • exceptionally 유난히, 특별히 • banquet 연회, 만찬
- choke 숨이 막히다 • flatter 돋보이게 하다 • cultivate 구축하다, 쌓다 • superficial 피상적인, 표면적인 • to the core 속속들이
- diagnose as ~로 진단하다 • depth 절정, 구렁텅이 • depression 우울함 • frequently 빈번하게 • grip 꽉 잡다, 움켜잡다

4 주어진 글 (A)에 이어질 내용을 순서에 맞게 배열한 것으로 가장 적절한 것은?

① (B) – (D) – (C)
② (C) – (B) – (D)
③ (C) – (D) – (B)
④ (D) – (B) – (C)
⑤ (D) – (C) – (B)

5 밑줄 친 (a)~(e) 중에서 가리키는 대상이 나머지 넷과 다른 것은?

① (a) ② (b) ③ (c) ④ (d) ⑤ (e)

6 이 글에 관한 내용으로 적절하지 않은 것은?

① 1967년에 Sayers와 Piccolo는 같은 팀 동료였다.
② Sayers와 Piccolo는 원정 경기 때 같은 방을 썼다.
③ Sayers와 Piccolo는 뉴욕에서 열리는 행사에 함께 참석하려 했다.
④ Piccolo는 Sayers가 상을 받기 전 세상을 떠났다.
⑤ Piccolo는 암 투병 중 우울증을 겪었다.

© Pete Saloutos / shutterstock

© Rosamar / shutterstock

누구나 합격 전략

[1~3] 다음 글을 읽고, 물음에 답하시오.

학평 기출

(A)

When I was 8 years old, I decided to run away from home. With my suitcase packed and some peanut butter sandwiches in a bag, I started for the front door of our bungalow in Wantagh. My mom asked where I was going. "I'm leaving home," I said. "Billy, what's that you're carrying?" she asked. "Some clothes and food," I replied. "If (a) you want to run away, that's all right," she said. "But you came into this home without anything and you can leave the same way." I threw my suitcase and sandwiches on the floor angrily and started for the door again.

(B)

"Who's there?" I heard. "It's Billy! Let me in!" The voice behind the door answered, "Billy doesn't live here anymore. (b) He ran away from home." Glancing behind me to see if anyone else was coming down the street, I said, "Aw, Mom! I'm still your son. Let me in!" The door inched open and Mom's smiling face appeared. "Did you change (c) your mind about running away?" she asked. "What's for supper?" I answered.

(C)

"Wait a minute," Mom said. "You didn't have any clothes on when you arrived, and I want them back." This annoyed me. I took my clothes off — shoes, socks, underwear and all — and shouted, "Can (d) I go now?" "Yes," my mom answered, "but once you close that door, don't expect to come back." I was so angry I slammed the door and stepped out on the front porch. Suddenly I realized that I was outside, completely naked. Then I noticed that down the street, a neighbor friend was walking toward our house.

(D)

Looking for a place to hide, I spotted the big spruce tree that took up half our yard. Hoping (e) he hadn't seen me, I hid under the low-hanging branches. A pile of dried-up brown needles had accumulated beneath the tree, and you can't imagine the pain those sharp spruce needles caused to my body. After I was sure he had passed by, I ran to the front door and banged on it loudly.

*spruce 전나무

Words

- run away 가출하다 • peanut 땅콩 • bungalow 단층집, 방갈로 • let ~ in 안으로 들어오게 하다 • glance 흘낏 보다
- inch 조금씩 움직이다 • supper 저녁 • underwear 속옷 • slam 쾅 닫다 • porch 현관 • naked 벌거벗은, 나체의
- take up 차지하다 • yard 마당 • pile 무더기 • needle 바늘 • accumulate (서서히) 모이다, 쌓이다 • pass by 지나가다
- bang 쾅하고 치다

1 주어진 글 (A)에 이어질 내용을 순서에 맞게 배열한 것으로 가장 적절한 것은?

① (B) – (D) – (C)　　② (C) – (B) – (D)
③ (C) – (D) – (B)　　④ (D) – (B) – (C)
⑤ (D) – (C) – (B)

2 밑줄 친 (a)~(e) 중에서 가리키는 대상이 나머지 넷과 <u>다른</u> 것은?

① (a)　② (b)　③ (c)　④ (d)　⑤ (e)

3 이 글의 Billy에 관한 내용과 일치하지 <u>않는</u> 것은?

① 여덟 살 때 가출하려고 결심했다.
② 엄마의 말에 화가 나서 가방을 바닥에 던졌다.
③ 엄마에게 집에 들여보내 달라고 부탁했다.
④ 속옷만 입은 채로 집을 나왔다.
⑤ 나뭇가지 아래에 숨었다.

[4~6] 다음 글을 읽고, 물음에 답하시오. 학평 기출

(A)

One day, a mother and her little girl went to a cottage for their vacation. Through the kitchen window, she saw her little girl swimming in the lake behind the house. Suddenly, the mother screamed in terror because something was swimming towards her girl from the opposite side of the lake. It was an alligator! (a) She ran out of the kitchen and shouted to her at the top of her lungs, "Get out of the lake! There's an alligator!"

(B)

The little girl removed her blanket and exposed her legs. "These are the wounds from the alligator's teeth." Her legs were covered with them. She then said, "But my other wounds — they're what I'm proud of." She exposed her arms and showed off the marks from her mother's fingernails that had dug deep into her skin. "I love these wounds because they represent my mother's love. (b) She would not let go of me. That's why I have them."

© chip art / shutterstock

(C)

Just then, a man who was driving by saw what was happening. He quickly got out of his truck, grabbed his hunting gun, and shot the alligator. The little girl was rushed to the hospital to receive treatment for her injuries. Some time later, a journalist came to (c) her hospital room to interview her. After a few questions, she asked, "Would you mind if I take a picture of your wounds?" "Sure," the little girl said. "Which ones do you want to photograph?" The journalist didn't understand. "What do you mean?"

(D)

The little girl saw the oncoming alligator. She turned around and started swimming back as fast as she could. Just as she was about to get out of the lake, two things happened at the same time. The mother grabbed her arms, doing (d) her best to pull the little girl out of the water, and the alligator bit into her legs. What happened next was a struggle between the mother and the beast. The alligator was very strong, but so was (e) her love. She simply wouldn't let go.

Words

- cottage 작은 별장, 오두막집
- at the top of one's lungs 목청껏 큰 소리로
- remove 치우다
- expose 드러내다
- wound 상처
- show off ~을 자랑하다
- represent 나타내다
- let go of ~을 놓아주다
- grab 붙잡다
- treatment 치료
- oncoming 다가오는
- beast 짐승

4 주어진 글 (A)에 이어질 내용을 순서에 맞게 배열한 것으로 가장 적절한 것은?

① (B) – (D) – (C)
② (C) – (B) – (D)
③ (C) – (D) – (B)
④ (D) – (B) – (C)
⑤ (D) – (C) – (B)

5 밑줄 친 (a)~(e) 중에서 가리키는 대상이 나머지 넷과 다른 것은?

① (a) ② (b) ③ (c) ④ (d) ⑤ (e)

6 이 글에 관한 내용으로 적절하지 않은 것은?

① 소녀의 어머니는 소녀가 수영하는 것을 보았다.
② 소녀는 자신의 팔에 생긴 상처를 자랑스러워했다.
③ 소녀의 어머니는 악어를 총으로 쏘았다.
④ 기자가 소녀에게 상처 사진을 찍어도 되는지 물어봤다.
⑤ 소녀가 호수 밖으로 나오려는 순간 악어에게 다리를 물렸다.

WEEK 2

창의·융합·코딩 전략 ①

[1~2] 다음 그림을 보고, 물음에 답하시오.

1

2

3

4

5

6

1 그림을 참고하여 다음 문장들을 이야기 순서대로 배열하시오.

[1] While Justin was driving on a lonely farm road, his car fell into a ditch.

[ ] The farmer — with the donkey, a rope, and Justin — made his way slowly to Justin's car.

[ ] The donkey pulled the car out of the ditch after the farmer called out different names.

[ ] Justin met an old farmer in front of a farmhouse, and he asked for help from the farmer.

[ ] The farmer said that his donkey Old Warrick could get his car out of the ditch.

[6] Justin thanked him and left.

2 다음은 마지막 장면에서 두 사람이 나눈 대화이다. 이야기의 흐름에 맞도록 빈칸에 알맞은 말을 골라 대화를 완성하시오.

Why did you have to call out all those ________ before giving Old Warrick the instruction to ________ the car out of the ditch?

You see, Old Warrick is very old. But as long as he believes he is a part of a ________, he can do great things.

team	barn	make	pull	names

창의·융합·코딩 전략 ②

[3~4] 다음 글을 읽고, 물음에 답하시오. 학평 응용

One day, Grandma spotted her neighbor coming up the street. ⓐ She was walking with one of her daughters, and they were absorbed in conversation. As they approached, Grandma heard ⓑ the woman tell her daughter, "See these irises? They're mine." "What do you mean, they're yours?" the daughter asked. "ⓒ I bought them," the woman said. "ⓓ I don't understand. Why are they still in ⓔ her yard?" the daughter asked. "Oh, I couldn't take them away," ⓕ her mother answered. "ⓖ She doesn't walk by our house. But I come by here every day. This way, we both can enjoy them. I don't have the time for working in a flower bed, but ⓗ she takes mighty good care of them." ⓘ She smiled at Grandma. "ⓙ I just wanted to own something that beautiful."

ⓒ Daria Chichkareva / shutterstock

3 밑줄 친 ⓐ~ⓙ를 다음과 같이 분류하시오.

Grandma	
the neighbor	
the neighbor's daughter	

4 이 이야기 앞에서 어떤 일이 일어났는지 추측하여 다음 문장에서 알맞은 단어를 고르시오.

Grandma (gave / sold) her irises to her neighbor, but the neighbor did not (take / enjoy) the irises from Grandma's yard.

ⓒ BeaB / shutterstock

5 **다음 글을 읽고, 내용을 바르게 파악한 사람을 고르시오.** 모평 응용

Andrew steadied his eyes upon the black and white squares. He thought awhile before pushing his knight to an unbeatable position. Now Andrew was sure he had beaten Timothy Tandon, the winner last year. Andrew, whom nobody had noticed before the tournament this year, came to progress to the final match. After enjoying this memorable victory, Andrew headed straight to the nursing home where his sick grandad was staying.

It was the day of the final match. That morning Andrew had received a call from the nursing home. He was informed that Grandad's condition had become serious. The news played upon Andrew's mind as he started to play. After several fierce battles, Andrew's concentration wavered for a moment. His mind travelled to his grandad. It was then that Andrew made a big mistake! The mistake was a fatal one. He had lost.

© chip art / shutterstock

수진: Andrew는 결승전에서 작년 우승자인 Timothy Tandon과 경기를 했어.

범준: Andrew는 결승전에서 큰 실수를 했지만 결국 승리했어.

형진: Andrew는 올해의 유망주로 많은 기대를 받았어.

다현: Andrew의 할아버지는 결승전 날 Andrew에게 전화를 걸었어.

두나: Andrew는 할아버지 소식 때문에 결승전에 집중하지 못했어.

BOOK 2 마무리 전략

핵심 한눈에 보기

지난 2주간 학습한 복합 문단 독해 전략을 한눈에 살펴보세요.

1주 복합 문단 독해

1 복합 문단 독해란?

2 복합 문단 독해 지문 읽기

이어서 공부할 내용 ❶ 신유형·신경향 전략 ❷ 1·2등급 확보 전략 1회, 2회

2주 복합 문단 유형 학습

2 지칭 추론

3 내용 일치 · 불일치

신유형·신경향 전략

[1~3] 다음 글을 읽고, 물음에 답하시오.

수능 기출

(A)

In this area, heavy snow in winter was not uncommon. Sometimes it poured down for hours and hours and piled up very high. Then, no one could go out. Today too, because of the heavy snow, Mom was doing her office work at the kitchen table. Felix, the high schooler, had to take online classes in his room. Five-year-old Sean, who normally went to kindergarten, was sneaking around in the house playing home policeman. (a) The kindergartener wanted to know what his family members were up to, and was checking up on everyone.

*sneak 몰래 움직이다

(B)

"All right. I'm sure you're doing your work." Mom replied, and then sharply added a question. "Sean, what are *you* doing?" Sean's face immediately became blank, and he said, "Nothing." "Come here, Honey, and you can help me." Sean ran to the kitchen right away. "What can I do for you, Mom?" His voice was high, and Felix could sense that his brother was excited. Felix was pleased to get rid of (b) the policeman, and now he could concentrate on the lesson, at least till Sean came back.

(C)

While checking on his family, Sean interfered in their business as if it was his own. This time, (c) the playful and curious boy was interested in his brother Felix, who committed himself to studying no matter where he was. Sean secretly looked inside his brother's room from the door, and shouted toward the kitchen where Mom was working, "Mom, Felix isn't studying. He's just watching a funny video." Sean was naughtily smiling at his brother.

*naughtily 짓궂게

(D)

Felix was mad because (d) his little brother was bothering him. Felix was studying science using a video posted on the school web site. He made an angry face at the naughty boy. Right then, Mom asked loudly from the kitchen, "What are you doing, Felix?" Felix's room was located next to the kitchen, and he could hear Mom clearly. "I'm watching a lecture video for my science class." Felix argued against Sean's accusation and mischievously stuck (e) his tongue out at his little brother.

*mischievously 장난기 있게

Words

- uncommon 흔하지 않은, 드문
- pour down 퍼붓다
- pile up 쌓이다
- normally 평소, 보통은
- sharply 재빨리
- immediately 즉시
- blank 얼빠진, 멍한
- get rid of ~에게서 벗어나다
- interfere 간섭하다
- commit oneself to ~에 전념하다
- bother 성가시게 하다
- naughty 개구쟁이인
- lecture 강의
- accusation 비난, 고발
- stick out ~을 내밀다

1 주어진 글 (A)에 이어질 내용을 순서에 맞게 배열한 것으로 가장 적절한 것은?

① (B) – (D) – (C)
② (C) – (B) – (D)
③ (C) – (D) – (B)
④ (D) – (B) – (C)
⑤ (D) – (C) – (B)

2 밑줄 친 (a)~(e) 중에서 가리키는 대상이 나머지 넷과 <u>다른</u> 것은?

① (a) ② (b) ③ (c) ④ (d) ⑤ (e)

3 이 글에 관한 내용으로 적절한 것은?

① 엄마는 폭설로 하루 일을 쉬고 있었다.
② Felix는 엄마가 불러서 주방으로 달려갔다.
③ Sean은 형의 방에서 공부를 하고 있었다.
④ Felix는 재미있는 영상을 보고 있었다.
⑤ Felix의 방은 주방 옆에 있었다.

How to Solve

1 문단 (A)에서 등장인물에 대한 ❶ ______ 를 파악한다.
2 글의 흐름을 따라가며 밑줄 친 명사구가 가리키는 대상을 파악한다. 이때 명사구에는 인물의 나이, 성별, 성격, 직업 등 그 인물의 ❷ ______ 을 나타내는 정보가 포함되어 있다.
3 명사구가 가리키는 대상이 누구인지 표시해 두어 헷갈리지 않도록 주의한다.

답 ❶ 정보 ❷ 특징(특성)

[4~6] 다음 글을 읽고, 물음에 답하시오. 모평 기출

What interested me the most about the new house was the stable in the backyard, in which my father let me make a small space for a pony. I believed that it meant that I would get a pony for Christmas. (a) He also said, "Lennie, someday you'll have a pony of your own." However, "some day" is a pain to a boy who lives in and knows only "now."

Meanwhile my father took me to a pony fair and let me try some ponies, but (b) he always found some fault with them, leaving me in despair. When Christmas was at hand, I had abandoned all hope of getting one. Instead, I hung up the biggest stocking I had. Waking up at 7 a.m., my little sisters and I raced for the fireplace downstairs. While my sisters were delighted to find their stockings filled with presents, mine was empty. I went out into the yard and wept all by myself.

After an hour, my frustration reached its climax, when I saw a man riding a pony with a brand-new saddle. When he looked at our door, he just passed by, which caused me to break into a flood of tears. Then, he said, "Kid, do you know a boy named Lennie Steffens?" "That's me," I replied in tears. He said, "I've been looking all over for your house. Why don't you put your house number where it can be seen?" He went on saying, "I should have been here at 7. Your father told me to bring the pony here and leave (c) him for you."

I'd never seen anything so beautiful as my pony. And finally, I rode off into the fields. Thrilled by riding, I began to feast my eyes on the world around me. The trees seemed to be taking on smiling faces and the birds seemed to be singing to congratulate me on getting my new friend. When I returned home, my father asked, "Why did you come back so soon?" With a smile on my face, I answered (d) him, "I didn't want to make him feel tired. It's his first day with me." (e) He laughed and wiped away the tear stains from my face — his heartfelt gesture of apology for such a long-delayed present. Bursting with happiness, I spent the rest of the day brushing my pony in the stable.

*stable 마구간

Words

- pony 조랑말 • meanwhile 그럭저럭 하는 동안 • fair 시장, 박람회 • be at hand 가까이 다가오다 • frustration 좌절감
- saddle 안장 • break into 갑자기 (웃음, 눈물 등을) 터뜨리다 • look over ~을 살펴보다 • house number 집의 번지
- thrill 전율시키다, 짜릿한 느낌을 주다 • feast one's eyes on ~을 실컷 보며 즐기다 • take on (표정 등을) 띠다 • wipe away 닦아내다
- stain 얼룩 • heartfelt 진심 어린 • long-delayed 오래 지연된

4 이 글에 드러난 Lennie의 심경 변화로 가장 적절한 것은?

① satisfied → discouraged
② furious → indifferent
③ terrified → calm
④ delighted → frustrated
⑤ desperate → joyful

5 밑줄 친 (a)~(e) 중에서 가리키는 대상이 나머지 넷과 다른 것은?

① (a) ② (b) ③ (c) ④ (d) ⑤ (e)

6 이 글에서 Lennie가 한 일로 적절하지 않은 것은?

① 아버지와 함께 조랑말 시장에 갔다.
② 크리스마스가 다가오자 양말을 걸어두었다.
③ 집 번지를 적은 문패를 문 앞에 걸어두었다.
④ 조랑말을 타고 들판을 달렸다.
⑤ 마구간에서 조랑말을 솔질해 주었다.

ⓒ sakkmesterke / shutterstock

How to Solve

1 이야기를 읽으며 ❶ ______ 이 전환되는 부분을 파악한다.
2 주인공이 상황의 변화에 어떻게 반응하는지 확인한다.
3 주인공의 행동 묘사나, 형용사와 ❷ ______ 등의 쓰임을 통해 심경을 파악한다.

답 ❶ 흐름 ❷ 부사

1·2등급 확보 전략 1회

[1~3] 다음 글을 읽고, 물음에 답하시오.

학평 기출

(A)

Louise checked her watch and began a last sweep of the paediatric ward she worked on. The hospital was always busy; there was very little time to think about anything other than what was right there in front of you. Louise paused in front of her favourite cubicle and looked in. "All set for the afternoon?" (a) she asked Hazel, who was six and had just come back to the ward.

*paediatric 소아과의

(B)

Hazel nodded and Louise left her alone. Louise grabbed her things from the staffroom and walked out, passing by the charity shop at the end of the ward. The teddy in the window immediately caught (b) her eye. It looked very similar to the one that Hazel was missing and it was a bargain at five pounds. She went straight in and bought it. Checking her watch, she walked briskly back to the ward.

(C)

When Louise returned, Hazel's mum, Sarah, was outside the cubicle talking on her phone. Louise nodded and smiled at Sarah as she passed and ducked back into Hazel's cubicle. "Now (c) I know this isn't your bear, but I think this one will do just as good a job looking after you," Louise said, handing it to Hazel who gasped. "Really?" Hazel's face lit up as she looked at it. That smile made all the long hours and the hard tasks (d) she often had to deal with worth it.

(D)

Hazel was battling cancer and was in and out of the hospital, which broke Louise's heart, but somehow she stayed positive throughout. Louise supposed she shouldn't really have favourite patients, but Hazel was definitely hers. "Mum got me a new colouring book. She's gone home to try and find my teddy. We think we might have lost it when I went for tests the other day." Louise remembered the cute bear that Hazel usually had. "Oh, I'm sorry. I'm sure he'll turn up. Enjoy your colouring and I'll see (e) you when I'm next in?"

1 주어진 글 (A)에 이어질 내용을 순서에 맞게 배열한 것으로 가장 적절한 것은?

① (B) – (D) – (C)
② (C) – (B) – (D)
③ (C) – (D) – (B)
④ (D) – (B) – (C)
⑤ (D) – (C) – (B)

2 밑줄 친 (a)~(e) 중에서 가리키는 대상이 나머지 넷과 다른 것은?

① (a) ② (b) ③ (c) ④ (d) ⑤ (e)

3 이 글에 관한 내용으로 적절하지 않은 것은?

① Louise는 Hazel의 병상을 들여다보았다.
② 자선 상점의 곰 인형은 Hazel이 잃어버린 것과 비슷했다.
③ Hazel은 Louise가 건넨 곰 인형을 보고 얼굴이 환해졌다.
④ Hazel은 엄마가 칠하기 그림책을 사러 나갔다고 말했다.
⑤ Louise는 Hazel이 지니고 있던 곰 인형을 기억했다.

[4~6] 다음 글을 읽고, 물음에 답하시오.

학평 기출

(A)

One day while Grace was in reading class, the teacher called on Billy to read a sentence from the board. He had been sick most of the winter and had missed a lot of school. Billy stood to read the sentence, but he didn't know all the words. Since (a) she had been listening to the class, Grace read it for him. Billy sat down, red-faced and unhappy.

(B)

After that incident, the teacher was invited to a church dinner which Grace's mom attended, too. While talking with her, the teacher happened to remark, "I know Grace is bright, but I'm worried these days. She doesn't recite or answer any question during class. I can't understand it." Mom couldn't understand it either. She had heard Grace reading her book at home, and her brother drilled her on her sums until (b) she knew them well.

(C)

Grace felt rather proud of herself for having known more than Billy did. (c) Her pride didn't last long, however. Her brother, Justin, reported to Mom what had happened. He said, "Grace made Billy feel like a fool today." Grace tossed her head defiantly. "Well, I did know the words, and Billy didn't," she said proudly. "Your brother is right, Grace," said Mom. "You made Billy feel bad by reading for him. After this, you are not to speak up, even if (d) you do know the answer." Grace nodded her head. She understood that if she knew something, she was to keep it to herself.

(D)

Mom approached the subject at suppertime, asking, "Grace, can you read your lessons?" Grace said, "Sure, Mom. I can read the whole book!" Mom was puzzled. "Then why," she asked, "does the teacher say you don't recite in school?" Grace was surprised. "Why, Mom," she answered, "you told me not to!" Mom exclaimed, "Why, Grace, I did no such thing!" "Yes, (e) you did," Grace said. "You told me not to speak up, even when I knew the answer." Mom remembered. The matter was soon straightened out, and Grace recited again during class.

4 주어진 글 (A)에 이어질 내용을 순서에 맞게 배열한 것으로 가장 적절한 것은?

① (B) – (D) – (C)
② (C) – (B) – (D)
③ (C) – (D) – (B)
④ (D) – (B) – (C)
⑤ (D) – (C) – (B)

5 밑줄 친 (a)~(e) 중에서 가리키는 대상이 나머지 넷과 <u>다른</u> 것은?

① (a) ② (b) ③ (c) ④ (d) ⑤ (e)

6 이 글에 관한 내용으로 적절하지 <u>않은</u> 것은?

① Billy는 겨울의 대부분 동안 아팠다.
② 선생님은 엄마에게 Grace의 학업에 관해 말했다.
③ 엄마는 Grace가 Billy를 기쁘게 했다고 말했다.
④ Grace는 책을 모두 읽을 수 있다고 엄마에게 말했다.
⑤ Grace는 다시 수업 시간에 소리 내어 책을 읽었다.

1·2등급 확보 전략 2회

[1~3] 다음 글을 읽고, 물음에 답하시오.

학평 기출

(A)

One day at the table I reached for something without looking and dumped a cup of coffee into Dad's plate. He looked at the messy results with distaste. "I'm not sure the pigs will even want this," he commented. "Why don't you look in the direction you're moving, Susan?" scolded Mom, "When you're eating, pay attention to what you're doing. (a) I am afraid someday you're going to embarrass yourself with someone besides your family."

(B)

When we arrived for dinner, we learned that the minister's mother was visiting him. For some reason, she took an instant liking to me. As we were sitting down to eat, this kind lady insisted that I sit beside her. Mom was reluctant. "Susan sometimes needs help cutting her food. Perhaps she'd better sit beside (b) me." "Oh, that's no bother. I'll be glad to help her," the old lady said. All seemed to be going well when the worst happened.

(C)

It was not long before that happened. We were invited to the minister's house for dinner. As we prepared to go, Mom folded a dish towel and tucked it into (c) her handbag. "What's that for, Mom?" I asked suspiciously. "It's to tie under your chin," she said. "Oh, Mom!" I moaned. "I'd rather be left at home!" "I've thought of that, too." (d) She eyed me sternly. "But you have to learn how to conduct yourself in public someday."

(D)

I was attempting to enter the conversation. In trying to explain the width of something, I flung my arms wide to measure the distance. As usual, I did not remember that I had something in my hand. A spoonful of sauce landed just under the nice lady's chin. With horror I watched it dribble down into (e) her lap. The minister's mother assured us that no permanent harm had been done. But I was in disgrace. The journey home was a difficult one. Dad remarked that he hoped I had learned my lesson.

© New Africa / shutterstock

1 주어진 글 (A)에 이어질 내용을 순서에 맞게 배열한 것으로 가장 적절한 것은?

① (B) – (D) – (C)
② (C) – (B) – (D)
③ (C) – (D) – (B)
④ (D) – (B) – (C)
⑤ (D) – (C) – (B)

2 밑줄 친 (a)~(e) 중에서 가리키는 대상이 나머지 넷과 다른 것은?

① (a) ② (b) ③ (c) ④ (d) ⑤ (e)

3 이 글의 'I'에 관한 내용으로 적절하지 않은 것은?

① 식탁에서 아버지의 접시에 커피를 쏟았다.
② 목사의 어머니로부터 옆에 앉으라는 권유를 받았다.
③ 턱받이를 하느니 그냥 집에 있겠다고 엄마에게 말했다.
④ 물건의 너비를 설명하려 팔을 양쪽으로 펼쳤다.
⑤ 대화 도중 음식을 흘려 목사의 어머니에게 꾸중을 들었다.

© Robert Kneschke / shutterstock

[4~6] 다음 글을 읽고, 물음에 답하시오.

학평 기출

(A)

Mark's brother, Reuben, got a new coat, so Mom decided to make Mark's winter coat out of Reuben's old one. She took it apart carefully, cleaned and brushed the pieces and soon there was a nice new coat for Mark. He liked the coat very much, but he did want new buttons on it. But Mom said, "These are good buttons and look fine just as they did on Reuben's coat." He protested but when Mom had her mind made up, there was no point in wasting time trying to change it.

(B)

Several days passed after the incident, and the family was ready for a trip to town. Of course Mark was wearing his new coat, and as he walked in front of Nellie, (a) she reached out again and butted him with her head. This time, Nellie was chewing on one of his coat buttons. "What's the matter with that horse? Mark, have you been teasing her?" asked Mom. "No, I haven't," he said.

© Olesia Bilkei / shutterstock

(C)

One evening Mom said to Mark, "Put on your coat and run out to the barn. Ask Dad to bring some eggs." He had been a frequent visitor to the barn, but the animals never paid much attention to him. This evening, however, was different. Just outside the barn door stood Nellie, their family horse. Before he could enter, (b) she banged her head against his stomach, and he sat down hard. Reuben and Dad came running when they heard Mark scream. Reuben said to Dad, "Whatever got into that horse?" "I guess Mark startled (c) her," replied Dad.

(D)

Reuben came up with the answer. He said, "Nellie only goes after Mark when he has that coat on. I think Nellie remembers those buttons when they were on my coat. I trained (d) her to shake the front of my coat to get sugar. I think that's what she wants." Mom was doubtful, though. However, when Nellie continued to make life miserable for Mark whenever he wore that coat, (e) she began to change her mind. Finally one day she said, "I believe Reuben is right. Maybe I'd better change the buttons." So Mark's wish came true after all.

4 주어진 글 (A)에 이어질 내용을 순서에 맞게 배열한 것으로 가장 적절한 것은?

① (B) – (D) – (C)
② (C) – (B) – (D)
③ (C) – (D) – (B)
④ (D) – (B) – (C)
⑤ (D) – (C) – (B)

5 밑줄 친 (a)~(e) 중에서 가리키는 대상이 나머지 넷과 <u>다른</u> 것은?

① (a) ② (b) ③ (c) ④ (d) ⑤ (e)

6 이 글에 관한 내용으로 적절하지 <u>않은</u> 것은?

① 엄마는 Reuben의 코트로 Mark의 겨울 코트를 만들었다.
② Nellie는 Mark의 코트에 달린 단추를 씹었다.
③ Mark는 달걀을 직접 가져오려고 헛간으로 갔다.
④ Reuben과 아빠는 Mark의 비명을 듣고 달려왔다.
⑤ 엄마는 Mark의 코트 단추를 결국 바꿔 주기로 했다.

ⓒ Parilov / shutterstock

memo

수능전략

영·어·영·역

독해 300

BOOK 3

정답과 해설

Book 1

WEEK

1

DAY

1 개념 돌파 전략 ②

10~13쪽

About the passage Overthinking 1 ④ 2 ⑤
About the passage 기계(컴퓨터) 3 ① 4 ④

1~2

 분석에 의한 마비는 특정 문제를 지나치게 생각하고 분석하지만, 당신은 여전히 결정을 내리지 못하는 상태이다. 여우와 고양이에 관한 한 유명한 고대 우화는 이 상황을 가장 간단한 방법으로 설명한다. 이야기에서, 여우와 고양이는 그들이 사냥꾼으로부터 탈출할 수 있는 얼마나 많은 방법을 갖고 있는지에 대해 논의한다. 고양이는 재빨리 나무에 오른다. 반면에, 여우는 자신이 알고 있는 모든 탈출 방법을 분석하기 시작한다. 하지만 어떤 것이 가장 좋을지 결정하지 못한 채, 그는 행동하지 (a)못하고 개들에게 잡힌다. 이 이야기는 분석 마비 현상, 즉 이용 가능한 대안들에 대한 지나친 생각 때문에 행동하거나 결정하지 (b)못하는 현상을 완벽하게 설명한다. 사람들은 종종 잘못된 결정을 초래할지 모를 다양한 요인에 대해 무한히 분석한다. 그들은 이용 가능한 정보에 만족하지 않고 그들의 결정을 완벽하게 하기 위해 여전히 (c)더 많은 데이터가 필요하다고 생각한다. 대부분 이러한 분석에 의한 마비 상황은 누군가가 그들의 경력이나 조직의 생산성에 영향을 미칠 수 있는 잘못된 결정을 할까 봐 두려워할 때 자주 (d)발생한다. 그래서 그것이 사람들이 일반적으로 막대한 이해관계가 수반되는 결정을 내릴 때 (e)자신이 있는(→ 지나치게 조심하는) 이유이다.

1 정답 전략 실패하지 않기 위해 지나치게 생각을 하다 보면 분석에 의한 마비 상태에 빠져 오히려 결정을 하지 못하게 된다는 것이 이 글의 중심 내용이다. 따라서 ④ '지나치게 생각하기: 효과적인 의사 결정의 장벽'이 글의 제목으로 알맞다.
① 당신이 지나치게 생각하는 것을 막아줄 수 있는 가장 좋은 방법 ② 지나친 생각과 지나친 행동: 어느 쪽이 더 나쁜가? ③ 다양한 대안을 가질 때의 비용과 이익 ⑤ 도덕적 딜레마에 빠지다: 여러분의 생존에 해로운

2 정답 전략 분석에 의한 마비 상황은 누군가가 그들의 경력이나 조직의 생산성에 영향을 미칠 수 있는 잘못된 결정을 할까 봐 두려워할 때 발생한다고 했다. 그래서 그것이 사람들이 일반적으로 막대한 이해관계가 수반되는 결정을 내릴 때 '지나치게 조심하는' 이유라고 말하는 것이 알맞다. (e)의 confident를 overcautious로 고쳐야 한다.

끊어 읽기로 보는 구문

Most often(대부분 자주) / this situation of paralysis by analysis(주어; 이러한 분석에 의한 마비 상황은) arises(동사; 발생한다) / when(접속사(시간): ~일 때) somebody is afraid of making(동명사) an erroneous decision(누군가가 잘못된 결정을 할까 봐 두려워할 때) / that(주격 관계대명사: that 이하가 an erroneous decision을 수식) might impact their careers or their organizations' productivity.(그들의 경력이나 조직의 생산성에 영향을 미칠 수 있는)

3~4

해석 놀랍게도, 의식은 우리가 생각하고 싶어 하는 것만큼 창의력에 결정적이지 않을 수도 있다. 창의력에는 여러 가지 다른 유형이 있는데, 그중 일부는 의식적인 것이고 일부는 무의식적인 것이다. 창의력은 여러분이 (a)의도적으로 무언가를 창조하려고 시도할 때, 또는 여러분이 잠들었을 때 일어날 수 있다. 어쨌든 신경 과학자인 Arne Dietrich는 창의적인 두뇌가 소프트웨어와 매우 유사하게 작동할 수 있다고 믿는다. 신경 과학자들은 창의력은 체계적으로 가능한 해결책들을 만들어내고 그런 다음 그것들을 제거하는 뇌의 기계적인 과정에 의해 (b)주도되는 것이라고 생각한다. 그는 컴퓨터의 창의력을 우리 자신의

창의력보다 (c)열등하다고 무시하는 경향은 인간 문화에 깊이 스며든 이원론에서 비롯된다고 믿는다.
신경 과학자로서 Dietrich는 두뇌를 기계로 (취급하여) 다루며, 기계의 창의력을 다르다고 여기지 않는다고 말한다. 이런 식으로 생각해 보면, 인간의 두뇌만이 유일하게 창의적인 재능을 지니고 있다는 생각은 (d)올바른(→ 한계가 있는) 관점으로 보인다. 우리는 컴퓨터 예술가를 인간 예술가와 비교하려는 시도를 멈춰야 한다. 만약 우리가 컴퓨터 창의력을 있는 그대로 (e)받아들인다면, 컴퓨터는 우리에게 우리 자신의 창의적 재능에 대한 새로운 것들을 가르쳐 줄 뿐만 아니라 또한 우리가 상상을 시작할 수 없는 방식으로 창의적이 될 수도 있다.

3 정답 전략 이 글의 글쓴이는 인간의 의식이 창의력에 결정적인 요소가 아니며, 창의력은 뇌의 기계적인 과정에 의해 주도되는 것이므로 인간의 창의력과 기계의 창의력에 차이가 없다는 주장하고 있다. 따라서 ① '창의력이 있는 기계가 창의력을 재정의하다'가 글의 제목으로 적절하다.
② 기계가 배우고 생각하는 새로운 방법 ③ 뇌는 무의식중에 어떻게 작동하는가 ④ 인공지능의 잠재적 한계 ⑤ 첨단 기술이 창의력을 약화시킨다

4 정답 전략 바로 앞에서 Arne Dietrich라는 신경 과학자가 인간의 두뇌를 기계와 다르지 않게 여긴다고 했고, 뒤에서도 컴퓨터 예술가와 인간 예술가를 비교하려는 시도를 멈춰야 한다고 했다. 따라서 인간의 두뇌만이 유일하게 창의력을 가지고 있다는 것은 '한계가 있는' 관점이라고 보는 것이 자연스럽다. (d)의 proper를 limited(제한된)이나 bounded(한계가 있는)로 바꿔야 한다.

끊어 읽기로 보는 구문

이런 식으로 생각해 보면 / 생각은 / 인간의 두뇌만이 유일하게 창의적인 재능을 지니고 있다는
Considered in this way, / the idea / that the human brain has a unique claim to creative talents / seems a
앞에 Being이 생략된 분사구문 / 주어 / 동격의 that(the idea = that ~ talents) / 동사
올바른(→ 한계가 있는) 관점으로 보인다
proper(→ limited) perspective.

DAY 2 필수 체크 전략 ①, ②

14~19쪽

[대표 유형] 1 ⑤ 2 ④ | 1 ③ 2 ④ 3 ⑤ 4 ④

[대표 유형] 지문 한눈에 보기

❶ Duration refers to the time / that events last. ❷ If we think of tempo / as the speed of events, / then duration is the speed / of the clock itself. ❸ For the physicist, / the duration of a "second" is / precise and unambiguous: / it is equal to / 9,192,631,770 cycles of the frequency / associated with the transition / between two energy levels / of the isotope cesium-133. ❹ In the realm of psychological experience, / however, / quantifying units of time is / a considerably clumsier operation. ❺ When people are removed from the cues of "real" time / — be it the sun, bodily fatigue, or timepieces themselves — / it doesn't take long before their time sense breaks down. ❻ And it is this usually (A) imprecise psychological clock, / as opposed to the time on one's watch, / that creates the perception of duration / that people experience.

(the time: 선행사 / that: 관계부사(= when) / think of A as B: A를 B로 여기다 / itself: 재귀대명사(강조) / the duration of a "second": 주어 / is: 동사 / is equal to: 동일하다 / associated with the transition: 과거분사구: cycles of the frequency 수식 / quantifying: 주어(동명사) / is: 동사 / themselves: 재귀대명사(강조) / it doesn't take long before: 오래지 않아 ~하다 / it is ~ that 강조 / as opposed to: ~이 아니라 / that: 강조 / duration: 선행사 / that: 목적격 관계대명사)

❼ Theoretically, / a person who mentally stretches the duration of time / should experience a slower tempo. ❽ Imagine, / for example, / that baseballs are pitched to two different batters. ❾ The balls are thrown / every 5 seconds for 50 seconds, / so a total of 10 balls are thrown. ❿ We now ask both batters / how much time has passed. ⓫ Let's say / that batter number one (who loves hitting) feels / the duration to be 40 seconds. ⓬ Batter number two (bored by baseball) believes / it to be 60 seconds. ⓭ Psychologically, / then, / the first person has

(a person: 주어(선행사) / who: 주격 관계대명사 / should experience: 동사 / are pitched: 동사(수동태) / are thrown: 동사(수동태) / are thrown: 동사(수동태) / how much time has passed: 간접의문문: 의문사(구)+주어+동사 / who: 주격 관계대명사: who 이하가 batter number one 수식 / bored by baseball: 과거분사구: Batter number two 수식)

experienced / baseballs **approaching** / every four seconds / **while** the second sees it / as every six seconds. ⓮
현재분사: baseballs 수식 / 접속사(대조): ~ 반면에

The perceived tempo, **in other words**, is (B) faster / for batter number one.
다시 말해서

해석 ❶ 지속 시간은 사건이 지속되는 시간을 말한다. ❷ 만약 우리가 템포(움직임의 속도)를 사건의 속도로 여긴다면, 지속 시간은 시계 자체의 속도이다. ❸ 물리학자에게, '1초'의 지속 시간은 정확하고 분명한데, 그것은 동위원소인 세슘-133의 두 에너지 준위 사이의 전이와 연관된 9,192,631,770번의 진동수 주기와 같다. ❹ 하지만 심리적 경험의 영역에서, 시간의 단위를 수량화하는 것은 상당히 더 서투른 작업이다. ❺ 사람들에게서 태양이든, 신체적 피로든, 아니면 시계 자체든, '실제' 시간의 신호를 제거할 때, 오래지 않아 그들의 시간 감각은 고장이 난다. ❻ 그리고 사람들이 경험하는 지속 시간에 대한 인식을 만들어내는 것은 시계의 시간이 아니라 일반적으로 부정확한 이 심리적 시계이다.
❼ 이론상, 정신적으로 시간의 지속 시간을 늘리는 사람은 더 느린 템포를 경험할 것이다. ❽ 예를 들어, 야구공이 두 명의 서로 다른 타자에게 던져진다고 상상해 봐라. ❾ 공은 50초 동안 5초마다 던져져서, 모두 합해 10개의 공이 던져진다. ❿ 우리는 이제 두 명의 타자에게 얼마나 많은 시간이 지나갔는지를 묻는다. ⓫ (타격을 좋아하는) 1번 타자는 지속 시간이 40초로 느낀다고 가정해 보자. ⓬ (야구를 지루해하는) 2번 타자는 그것이 60초라고 믿는다. ⓭ 그렇다면, 심리적으로, 첫 번째 사람은 야구공이 4초마다 다가오는 것을 경험했지만, 두 번째 사람은 그것을 6초마다 본다. ⓮ 다시 말해서, 인식된 템포(움직임의 속도)는 1번 타자에게 더 빠르다.

정답 전략 **1** 물리적인 영역에서의 시간과 심리적인 영역에서 인간이 인식하는 시간이 다르다는 것을 설명하는 글이다. 심리적으로 인식하는 시간의 지속이 '실제'의 물리적 시간과는 차이가 있다는 것을 반복해서 이야기하고 있으므로 ⑤ '얼마나 오래, 얼마나 빨리: 시간 인식의 문제'가 이 글의 제목으로 가장 적절하다.
① 시계가 우리의 삶에 가져오는 것 ② 시간에 대한 연구: 정확함 대 지속 시간 ③ 시간으로부터의 비행: 물리학의 새로운 방향 ④ 과학과 야구의 평화로운 공존
2 사람들은 실제 시간을 알 수 있는 신호가 제거되면 시간 감각이 무너지며, 심리적 시계를 바탕으로 시간을 인식한다고 했다. 심리적 시계는 시계의 시간이 아니라 사람들이 경험하는 지속 시간이므로 빈칸 (A)에 알맞은 것은 '부정확한'이라는 의미의 imprecise이다. 타격하는 것을 좋아하는 1번 타자에게 실제 50초는 40초로 짧게 느껴지게 되므로, 인식된 템포(움직임의 속도)가 2번 타자에 비해 '더 빠를' 것이다. 따라서 빈칸 (B)에는 faster가 적절하다.

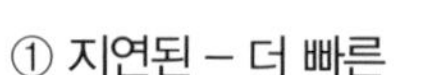

① 지연된 – 더 빠른
② 내적인 – 더 느린
③ 정확한 – 더 느린
⑤ 불가사의한 – 더 느린

1~2 지문 한눈에 보기

❶ **Our irresistible tendency** / **to see** things / in human terms / — **that** we are often mistaken / in attributing complex human motives and processing abilities / to other species — **does not mean** / **that** an animal's behavior is not, in fact, complex.
주어 / 형용사적 용법: Our ~ tendency 수식 / 동격의 that(Our irresistible tendency = that ~ species) / 동사 / 명사절을 이끄는 접속사: 목적어절

❷ Rather, it means / **that** the complexity of the animal's behavior / is not purely a (a) product / of its internal complexity.
명사절을 이끄는 접속사: 목적어절

❸ Herbert Simon's "parable of the ant" / makes this point very clearly.

❹ **Imagine an ant walking** along a beach, / and (b) **visualize** tracking the trajectory of the ant / as it moves.
명령문 1: 동사(Imagine)+목적어(an ant)+목적격 보어(walking) / 명령문 2

❺ The trajectory **would show** / a lot of twists and turns, / and **would be** very irregular and complicated.
동사 1 / 동사 2

❻ One could then **suppose** / **that** the ant had / equally complicated (c) internal navigational abilities, / and **work out** / **what these were likely to be** / **by analyzing** the trajectory / to infer **the rules and mechanisms** / **that** could produce / **such a complex navigational path**.
동사 1 / 명사절을 이끄는 접속사: 목적어절 / 동사 2 / 간접의문문: 의문사(구)+주어+동사 / by+V-ing: ~함으로써 / 선행사 / 주격 관계대명사 / such+a/an+형용사+명사

❼ The complexity of the trajectory, / however, / "is really a complexity / in the surface of the beach, / not a complexity in the ant."

❽ In reality, / the ant may be using / a set of very (d) complex (→ simple) rules: **it is** the interaction / of these rules with the environment / **that** actually produces the complex trajectory, / not the ant alone.
It is ~ that 강조 / 강조

❾ Put more generally, / the parable of the ant

illustrates / that there is no necessary correlation / between the complexity of an (e) observed behavior / and the complexity of the mechanism / that produces it.
명사절을 이끄는 접속사 between *A* and *B*: A와 B 사이에 선행사 주격 관계대명사

해석 ❶ 인간의 관점에서 사물을 보는 우리의 억누를 수 없는 경향, 즉 다른 종들에게 복잡한 인간적 동기와 처리 능력이 있다고 우리가 흔히 잘못 생각하는 것이 동물의 행동이 사실 복잡하지 않다는 것을 의미하는 것은 아니다. ❷ 오히려, 그것은 동물 행동의 복잡성이 순전히 그것의 내적 복잡성의 (a)산물이 아니라는 의미이다. ❸ Herbert Simon의 '개미 우화'는 이 점을 매우 분명하게 보여 준다. ❹ 개미 한 마리가 해변을 따라 걷는 것을 상상하고, 그 개미가 이동하는 대로 그 이동 경로를 추적하는 것을 (b)머릿 속에 그려 봐라. ❺ 그 이동 경로는 여러 번 구부러지고 방향이 바뀔 것이고, 매우 불규칙적이고 복잡할 것이다. ❻ 그렇다면 그 개미에게 동등하게 복잡한 (c)내적 방향 탐지 능력이 있다고 가정하고, 그런 복잡한 방향 읽기 경로를 만들어 낼 수 있는 규칙과 기제를 추론하기 위해 그 이동 경로를 분석함으로써 이것이 무엇일 수 있는지를 알아낼 수 있을 것이다. ❼ 하지만 그 이동 경로의 복잡성은 '실제로 해변 지면에서의 복잡성이지 그 개미의 복잡성이 아니다.' ❽ 사실 그 개미는 일련의 매우 (d)복잡한(→ 단순한) 규칙들을 사용하고 있을지도 모른다. 사실 그 복잡한 이동 경로를 만들어 내는 것은 바로 이 규칙들과 환경의 상호작용이지, 그 개미 단독으로는 아니다. ❾ 더 일반적으로 말하자면, 개미 우화는 (e)관찰된 행동의 복잡성과 그것을 만들어 내는 기제의 복잡성 사이에 필연적인 상관관계가 없음을 보여 준다.

정답 전략 **1** 인간의 관점으로는 다른 종의 행동이 인간처럼 내적 복합성을 가지는 것처럼 보일 수 있지만, 사실은 단순한 규칙과 환경의 상호작용으로 인해 복잡해 보일 수 있음을 주장하는 글이다. 따라서 글의 제목으로 가장 적절한 것은 ③ '무엇이 동물 행동의 복잡성을 만드는가?'이다.
① 환경의 복잡성으로 이르는 신비의 문을 열어라! ② 인간과 동물의 평화로운 공존 ④ 동물의 딜레마: 인간 세계에서 그들의 길을 찾아가기 ⑤ 인간 행동 복잡성에 미치는 환경의 영향
2 이 글의 요지는 동물의 행동의 복잡성이 곧 내적인 복잡성과 연관이 있는 것이 아니라는 것이다. 예시에서도 개미의 복잡한 이동 경로를 만들어내는 것은 해변 지면이 복잡하게 생겨서이며 개미가 복잡성을 갖고 있어서가 아니라고 했다. 따라서 개미의 '단순한' 규칙과 환경이 상호작용하여 복잡한 이동 경로라는 결과로 나타났다는 흐름이 자연스러우므로 (d)의 complex를 simple로 고쳐야 한다.

3~4 지문 한눈에 보기

❶ There is something / about a printed photograph or newspaper headline / that makes the event / it describes more real / than in any other form of news reporting. ❷ Perhaps this is / because there is an undeniable reality / to the newspaper itself: / it is a real material object. ❸ That (a) authenticity rubs off / on the news. ❹ It can be pointed to, / underlined, / cut out, / pinned on notice boards, / stuck in a scrapbook, / or archived in libraries.
주어(선행사) 주격 관계대명사 앞에 목적격 관계대명사 생략: the event 수식 재귀대명사(강조) 수동태 병렬 구문 1 수동태 병렬 구문 2 수동태 병렬 구문 3 수동태 병렬 구문 4 수동태 병렬 구문 5 수동태 병렬 구문 6

❺ The news becomes an artifact, / (b) frozen in time; / the event may be long gone, / but it lives on / as an indisputable fact / because of its material presence / — even if it is untrue.
앞에 which is 생략: an artifact 수식 접속사(대조) 접속사(양보)

❻ In contrast, / news websites seem short-lived. ❼ Although they too are archived, / there is no unique physical component to point to / as (c) evidence of the information / they convey. ❽ For this reason, / there is a sense / in which they can be more easily manipulated, / and that history itself could be altered. ❾ At the same time, / it is precisely this immediacy and (d) rigidity (→ fluidity) of content / that makes the digital media so exciting. ❿ The news website is / in tune with an age / that sees history / as much less monolithic / than previous eras once did. ⓫ Digital news websites are potentially much more (e) democratic, too, / for while a physical newspaper
대조적으로 접속사(양보) 전치사: ~로서 앞에 목적격 관계대명사 생략: the information 수식 전치사+관계대명사 등위접속사 접속사(동격) it is ~ that 강조 강조 사역동사 목적어 목적격 보어 선행사 주격 관계대명사 비교급 강조 덜 단일화된 접속사(대조): ~인 반면에 비교급 강조 접속사(이유): 왜냐하면 ~니까

requires huge printing presses / and a distribution network / linking trains, planes, trucks, shops, and ultimately
현재분사구: a distribution network 수식
newspaper sellers, / in the digital world / a single person can communicate with the whole world / with the aid
of a single computer / and without requiring a single tree to be cut down.
동명사

해석 ❶ 인쇄된 사진이나 신문 헤드라인에는 다른 어떤 형태의 뉴스 보도에서보다 그것이 묘사하는 사건을 더 사실적으로 만드는 무언가가 있다. ❷ 아마도 이것은 신문 자체에 부인할 수 없는 현실이 있기 때문이고, 그것이 실재하는 물질적 대상이기 때문이다. ❸ 그 (a)진정성은 뉴스에 영향을 준다. ❹ 그것은 가리킬 수 있고, 밑줄을 칠 수도 있고, 잘라낼 수도 있고, 게시판에 꽂을 수도 있고, 스크랩북에 붙일 수도 있고, 도서관에 보관할 수도 있다. ❺ 뉴스는 시간 안에서 (b)얼어붙은 인공물이 된다. 그 사건은 사라진지 오래된 것일지도 모르지만, 비록 그것이 사실이 아니더라도 그것의 물질적인 존재 때문에 논쟁의 여지가 없는 사실로 계속 존재한다.
❻ 대조적으로, 뉴스 웹사이트는 짧게 지속되는 것처럼 보인다. ❼ 그것들 역시 보관되어 있지만, 그들이 전달하는 정보의 (c)증거로 지목할 수 있는 고유한 물리적 구성 요소는 없다. ❽ 이런 이유로, 그것들이 더 쉽게 조작될 수 있고, 역사 자체가 바뀔 수 있다는 인식이 있다. ❾ 동시에, 디지털 매체를 매우 흥미롭게 만드는 것은 바로 이러한 콘텐츠의 신속성과 (d)경직성(→ 가변성)이다. ❿ 뉴스 웹사이트는 역사를 이전 시대에서 한때 그랬던 것보다 훨씬 덜 단일화된 것으로 보는 시대와 부합한다. ⓫ 디지털 뉴스 웹사이트 역시 잠재적으로 훨씬 더 (e)민주적인데, 왜냐하면 물리적 신문이 거대한 인쇄기와 기차, 비행기, 트럭, 상점, 그리고 궁극적으로 신문 판매자들을 연결하는 유통망을 요구하는 반면에, 디지털 세계에서는 한 사람이 컴퓨터 한 대의 도움으로 그리고 한 그루의 나무도 베어질 필요 없이 전 세계와 소통할 수 있기 때문이다.

정답 전략 3 인쇄된 신문 뉴스와 인터넷 뉴스의 차이를 설명하는 글이다. 신문에 실리는 뉴스는 신문이라는 매체가 갖는 물질적인 구성 요소 때문에 더 사실적이고 부인할 수 없는 특성이 있고 생명력이 긴 반면, 인터넷 뉴스는 물리적 구성 요소가 없어서 그런 특성은 갖지 못하지만 콘텐츠 자체가 신속하게 만들어지고 변할 수 있으며 1인 발행도 가능하여 더 민주적이며 시대와 부합한다고 했다. 따라서 인쇄 매체와 디지털 매체를 가르는 가장 큰 차이를 물질적 존재 여부라고 보고 있으므로, 제목으로 가장 적절한 것은 ⑤ '물질적 존재: 인쇄 매체와 디지털 매체를 구분하는 것'이다.
① 디지털 매체는 인쇄 매체를 어떻게 밀어냈는가? ② 대중 매체는 우리 현대 사회에 도움이 되는가 해가 되는가? ③ 대중 매체의 사실주의가 꼭 실제 사실에 기반하는 것은 아니다 ④ 디지털 세계: 우리 중 누구라도 뉴스를 만들고 전할 수 있는 곳
4 이 글은 In contrast를 중심으로 앞부분에서는 인쇄되는 종이 신문 뉴스의 특성을, 뒷부분에서는 디지털 매체가 물질적 실체가 없어서 종이 신문과 대비되는 특성을 갖고 있음을 설명하는 글이다. 종이 신문에 실린 뉴스는 사건이 사라져도 시간 속에 남지만, 디지털 매체는 이와 반대일 것이므로 경직성을 갖는 것이 아니라 가변성을 가질 것이다. 따라서 '경직성'이라는 의미의 rigidity 대신 fluidity(가변성)로 고치는 것이 적절하다.

DAY
3 필수 체크 전략 ①, ②

20~25쪽

[대표 유형] 1 ① 2 ④ | 1 ① 2 ④ 3 ① 4 ⑤

[대표 유형] 지문 한눈에 보기

❶ For quite some time, / science educators believed / that "hands-on" activities were the answer / to children's
명사절을 이끄는 접속사 전치사: ~를 위한
understanding / through their participation in science-related activities. ❷ Many teachers believed / that
전치사: ~을 통해
students merely engaging in activities and (a) manipulating objects / would organize / the information to be
동명사의 의미상 주어 주어 1(동명사) 주어 2(동명사) 동사 형용사적 용법:
gained and the knowledge to be understood / into concept comprehension. ❸ Educators began to notice /
the information 수식 형용사적 용법: the knowledge 수식
that the pendulum had swung too far / to the "hands-on" component of inquiry / as they realized / that the
명사절을 이끄는 접속사 접속사: ~하면서 명사절을 이끄는 접속사

knowledge was not (b) inherent / in the materials themselves, / but in the thought and metacognition / about
not A but B: A가 아니라 B인
what students had done in the activity. ❹ We now know / that "hands-on" is a dangerous phrase / when speaking
선행사를 포함하는 관계대명사 명사절을 이끄는 접속사 접속사(시간): ~일 때
about learning science. ❺ The (c) missing ingredient / is the "minds-on" part of the instructional experience.
❻ (d) Uncertainty (→ Clarity) about the knowledge intended / in any activity / comes from each student's re-
앞에 「주격 관계대명사+be동사」 생략: the knowledge 수식
creation of concepts — / and discussing, thinking, arguing, listening, and evaluating one's own preconceptions
주어(동명사)
/ after the activities, / under the leadership of a thoughtful teacher, / can bring this about. ❼ After all, / a food
전치사: (관리자의) 아래에 동사
fight is a hands-on activity, / but about all you would learn / was something about the aerodynamics of flying
앞에 목적격 관계대명사 생략: all 수식
mashed potatoes! ❽ Our view of what students need / to build their knowledge and theories about the natural
주어
world / (e) extends far beyond a "hands-on activity." ❾ While it is important for students to use and interact with
동사 접속사(양보): ~인 데 반해 가주어 의미상 주어 진주어
materials in science class, / the learning comes / from the sense-making of students' "hands-on" experiences.

해석 ❶ 상당한 시간 동안, 과학 교육자들은 '직접 해 보는' 활동이 아이들이 과학 관련 활동에 참여하는 것을 통해 이해하게 하는 데 대한 해답이라고 믿었다. ❷ 많은 교사들은 학생들이 단지 활동에 참여하고 물체를 (a)조작하는 것만으로 얻게 되는 정보와 이해하게 되는 지식을 개념 이해로 체계화할 것이라고 믿었다. ❸ 교육자들은 지식이 자료 자체에 (b)내재되어 있는 것이 아니라 학생들이 그 활동에서 한 것에 대한 생각과 초(超)인지에 있다는 것을 깨달으면서 '직접 해 보는' 탐구의 요소 쪽으로 추가 너무 많이 기울었다는 것을 알아차리기 시작했다. ❹ 이제 우리는 과학을 배우는 것에 대해 말할 때에 '직접 해 보는'이 위험한 문구라는 것을 알게 되었다. ❺ (c)빠진 요소는 교육 경험에서 '사고를 요구하는' 부분이다. ❻ 어떤 활동에서 의도된 지식에 대한 (d)불확실성(→명확성)은 각 학생이 개념을 재창조하는 것에서 비롯되는데, 그 활동을 한 뒤에, 사려 깊은 선생님의 지도하에 토론하고, 사고하고, 논쟁하고, 듣고, 자신의 선입견에 대해 평가하는 것이 이것을 가져올 수 있다. ❼ 결국, 음식물 던지기 장난은 직접 해 보는 활동이지만, 여러분이 배우려던 모든 것은 으깬 감자 날리기의 공기 역학에 관한 것이었다! ❽ 자연 세계에 대한 지식과 이론을 구축하기 위해 학생들이 필요로 하는 것에 대한 우리의 견해는 '직접 해 보는 활동'을 훨씬 (e)넘어선다. ❾ 과학 수업에서 학생들이 재료를 사용하고 상호작용하는 것이 중요하기는 하지만, 학습은 학생들이 '직접 해 보는' 경험에 대해 의미를 부여하는 것으로부터 나온다.

정답 전략 1 기존의 과학 교육에서는 '직접 해 보는(hands-on)' 활동이 강조되었으나, 요즘에는 경험에 대한 '사고를 요구하여(minds-on)' 개념을 재창조하는 것이 중요시되고 있다고 했다. 따라서 ① '과학 수업에서 '사고를 요구하는' 학습을 켜라'가 글의 제목으로 가장 적절하다.
② 활동 중심의 학습이 과학 교육에 도입되다! ③ 과학 수업에서 학생들이 가장 좋아하는 것을 알아내라 ④ 즐거움과 학습: 분리되었을 때 더 효과적이다 ⑤ 창의성의 원천으로서의 '직접 해 보는' 활동
2 과학 활동에서 학생들이 경험을 한 뒤 그것에 대해 토론하고 사고하는 등의 과정을 통해 개념 재창조를 함으로써 얻을 수 있는 것이며, 이것이 교육의 궁극적인 목적인 것으로 설명되고 있으므로 (d)의 Uncertainty(불명확성)을 Clarity(명확성)로 바꿔야 자연스럽다. 학생들이 얻는 것은 '지식에 대한 명확성'이어야 한다.

1~2 지문 한눈에 보기

❶ In many mountain regions, / rights of access to water are associated / with the possession of land / — until
전치사: ~까지
recently in the Andes, for example, / land and water rights were (a) combined / so water rights were transferred
with the land. ❷ However, / through state land reforms and the development / of additional sources of supply, /
전치사: ~을 통해
water rights have become separated from land, / and may be sold at auction. ❸ This therefore (b) favours those
주어 동사 1 동사 2 선행사

/ who can pay, / rather than ensuring access / to all in the community. ❹ The situation arises, therefore, / where individuals may hold land with no water. ❺ In Peru, / the government grants water to communities / separately from land, / and it is up to the community / to allocate it. ❻ Likewise in Yemen, / the traditional allocation was one measure (*tasah*) of water / to one hundred '*libnah*' of land. ❼ This applied / only to traditional irrigation supplies — / from runoff, wells, etc., / where a supply was (c) guaranteed. ❽ Water / derived from the capture of flash floods / is not subject to Islamic law / as this constitutes an uncertain source, / and is therefore free for those / able to collect and use it. ❾ However, / this traditional allocation / per unit of land / has been bypassed, / partly by the development of new supplies, / but also by the (d) decrease (→ increase) / in cultivation of a crop / of substantial economic importance. ❿ This crop is harvested / throughout the year / and thus requires more than its fair share of water. ⓫ The economic status of the crop (e) ensures / that water rights can be bought or bribed away / from subsistence crops.

who: 주격 관계대명사 / ensuring: 동명사 / The situation: 선행사 / where: 관계부사 / it: 가주어 / to allocate it: 진주어 / runoff, wells, etc.: 선행사 / where: 관계부사 / Water: 주어 / derived from the capture of flash floods: 과거분사구: water를 수식함 / is: 동사 / as: 접속사(이유): ~ 때문에 / able to collect and use it: 앞에 「주격 관계대명사+be동사」가 생략된 형태로 those를 수식함 / that: 명사절을 이끄는 접속사

해석 ❶ 많은 산악 지역에서, 물을 이용할 권리가 토지의 소유와 연관되어 있다. 예를 들어 최근까지 안데스 산맥에서는 토지와 물 권리가 (a)결합되어 물 권리가 토지와 함께 이전되었다. ❷ 그러나 주(州)의 토지 개혁과 추가 공급원의 개발을 통해 물 권리가 토지와 분리되어 경매에 부쳐질 수도 있다. ❸ 그러므로 이것은 지역 사회의 모든 사람에게 이용할 권리를 보장하기보다는, 비용을 지불할 수 있는 사람에게 (b)유리하다. ❹ 따라서 개인이 물이 없는 땅을 보유할 수도 있는 상황이 발생한다. ❺ 페루에서는 정부가 토지와는 별도로 지역 사회에 물을 주고, 그것을 분배하는 것은 공동체에 달려 있다. ❻ 예멘에서도 마찬가지로, 전통적인 분배는 100 '립나'의 토지에 1단위(타사)의 물이었다. ❼ 이것은 공급이 (c)보장되었던 유수(流水), 우물 등의 전통적인 관개(灌漑) 공급에만 적용되었다. ❽ 갑작스럽게 불어난 물을 가둠으로써 얻은 물은 이것이 불확실한 수원(水源)이 되는 것으로 여겨지기 때문에 이슬람 율법의 영향을 받지 않고, 따라서 그 물을 모아서 사용할 수 있는 사람들에게는 무료이다. ❾ 그러나 토지 단위에 따라 하는 이 전통적인 분배는 부분적으로는 새로운 공급의 개발에 의해서뿐만 아니라 경제적으로 상당히 중요한 작물의 재배 (d)감소(→ 증가)에 의해서도 회피되었다. ❿ 이 작물은 일 년 내내 수확되고 따라서 적정한 몫의 물보다 더 많이 필요로 한다. ⓫ 그 작물의 경제적 지위는 생계형 작물로부터 물 권리를 사거나 매수할 수 있도록 (e)보장한다.

정답 전략 1 많은 산악 지역에서 물에 대한 권리가 토지 소유와 연관되어 있지만, 토지 개혁과 추가 공급원의 개발을 통해 물 권리가 토지와 분리되어 매매될 수 있다는 내용의 글이다. 따라서 글의 제목으로 가장 적절한 것은 ① '더 이상 토지에 얽매이지 않는 물 권리'이다.

② 물 권리 거래 전략 ③ 물 저장 방법: 산 대(對) 사막 ④ 산악 지역에서의 안정적이지 않은 물 공급 ⑤ 끝없는 논쟁: 우리는 어떤 작물을 재배해야 하는가

2 역접의 접속부사 However 뒤로 토지를 단위로 하는 전통적인 물의 분배 방식이 회피되었다고 했고, 경제적으로 중요한 작물이 적절한 몫 이상의 물을 요구한다고 했으므로 그러한 작물의 재배가 증가할수록 전통적인 분배 방식에 영향을 주었다고 할 수 있다. 따라서 (d)의 decrease(감소)를 increase(증가)로 고치는 것이 자연스럽다.

3~4 지문 한눈에 보기

❶ An ecosystem that is altered or damaged in some way / will be out of balance / with the biome for that area. ❷ For example, / if the local biome is forest, / but the trees have been removed from one area, / then the ecosystem is out of balance. ❸ The natural tendency is / for plant species to move into that area, / bringing the

An ecosystem: 주어(선행사) / that: 주격 관계대명사 / will be: 동사 / if: 접속사(조건): ~이라면 / for plant species: to move의 의미상 주어 / to move: 명사적 용법(보어) / bringing: 분사구문(연속 동작)

ecosystem back / towards the biome state. ❹ The spread of a species into a new area / is called colonisation.

❺ It can happen naturally / only if there are ecologically healthy ecosystems nearby / to provide plant seeds.
= colonisation / 형용사적 용법: ecosystems 수식

❻ Once the vegetation has started to recover, / insects, birds and other animals will travel / into the newly regenerated area.
접속사: 일단 ~하면

❼ These processes of ecological colonisation / can be supported by environmental management. ❽ For example, / we are currently seeing important changes / in the way / agriculture is carried out in Britain.
주어 / 동사(수동태) / the way를 수식하는 관계부사절

❾ Rather than just maximising food production, / farming is becoming more environmentally friendly, / with the support of financial subsidies. ❿ This new approach increases biological diversity / by conserving hedges / and the wildflowers, insects, birds and other animals / that live on the land. ⓫ A proportion of agricultural land / is left completely uncultivated / so that species can gradually colonise it. ⓬ This provides a habitat / for a wider range of species. ⓭ Leaving some farmland as set-aside / is also a way to decrease overall production / when that is economically desirable. ⓮ Note / that set-aside land is more permanent than fallow land, / which is usually left for only a year. ⓯ Colonisation is a slow process, / taking place over years or even decades.
~보다는 / 동명사 / 동명사 / 선행사 / 주격 관계대명사 / 목적: ~하기 위해 / 주어(동명사) / 동사 / 형용사적 용법: a way 수식 / 선행사 / 계속적 용법의 주격 관계대명사 / 분사구문(연속 동작)

해석 ❶ 어떤 식으로 변형되거나 손상을 입은 생태계는 그 지역의 생물군계와 균형을 이루지 못하게 될 것이다. ❷ 예를 들어, 지역 생물군계가 숲인데 나무들이 한 지역에서 제거된다면, 그 생태계는 균형을 잃는다. ❸ 자연 본연의 성향은 식물 종들이 그 지역 안으로 이동하여 생물군계의 상태로 생태계를 되돌리는 것이다. ❹ 한 종이 새로운 지역 안으로 확산되는 것을 군체 형성이라고 한다. ❺ 그것은 식물의 씨앗을 제공할 수 있는 생태학적으로 건강한 생태계가 근처에 있어야만 자연스럽게 일어날 수 있다. ❻ 일단 식물이 회복하기 시작하면, 곤충, 새, 그리고 다른 동물들이 새롭게 재생된 지역으로 이동할 것이다.

❼ 이 생태학적 군체 형성 과정은 환경의 관리에 의해 뒷받침될 수 있다. ❽ 예를 들면, 영국에서 농업이 실행되는 방식에서 중대한 변화를 우리는 현재 보고 있다. ❾ 농업은 단지 식량 생산을 최대화하기보다는 재정적인 보조금을 지원 받아 더 친환경적으로 되어 가고 있다. ❿ 이러한 새로운 접근은 산울타리와 그 지역에 서식하는 야생화, 곤충, 새, 그 밖의 다른 동물들을 보호함으로써 생물 다양성을 증대시킨다. ⓫ 생물 종들이 점진적으로 그곳에 대량 서식할 수 있도록 일정 비율의 농지를 전혀 경작을 하지 않고 놓아둔다. ⓬ 이것은 더 넓은 범위의 종들에게 서식지를 제공한다. ⓭ 일부 농지를 비경작지로 놓아두는 것도 그것이 경제적으로 바람직할 때 전체 생산량을 줄이는 방법이기도 하다. ⓮ 비경작지는 보통 1년만 남겨두는 휴경지보다 더 영속적이라는 것에 주목하라. ⓯ 군체 형성은 느린 과정이며, 수년 또는 심지어는 수십 년에 걸쳐 진행된다.

정답 전략 3 손상된 생태계는 원래대로 회복하려는 경향이 있으며, 이를 위해서는 생태학적 군체 형성이 필요한데 이것은 농경지를 경작하지 않고 남겨두는 등의 관리를 통해서도 가능하다는 내용의 글이다. 생태계 회복을 위해 경작하지 않고 농지를 놓아두는 방법의 필요성을 강조하고 있으므로 제목으로는 ① '생태 균형을 위해 땅을 자연으로 되돌려 주기'가 가장 적절하다.

② 군체 형성: 대자연의 부끄러움인가 아니면 자랑인가? ③ 망가진 생태계: 인류의 위법 행위 ④ 비경작지가 경제적으로 바람직한가? ⑤ 친환경 농업의 역설

4 빈칸 뒤에 For example로 시작하는 문장이 이어지는 것으로 보아, 뒤의 내용이 해당 문장에 대한 예시임을 알 수 있다. 농업 생산량을 최대화하지 않는 대신 보조금을 지원 받거나, 생물 다양성을 확보하기 위해 농지를 경작하지 않고 놓아두는 등 환경을 관리하는 방법의 예가 나오므로, 빈칸에는 ⑤ '관리'가 가장 적절하다.

① 평가 ② 경쟁 ③ 불변성 ④ 힘

누구나 합격 전략

26~29쪽

1① 2⑤ 3② 4③

1~2 지문 한눈에 보기

❶ Test scores are not a measure of self-worth; / however, / we often associate our sense of worthiness / with our performance on an exam. ❷ Thoughts(주어) such as(~와 같은) / "If I don't pass this test, I'm a failure" / are(동사) mental traps / not rooted in truth(과거분사구: mental traps 수식). ❸ Failing a test is failing a test, / nothing more. ❹ It is in no way (a) descriptive of your value / as(전치사: ~로서) a person. ❺ Believing(주어(동명사)) / that(명사절을 이끄는 접속사) test performance is a reflection of your virtue / places(동사) (b) unreasonable pressure / on your performance. ❻ Not passing(주어(동명사)) the certification test only means(동사) / that(명사절을 이끄는 접속사) your certification status has been delayed. ❼ (c) Maintaining(주어(동명사)) a positive attitude / is(동사) therefore important. ❽ If you have studied hard, / reaffirm this mentally / and believe that(명사절을 이끄는 접속사) you will do well. ❾ If, / on the other hand, / you did not study as hard as you should have(should have+(p.p.): ~했어야만 했다 / 뒤에 studied 생략) or wanted to(뒤에 study 생략), / (d) accept that as beyond your control(accept A as B: A를 B로 받아들이다) for now / and attend to the task of doing the best you can. ❿ If things do not go well this time, / you know what needs to be done / in preparation for the next exam. ⓫ Talk to yourself / in positive terms. ⓬ Avoid rationalizing(목적어(동명사)) past or future test performance / by placing the blame on secondary variables. ⓭ Thoughts(주어) such as, / "I didn't have enough time," or "I should have ...," / (e) relieve (→ compound)(동사) the stress of test-taking. ⓮ Take control / by affirming your value, self-worth, and dedication / to meeting(dedication to+V-ing: ~에 대한 헌신) the test challenge head on. ⓯ Repeat to yourself / "I can and I will pass this exam."

해석 ❶ 시험 점수는 자부심의 척도가 아니지만, 우리는 흔히 우리의 자부심과 시험 성적을 연관시킨다. ❷ "이 시험에 합격하지 못하면 나는 실패자야."와 같은 생각은 사실에 뿌리를 두고 있지 않은 정신적 함정이다. ❸ 시험에 실패하는 것은 시험에 실패하는 것이지, 그 이상이 아니다. ❹ 그것은 결코 사람으로서의 여러분의 가치를 (a)설명하지 않는다. ❺ 시험 성적이 여러분의 미덕을 반영하는 것이라고 믿는 것은 여러분의 수행에 (b)부당한 압력을 가한다. ❻ 자격 시험을 통과하지 못한 것은 단지 여러분의 자격 지위가 지연되었음을 의미할 뿐이다. ❼ 그러므로 긍정적인 태도를 (c)유지하는 것이 중요하다. ❽ 만약 여러분이 열심히 공부했다면, 마음속으로 이것을 재확인하고 여러분이 잘 할 것이라고 믿어라. ❾ 다른 한편, 만약 여러분이 했어야 하거나 원하는 만큼 열심히 공부하지 않았다면, 지금으로서는 어쩔 수 없는 것으로 그것을 (d)받아들이고 여러분이 할 수 있는 최선을 다하는 과제에 주의를 기울여라. ❿ 만약 이번에 일이 잘 되지 않는다면, 다음 시험을 준비하기 위해 무엇을 해야 될지 알게 된다. ⓫ 긍정적인 말로 자신에게 이야기하라. ⓬ 부차적인 변수에 책임을 돌려서 과거 또는 미래의 시험 성적을 합리화하는 것을 피하라. ⓭ "나는 시간이 충분하지 않았어."라거나 "내가 그랬어야 했는데…"와 같은 생각은 시험을 보는 것의 스트레스를 (e)완화시킨다(→ 악화시킨다). ⓮ 자신의 가치, 자부심, 그리고 시험 과제에 정면으로 맞서는 것에 대한 헌신을 확인함으로써 통제력을 확보하라. ⓯ "난 할 수 있고 이 시험에 합격할 거야."라고 자신에게 되풀이해 말하라.

정답 전략 1 시험에 대한 결과로 자신의 가치를 판단하지 말고, 스스로 통제할 수 없는 것에 매달리는 것보다는 통제할 수 있는 것에 한해 최선을 다하는 것이 중요하다는 내용의 글이다. 따라서 ① '시험에 대한 태도: 시험은 시험일 뿐이다'가 제목으로 가장 적절하다.
② 약간의 스트레스는 수행에 유익하다 ③ 함께 공부하는 것이 시험에 효과적이다 ④ 반복: 완벽에 이르는 길 ⑤ 건강한 신체: 성공의 열쇠

2 부차적인 변수에 책임을 돌리지 말라고 한 문장 바로 다음에, 바로 그 부차적인 변수에 책임을 돌리는 예가 나온다. 따라서 그런 행동이 시험 스트레스를 가중시킨다는 흐름이 자연스러우므로 (e)의 relieve(완화하다)를 compound(악화시키다)로 고치는 것이 적절하다.

3-4 지문 한눈에 보기

❶ My buddy and his wife / were in constant conflict over / when the housework should get done. ❷ He wanted to work in spurts / and take frequent breaks / to watch a TV show or make a nice meal. ❸ She wanted to get it all done at a time / and have the rest of the day / to hang out and relax. ❹ I was able to point out to my buddy / that his wife wasn't trying to be a strict trainer; / she was just more of a sensing, thinking, judging sort of person, / and he was more of an intuition, feeling, perceiving sort of person. ❺ Neither of them were wrong; / they just had different preferences.

(간접의문문(목적어절) / 형용사적 용법: breaks 수식 / 앞에 to 생략 / 형용사적 용법: the rest of the day 수식 / 앞에 to 생략 / 명사절을 이끄는 접속사: 목적어 / 그들 중 어느 쪽도 아니다)

❻ Once they realized this, / they were able to compromise / regarding the housework. ❼ When they needed to get a lot of chores done / in a short period of time, / they used her method, / but they agreed to always take a meal break / at the appropriate meal hour. ❽ When they just had a few things to get done / in no specific time frame, / they used his method / but agreed that they would see the specific task to completion / before taking a break. ❾ This way, / both of them could feel productive, / and the housework no longer had to be a huge sore spot / between them.

(접속사: 일단 ~하면 / 전치사: ~에 관하여 / 접속사(시간): ~일 때 / get의 목적어와 목적격 보어: 수동 관계 / 접속사(시간): ~일 때 / 형용사적 용법: a few things 수식 / 주어 / 동사 1 / 동사 2 / 명사절을 이끄는 접속사(목적어))

해석 ❶ 내 친구와 그의 아내는 언제 집안일을 해야 하는지에 대해 끊임없이 갈등을 일으켰다. ❷ 그는 여러 번에 걸쳐 힘껏 일하고 TV 쇼를 시청하거나 맛있는 저녁을 만들어 먹는 휴식을 자주 취하기를 원했다. ❸ 그의 아내는 모든 것을 한 번에 해치우고 놀거나 휴식을 취하면서 하루의 나머지 시간을 보내기를 원했다. ❹ 나는 친구에게 그의 아내가 엄격한 트레이너가 되려고 한 것이 아니었고; 그녀는 다소 감각형, 사고형, 판단형의 사람이었고, 그는 다소 직관형, 감정형, 인식형의 사람이었다는 것을 지적해 줄 수 있었다. ❺ 그들 둘 다 틀린 것은 아니었고, 그들은 단지 선호하는 바가 달랐을 뿐이었다.

❻ 일단 이것을 깨닫자, 그들은 집안일에 관하여 타협할 수 있었다. ❼ 그들이 단시간에 많은 허드렛일을 해야 할 필요가 있을 때는 그녀의 방법을 채택했지만, 적당한 식사 시간에는 항상 식사 시간을 가지기로 동의했다. ❽ 특정한 시간에 해야 하는 것이 아닌 몇 가지 일만 있을 때에는 남편의 방법을 채택했지만, 휴식을 취하기 전에 특정한 일을 끝내는 것에는 동의했다. ❾ 이런 방식으로, 그들은 모두 생산적이라고 느낄 수 있었고, 더 이상 집안일은 둘 사이에 큰 문젯거리가 되지 않았다.

정답 전략 **3** 집안일을 하는 방식에 대한 의견 차이로 갈등을 겪던 부부가, 서로가 다른 유형의 사람임을 깨닫고 적절한 타협점을 찾아 더 이상 집안일 문제로 갈등을 겪지 않았다는 내용의 글이다. 따라서 ② '부부의 집안일 방식이 어떻게 조화를 이루는가'가 가장 적절한 제목이다.

① 결혼한 부부는 끊임없이 냉전 상태이다 ③ 50/50 계획: 여러분의 배우자와 집안일 분담하기 ④ 깔끔한 부인과 결혼 생활을 하는 지저분한 남편의 이야기 ⑤ 남자의 일과 여자의 일의 차이점

4 앞 문단의 내용이 글쓴이가 두 사람에게 서로 다른 유형의 사람임을 알려주었다는 것으로 끝났고, 빈칸이 있는 문장 뒤에서 두 사람이 상황에 맞게 서로의 집안일 방식을 채택하여 갈등이 사라졌다는 내용이므로 빈칸에 알맞은 말은 '타협하다'라는 의미의 ③ compromise이다.

① 건너뛰다 ② 질문하다 ④ 비판하다 ⑤ 경쟁하다

창의·융합·코딩 전략 ①, ②

30~33쪽

1 ①, ③, ⑤ / ②, ④, ⑥ **2** Sally **3** ⑥ **4** past: scarce, more, overeating / now: food, irrelevant, communicate **5** ②
6 ③ **7** 1 several, Second, finally 2 2021, The first year 3 different, On the contrary, country

1

해석 ① 학생들의 수행에 대한 서술적 피드백 제공하기
② 여러분의 음식 선호도에 대한 유연성
③ 학생들에게 정보를 제공하는 피드백 주기
④ 여러분이 먹는 것을 조절하기
⑤ 학생들의 보고서에 의견 제공하기
⑥ 여러분의 식습관 바꾸기

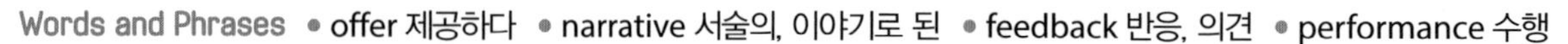

Words and Phrases • offer 제공하다 • narrative 서술의, 이야기로 된 • feedback 반응, 의견 • performance 수행 • flexibility 유연성 • adjust 조절하다

정답 전략 ①, ③, ⑤는 학생들에게 피드백을 제공하는 것과 관련된 내용이고, ②, ④, ⑥은 음식과 식습관에 관련된 내용이다.

2

해석 Amily: Shirley Chisholm은 미국 최초의 아프리카계 미국인 하원의원이었고, 시민권, 여성의 권리, 가난한 사람들을 위해 목소리를 냈다.
Sally: 운동하는 동안 편안함을 제공하기 위한 의복은 비싸지 않아도 되므로 온도와 환경 조건에 적합한 의복을 선택하라.
Minho: 한 실험에서 피실험자들은 한 사람이 30개의 객관식 문제를 해결하는 것을 관찰했다. 모든 경우에서, 15개의 문제가 정확하게 해결되었다.

Words and Phrases • congressperson 하원의원 • speak out 공개적으로 말하다 • civil right 시민권 • appropriate 적절한 • temperature 온도 • subject 피실험자 • multiple-choice 선다형의, 객관식의

정답 전략 Amily는 Shirley Chisholm에 대한 역사적인 사실을 말하고 있고, 민호는 실험에 대한 사실을 서술하고 있다. Sally는 운동 시 적합한 의복에 대한 자신의 의견을 말하고 있으므로 자신의 주장을 말한 사람은 Sally이다.

3~4

해석 …… ① 사실, 역사적으로 식량이 꽤 부족했던 수많은 시기가 있었다. ② 그 결과, 사람들은 다음 식사의 가능성이 확실하지 않았기 때문에 음식이 있을 때 더 많이 먹곤 했다. …… ③ 그 시대의 과식은 생존을 보장하는 데 필수적이었다. …… ④ 오늘날 세계 인구의 대부분은 생존과 번영을 위해 이용 가능한 많은 식량을 가지고 있다. …… ⑤ 그것들은 당신의 몸에서 시작된 자기 보호 기제이고, 당신의 미래 생존을 보장해 주지만, 그것들은 이제 관련이 없다. …… ⑥ 식량이 풍부한 새로운 환경에 대해 당신의 몸과 소통하는 것은 당신의 책임이다.

과거	현재
음식은 다소 부족했다	생존하고 번성할 수 있는 충분한 식량
사람들은 더 많이 먹곤 했다	자기 보존 기제는 관련이 없다
과식은 생존을 보장하는 데 필수적이었다	당신의 몸과 소통하는 것은 당신의 책임

Words and Phrases • numerous 많은 • scarce 부족한 • available 이용 가능한 • questionable 미심쩍은, 의심스러운 • overeating 과식 • ensure 보장하다 • thrive 번창하다 • initiate 시작하다 • irrelevant 상관 없는 • abundance 풍부

정답 전략 **3** 과거에는 생존을 보장하는 데 과식이 필수적이었지만, 오늘날의 음식이 풍부한 환경과는 상관이 없어졌으므로 새로운 환경에 대해 당신의 몸과 소통하는 것은 당신의 책임이라는 마지막 문장이 주제문이다.

4 과거에는 식량이 부족해서 사람들은 음식이 있을 때 더 많이 먹곤 했으며 과식은 생존을 보장하는 데 필수적이었다. 현재는 생존하고 번성하기에 충분한 식량이 있으며 자기 보존 기제는 이제 관련이 없어졌다. 그러므로 당신의 몸과 소통하는 것은 당신의 책임이다.

5~6

해석 A: 개가 달리다가 방향을 바꿀 때 왜 넘어지지 않는지 궁금해 한 적이 있니?

B: 나는 그것에 대해 읽은 적이 있어. 개의 꼬리가 넘어지는 것을 방지하는 데 도움이 돼.

A: 개의 꼬리가?

B: 그래. 몸이 회전하는 방향과 같은 방향으로 꼬리를 두는 것은 경로를 이탈하려는 경향을 줄이는 역할을 해.

Words and Phrases • fall over ~에 걸려 넘어지다 • reduce 줄이다 • tendency 경향 • spin 회전하다, 돌다 • off course 경로 밖으로

정답 전략 **5** 회전을 할 때, 개의 꼬리가 균형을 유지하는 데 도움이 된다는 내용이므로 ② '균형을 유지하는 개 꼬리의 역할'이 주제로 알맞다. ① 개의 체중이 속도에 미치는 영향 ③ 개의 나쁜 행동을 유발하는 요인 ④ 개를 제대로 훈련시키는 것의 중요성 ⑤ 개가 사람들에게 뛰어 오르는 이유

6 「동사(keep, stop, prevent)+목적어+from+V-ing」 구문은 '~가 …하는 것을 막다'라는 뜻이다. ③은 '개의 꼬리가 넘어지는 것을 돕는다'는 내용이므로 친구들과 다른 이야기를 하고 있다.

7

해석 **1** 다이아몬드는 여러 가지 이유로 매우 비싸다. 첫째, 다이아몬드는 찾기가 어렵다. 다이아몬드는 세계의 몇몇 장소에서만 발견된다. 둘째, 다이아몬드는 쓸모가 있다. 사람들은 다이아몬드를 사용하여 다른 돌을 깎는다. 셋째, 다이아몬드는 변하지 않는다. 다이아몬드는 수백만 년 동안 동일하게 유지된다. 그리고 마지막으로, 다이아몬드는 매우 아름답다.

2 지나는 2005년에 부산에서 태어났다. 그녀가 4살이 되었을 때, 그녀의 가족은 서울로 이사했다. 그녀는 2021년에 중학교를 마치고, 고등학교에 진학했다. 고등학교 1학년은 그녀에게 행복한 해였다. 그녀는 수업을 좋아했는데, 특히 영어를 좋아했다. 가을에 그녀는 영어 수필로 상을 받았다.

3 도시와 시골은 살기에 매우 다른 장소이다. 도시는 대부분 건물로 덮여 있지만, 시골은 대부분 농장과 나무로 구성되어 있다. 도시에서 교통 체증은 종종 견딜 수 없다. 그에 반해, 시골은 조용하고 여유롭다. 도시의 직업은 대부분 사무실과 관련 있다. 대조적으로, 시골 사람들은 농장에서 일하는데, 그들은 판매하기 위한 작물을 준비하고 기른다.

Words and Phrases • millions of 수백만의 • win a prize 상을 타다 • traffic 교통량 • unbearable 참을 수 없는

정답 전략 **1** 주제를 글의 앞에 제시하고 이를 뒷받침하는 근거를 서수를 이용하여 순차적으로 나열하고 있다. **2** 시간이나 공간상의 이동 순서에 따라 글이 진행되고 있다. 시간의 흐름에 맞게 글의 흐름을 살핀다. **3** 대조의 접속사를 사용하여 둘 이상의 소재에 대해 차이점을 설명하고 있다.

Book 1

WEEK

2

DAY **1** 개념 돌파 전략 ① CHECK

36~37쪽

1 ② **2** ③ **3** ①

해석 **1** 책을 통해 누군가 다른 사람의 삶 속으로 들어가 보기를 희망하는가? Human Library에서는 특별한 인생 이야기를 가진 사람들이 자원하여 "책"이 된다. 당신은 그들에게 질문을 하고 그들의 이야기를 들을 수 있다. 당신은 난민이나 외상 후 스트레스 장애를 갖고 있는 군인과 대화할 수 있다. 도서관은 사람들이 자신의 기존 관념에 도전하도록 장려하는데, 즉, 그렇지 않았으면 섣부른 판단을 내렸을 누군가에 대해 진정으로 알게 해 준다.

2 갑작스러운 성공이나 상금은 아주 위험할 수 있다. 신경학적으로, 흥분과 에너지의 강력한 분출을 유발하는 화학물질들이 뇌에서 분비되고, 이 경험을 (a)반복하고자 하는 욕구로 이어진다. 그것이 어떤 종류의 중독 또는 광적 행동의 출발점일 수 있다. 또한, 이익이 (b)빨리 얻어질 때, 우리는 진정한 성공이 정말 지속되기 위해서는 노력을 통해야 한다는 기본적인 지혜를 보지 못하는 경향이 있다. 우리는 그만큼의 돈이나 관심을 (c)잃는 것(→얻는 것)으로부터의 그 황홀감을 되찾기 위해 계속해서 시도한다.

3 예술가나 어린아이는 그들 앞에 놓인 것이 무엇이건 간에 그것을 도구, 장난감 또는 환경으로 그대로 받아들이고, 거기서부터 일을 진행한다. 현대 예술가 Vik Muniz는 고전 예술작품을 모사하기 위해 평범한 재료들을 이용한다. 그는 Leonardo Da Vinci의 '최후의 만찬'을 만들기 위해 초콜릿 시럽을 이용했으며 땅콩 버터와 젤리를 가지고 '모나리자'를 재현했다. 그는 자기 주변에 있는 것들을 자기 그림의 '채색용 물감'으로 이용한다. 완벽한 도구나 환경을 기다리지 않는 어린아이처럼, 예술가는 자기 주변에 가지고 있는 것으로부터 예술을 만들어낸다.

DAY **1** 개념 돌파 전략 ②

38~41쪽

1 ③ **2** ② **3** ③ **4** ③

1~2

해석 인간의 본성이 가진 근본적인 특성은 그것의 놀라운 적응력이다. 인간 (a)심리학의 영역에서, 연구는 행복한 것이든 매우 슬픈 것이든지 간에 인생의 사건들에 적응하는 본질적인 특성을 오랫동안 주목해 왔다. 사람이 어떠한 어려움을 겪든지 간에, 만족의 지표는 재빠르게 그것의 초기 수준으로 되돌아온다.

사람은 모든 것에 익숙해지는 것 같은데, 이는 안심시키기도 하고 우울하게 만들기도 한다. 그러므로 시간과 공간 전체에 걸쳐, 행복하고 불행한 사람들의 비율은 매우 (b)불안정하다(→ 안정적이다). 확실히 이것은 주로 인간의 놀라운 적응력과 모방력 때문이다. 어떤 재산 또는 어떤 발전이든 상대적이며, 다른 사람들과의 비교 속에서 빠르게 효력이 사라진다. 백만장자들에게 그들이 '진정으로 편안함'을 느끼게 하는 데 필요한 재산의 규모에 관해 물어보면, 그들이 이미 얻은 소득 수준이 어느 정도이든 간에, 똑같은 방식으로 대답하는데, 그들은 이미 소유하고 있는 것의 두 배를 원한다! 문제의 핵심은 사람들이 자기 자신의 적응력을 (c)예상하지 못한다는 것이다. 그들은 자신에게 (약간) 더 많은 것이 주어진다면 자신이 행복할 수 있을 것이고 그러면 자신이 만족할 것이라고 생각하지만, 그렇지 않다. '다가올' 수입의 증가는 항상 사람을 꿈꾸게 하는데, 하지만 그것을 일단 얻고 나면, 이 증가는 절대 (d)충분하지 않다. 왜냐하면 사람들이 그 열망의 필연적인 발전은 고려하지 않은 채, 자신의 '미래' 수입을 자신의 '현재' 열망과 비교하기 때문이다. 이것이 행복의 (e)헛된 추구에 대한 주된 해답이다.

1 정답 전략 이 글의 주제는 '인간은 놀라운 적응력을 갖고 있어서 행복하거나 만족하기 쉽지 않다'는 것이다. 따라서 제목으로 적절한 것은 ③ '인간: 지나치게 적응하여 행복을 느낄 수 없는'이다.
① 열망하라, 그러면 얻을 것이다 ② 백만장자들: 몽상가인가 아니면 현실주의자들인가? ④ 너무 바빠 인생의 기쁨을 인식할 수 없다고? ⑤ 행복을 미루는 것이 왜 성공하는가

2 정답 전략 인간은 행복한 상황이든 불행한 상황이든 빠르게 적응하고 만족의 지표가 원래대로 돌아오는 경향이 있으므로 결국 처음의 상태를 유지하게 된다. 따라서 행복한 사람과 불행한 사람의 비율은 크게 변화하지 않고 안정적이라고 하는 것이 적절하다. (b)의 unstable을 '안정적인'이라는 의미의 stable로 바꾸어야 한다.

끊어 읽기로 보는 구문

왜냐하면 사람들이 자신의 '미래' 수입을 자신의 '현재' 열망과 비교하기 때문이다 / 그 열망의 필연적인 발전은 고려하지 않은 채

For people compare their *future* income to their *current* aspirations, / without taking into account the inevitable evolution of the aspirations.

(For: 접속사(이유) / compare A to B: A를 B에 비교하다 / without taking: 전치사+동명사)

3~4

해석 전통적으로, 시스템은 기술 중심의 관점에서 설계되고 개발됐다. 공학자들은 각각의 기능을 실행하는 데 필요한 감지 장치와 시스템을 개발했다. 그런 다음 그들은 기기 조작자에게 그 특정한 시스템이 얼마나 잘 작동하고 있는지를 또는 그것의 현재 상태를 알려주는 각 시스템의 디스플레이를 제공했다. 그러므로 예를 들어, 항공기 조종실 안에는 고도, 대기 속도, 엔진 온도, 기타 등등을 위한 개별적인 디스플레이가 제공되었다. 기술이 향상됨에 따라, 점점 더 많은 디스플레이가 덧붙여졌다. 사람들에게는 이런 과정에 의해 만들어진 자료의 극적인 증가를 따라가려고 노력하는 일이 남겨졌다. 변화하는 과제와 상황에 직면할 때, 기기 조작자는 이용 가능한 그 모든 것에서 필요한 정보를 찾고, 분류하고, 통합하고, 처리하도록 요청받는데, 그것이 불가피하게 정보 격차로 이어진다.

불행하게도, 인간은 특정한 정보 처리의 병목 현상을 겪는다. 사람들은 한 번에 일정량의 정보에만 주의를 기울일 수 있다. 이러한 시스템에서 자료를 보여 주는 디스플레이는 자료를 생산하는 기술을 중심으로 이루어지기 때문에, 그것은 흔히 여기저기 흩어져 있고 인간이 하는 일을 뒷받침하는 데 이상적으로 맞춰져 있지 않다. 필요한 것을 찾기 위해서는 상당한 양의 추가적인 일이 요구되고, 기기 조작자가 정말로 알고 싶어 하는 정보를 산출하기 위해서는 추가적인 머릿속 처리가 요구된다. 이것은 불가피하게 필요한 것보다 더 많은 업무량과 실수를 초래한다. 따라잡기가 점점 더 어려워지게 되었다.

3 정답 전략 이 글의 주제는 인간이 아닌 기술 중심으로 설계된 시스템이 인간에게 제공하는 정리되지 않은 엄청난 양의 정보를 처리하기 어렵다는 내용이다. 따라서 이 글의 제목으로 가장 적절한 것은 ③ '기술 중심의 설계가 인간에게 적합한가?'이다.
① 계산 연습, 오늘날에는 더 이상 요구되지 않는다 ② 기술이 인간의 삶을 얼마나 빨리 개선하고 있는가? ④ 디스플레이는 정보 처리를 더 효과적으로 만든다 ⑤ 정보 시대: 집단 지성의 부산물

4 정답 전략 이 글의 주제는 '기술 중심으로 설계된 시스템이 제공하는 많은 정보를 인간이 필요로 하는 방식으로 처리하기가 어렵다'는 것이다. 빈칸이 있는 문장 바로 앞에서도 이러한 정보 제공으로 인해 더 많은 업무가 생기고 실수가 발생한다고 했으므로 ③ '따라잡기'가 점점 더 어려워지고 있다고 하는 것이 자연스럽다.
① 탈락, 떨어져 나가기 ② 모으기 ④ 되갚아주기 ⑤ 눈에 띄기

끊어 읽기로 보는 구문

그런 다음 그들은 제공했다 / 각 시스템의 디스플레이를 / 기기 조작자에게 알려주는 / 그 특정한 시스템이 얼마나 잘 작동하고 있는지를 / 또는 그것의 현재 상태를

They then provided / a display for each system / that informed the operator / of how well that particular system was operating / or its present status.

(a display: 선행사 / that: 주격 관계대명사 / inform A of B: A에게 B에 관해 알리다 / of how well ... was operating: 간접의문문: 의문사(구)+주어+동사)

[대표 유형] 1 ③ 2 ② | 1 ② 2 ③ 3 ② 4 ④

[대표 유형] 지문 한 눈에 보기

❶ Industrial capitalism not only created work, / it also created 'leisure' / in the modern sense of the term. ❷ This might seem surprising, / for the early cotton masters wanted to keep their machinery running / as long as possible / and forced their employees to work / very long hours. ❸ However, / by requiring continuous work during work hours / and ruling out non-work activity, / employers had (a) separated out leisure from work. ❹ Some did this quite explicitly / by creating distinct holiday periods, / when factories were shut down, / because it was better to do this / than have work (b) promoted (→ disrupted) / by the casual taking of days off. ❺ 'Leisure' as a distinct non-work time, / whether in the form of the holiday, weekend, or evening, / was a result of the disciplined and bounded work time / created by capitalist production. ❻ Workers then wanted more leisure / and leisure time was enlarged by union campaigns, / which first started in the cotton industry, / and eventually new laws were passed / that (c) limited the hours of work / and gave workers holiday entitlements. ❼ Leisure was also the creation of capitalism / in another sense, / through the commercialization of leisure. ❽ This no longer meant participation / in traditional sports and pastimes. ❾ Workers began to (d) pay for leisure activities / organized by capitalist enterprises. ❿ Mass travel to spectator sports, / especially football and horse-racing, / where people could be charged for entry, / was now possible. ⓫ The importance of this can hardly be exaggerated, / for whole new industries were emerging / to exploit and (e) develop the leisure market, / which was to become a huge source / of consumer demand, employment, and profit.

- not only *A* (but) also *B*: A뿐만 아니라 B도
- for: 접속사(이유): 왜냐하면 ~ 때문이다
- as long as possible: 가능한 한 오래
- forced: 동사 / their employees: 목적어 / to work: 목적격 보어
- requiring: 병렬 구조 1 / ruling: 병렬 구조 2
- distinct holiday periods: 선행사 / when: 관계부사
- have work (b) promoted (→ disrupted): 사역동사 have의 목적어와 목적격 보어: 수동 관계
- 'Leisure': 주어 / was: 동사
- whether: 접속사: ~이든 아니든
- created by capitalist production: 과거분사구: the disciplined ~ work time을 수식
- which: 계속적 용법의 주격 관계대명사: 선행사는 앞문장
- new laws: 선행사 / that: 주격 관계대명사
- organized by capitalist enterprises: 과거분사구: leisure activities 수식
- Mass travel: 주어 / spectator sports: 선행사 / where: 관계부사 / was: 동사
- for: 접속사(이유): 왜냐하면 ~ 때문이다
- the leisure market: 선행사 / which: 계속적 용법의 주격 관계대명사

해석 ❶ 산업 자본주의는 일거리를 만들어 냈을 뿐만 아니라, 그 말의 현대적 의미의 '여가' 또한 만들어 냈다. ❷ 이것은 놀라운 것으로 보일지도 모르는데, 초기의 목화 농장주들은 자신들의 기계를 가능한 한 오래 가동하기를 원했고, 자신들의 일꾼들에게 매우 긴 시간을 일하도록 강요했기 때문이다. ❸ 하지만, 근무 시간 동안 지속적인 일을 요구하고 비업무 활동을 배제함으로써, 고용주들은 여가를 업무와 (a)분리했다. ❹ 몇몇 고용주들은 공장이 문을 닫는 별도의 휴가 기간을 만들어서 이것을 매우 명시적으로 했는데, 이렇게 하는 것이 비정기적인 휴가를 내는 것에 의해 일을 (b)진척시키는(→ 중단시키는) 것보다 더 나았기 때문이었다. ❺ 휴일의 형태이건, 주말의 형태이건, 혹은 저녁이라는 형태이건, 일하지 않는 별도의 기간으로서의 '여가'는 자본주의 생산으로 만들어진 통제되고 제한된 근로 시간의 결과였다. ❻ 그 후 노동자들은 더 많은 여가를 원했고, 여가 시간은 노동조합 운동에 의해 확대되었는데, 이 일은 면화 산업에서 맨 처음 시작되어, 결국 노동 시간을 (c)제한하고 노동자들에게 휴가의 권리를 주는 새로운 법이 통과되었다.

❼ 여가는 다른 의미에서 또한 여가의 상업화를 통한 자본주의의 창조였다. ❽ 이것은 더 이상 전통적인 스포츠와 오락에 참여하는 것을 의미하지 않았다. ❾ 노동자들은 자본주의 기업이 조직한 여가 활동에 돈을 (d)지불하기 시작했다. ❿ 사람들에게 입장료를 받을 수 있는 관중 스포츠, 특히 축구와 경마로의 대중의 이동이 이제는 가능해졌다. ⓫ 이것의 중요성은 아무리 강조해도 지나치지 않는데, 왜냐하면 완전히 새로운 산업이 출현해 레저 시장을 개발하고 (e)발전시키고 있기 때문이었으며, 그 시장은 소비자의 수요, 고용, 그리고 이익의 거대한 원천이 될 것이었다.

정답 전략 1 이 글의 중심 내용은 산업 자본주의에서 효율적인 생산을 위해 고용주들이 노동자의 여가를 허용했고, 이것이 확대되어 자

본주의에서의 여가 산업을 만들어 냈다는 것이다. 따라서 글의 제목으로는 ③ '자본주의에서의 여가의 탄생과 진화'가 가장 적절하다.
① 노동자들을 만족시키기 위해 필요한 것 ② 노동자들이 더 많은 여가를 위해 투쟁해온 이유 ④ 일과 여가 사이의 균형을 맞추는 방법 ⑤ 현대 레저 산업의 밝은 면과 어두운 면

2 글의 흐름상 고용주들이 별도의 휴가 기간을 만든 것은 생산성을 더 높게 하기 위해서이다. 따라서 별도의 휴가 기간을 주는 것과 대비되는 '비정기적인 휴가'는 일을 진척시키는 것이 아니라 중단시켰을 것이다. (b)의 promoted를 '중단시키는, 방해받는'이라는 의미를 지닌 disrupted로 바꿔 써야 한다.

1~2 지문 한눈에 보기

❶ As a couple start to form a relationship, / they can be seen to develop a set of constructs / about their own relationship / and, in particular, / how it is similar or different / to their parents' relationship. ❷ The couple's initial disclosures / involve them forming constructs / about how much similarity there is / between them and each other's families. ❸ What each of them will remember / is selective and (a) coloured / by their family's constructs system. ❹ In turn / it is likely / that as they tell each other / their already edited stories, / there is a second process of editing / whereby what they both hear from each other / is again (b) interpreted / within their respective family of origin's construct systems. ❺ The two sets of memories / — the person talking about his or her family / and the partner's edited version of this story — / go into the 'cooking-pot' of the couple's new construct system. ❻ Subsequently, / one partner may (c) randomly (→ systematically) recall / a part of the other's story / as a tactic in negotiations: / for example, / Harry may say to Doris / that she is being 'bossy — just like her mother'. ❼ Since this is probably based on what Doris has told Harry, / this is likely to be a very powerful tactic. ❽ She may protest / or attempt to rewrite this version of her story, / thereby possibly adding further material / that Harry could use in this way. ❾ These exchanges of stories / need not always be (d) employed / in such malevolent ways. ❿ These reconstructed memories can become very powerful, / to a point / where each partner may become confused / even about the simple (e) factual details / of what actually did happen / in their past.

(As: 접속사(시간): ~일 때 / to form: 명사적 용법(목적어) / be seen to develop: 지각동사의 수동태 / involve them forming: 동사(involve)+동명사의 의미상 주어(them)+동명사(forming) / What each of them will remember: 주어(명사절) / is: 동사 / it: 가주어 / that: 진주어 / as: 접속사(시간): ~일 때 / editing: 동명사 / whereby: 관계부사: a second process 수식 / what they both hear from each other: 주어(명사절) / is: 동사 / talking about his or her family: 현재분사구(능동): the person 수식 / edited: 과거분사(수동): version 수식 / as: 전치사: ~로서 / that: 명사절을 이끄는 접속사 / like: 전치사: ~와 같이 / Since: 접속사(이유) / to rewrite: 명사적 용법(목적어) / thereby possibly adding: 분사구문: and she thereby possibly adds / further material: 선행사 / that: 목적격 관계대명사 / not always: 부분 부정: 항상 ~인 것은 아니다 / a point: 선행사 / where: 관계부사 / what: 선행사를 포함하는 관계대명사 / did: 동사 happen 강조)

해석 ❶ 한 커플이 관계를 형성하기 시작할 때, 그들이 자신들의 관계에 대해 특히 그 관계가 그들의 부모의 관계와 얼마나 비슷하거나 다른지에 대해 일련의 구성된 생각을 발전시키는 것을 볼 수 있다. ❷ 그 커플이 초반에 터놓는 이야기에서 그들은 그들과 서로의 가족들 사이에 얼마나 많은 유사점이 있는지에 대한 구성된 생각을 형성하는 것을 포함한다. ❸ 그들 각자가 기억하게 될 것은 선택적이며 그들 가족의 구성된 생각 체계에 의해 (a)채색된다. ❹ 결국 그들이 각자에게 자신들의 이미 편집된 이야기를 들려줄 때, 서로에게서 듣는 내용이 그들 각자의 원가족의 구성된 생각 체계 내에서 다시 (b)해석되는 두 번째 편집 과정이 있다. ❺ 자신의 가족에 관해 이야기하는 사람과 이 이야기를 파트너가 편집한 버전이라는 두 세트의 기억이 그 커플의 새로운 구성된 생각 시스템이라는 '요리용 냄비'로 들어간다. ❻ 그 뒤에, 한 파트너가 상대방의 이야기 일부분을 (c)무작위로(→ 체계적으로) 상기하여 협상에서의 전술로 쓸지도 모른다. 예를 들어, Harry는 Doris에게 그녀가 '마치 그녀의 어머니처럼 우두머리 행세를 하고' 있다고 말할 수도 있다. ❼ 이것은 아마 Doris가 Harry에게 했던 말에 기반하고 있기 때문에, 이것이 매우 강력한 전술이 될 가능성이 있다. ❽ 그녀는 이의를 제기하거나 자신의 이야기의 이 버전을 다시 쓰려고 시도할지도 모르는데, 그것 때문에 Harry가 이런 식으로 이용할 수도 있을 추가 자료를 더할 수도 있다. ❾ 이야기들의 이러한 교환이 항상 그러한 악의적인 방식으로 (d)이용될 필요는 없다. ❿ 이렇게 재구성된 기억들은 매우 강력할 수 있어서, 각 파트너가 그들의 과거에 실제 일어났던 일의 간단한 (e)사실적 세부사항에 대해서조차 혼란스러워하는 지경까지 이를 수 있다.

정답 전략 1 커플이 관계를 형성할 때, 부모 등 가족 이야기를 털어놓고, 그들이 주고받는 이야기는 각자의 구성된 생각 속에서 다시 해석된다고 했다. 그리고 결국 가족에 대해 주고받은 이야기가 이야

기를 한 사람과 들은 사람이 각각 편집한 두 가지 버전으로 두 사람의 구성된 생각 체계에 들어온다는 것이 이 글의 중심 내용이다. 따라서 글의 제목으로는 ② '커플 형성하기: 가족 이야기 재구성하기'가 가장 적절하다.

① 가족 이야기가 커플의 진짜 면모를 드러낸다 ③ 가족 재회의 기반 재구성하기 ④ 사랑의 재구성: 부모의 일화 상기하기 ⑤ 커플들의 문제점을 넘어서: 조화 재구성하기

2 (c)가 있는 문장 바로 앞에서 각자의 가족에 대한 이야기가 두 사람의 '구성된 생각 체계'로 들어갔다고 했고, 바로 뒤에서는 상대가 한 말 중 자신에게 유리한 전술이 되는 것을 선택해 사용하는 예를 보여 주고 있으므로 (c)의 randomly 대신 '체계적으로'라는 의미의 systematically로 바꿔 쓰는 것이 적절하다.

3~4 지문 한 눈에 보기

❶ The history of the twentieth century revolved / to a large extent / around the (a) reduction of inequality / between classes, races, and genders. ❷ Though(접속사(양보): ~이긴 하지만) the world of the year 2000 still had / its share of hierarchies, / it was nevertheless a far(비교급 강조) more equal place / than the world of 1900.(비교급: ~ 보다 더 …하다) ❸ So people expected / that(명사절을 이끄는 접속사) the egalitarian process would continue / and even accelerate. ❹ In particular, they hoped / that(접속사: that 이하가 hope의 목적어절 1) globalization would (b) spread economic prosperity / throughout the world, / and(등위 접속사) that(접속사: that 이하가 hope의 목적어절 2) as a result / people in India and Egypt / would come to enjoy the same opportunities and privileges / as people in Finland and Canada. ❺ An entire generation grew up / on this promise.

❻ Now it(가주어) seems / that this promise might not be fulfilled(진주어). ❼ Globalization has certainly benefited / large segments of humanity, / but there are signs of growing inequality / both between and within societies.(both *A* and *B*: A와 B 둘 다) ❽ Some groups increasingly (c) monopolize / the fruits of globalization, / while(접속사(대조): ~하는 반면에) billions are left behind. ❾ Today, the richest 1 percent own / half the world's wealth. ❿ This situation could get far(비교급 강조: 훨씬) worse. ⓫ The rise of AI might eliminate / the economic value and political power / of most humans. ⓬ At the same time, / improvements in biotechnology might make it(가목적어) (d) impossible (→ possible) / to translate economic inequality into biological inequality(진목적어: translate *A* into *B* (A를 B로 전환하다)). ⓭ The superrich will finally have something really worthwhile / to do with their enormous wealth. ⓮ While(접속사(대조): ~이긴 하지만) up until now they have only been able to buy / little more than status symbols, / soon they might be able to buy life itself. ⓯ If(접속사(조건)) new treatments(주어) / for extending(동명사 1) life and upgrading(동명사 2) physical and cognitive abilities / prove(동사) to be (e) expensive, / humankind might split into biological castes.

해석 ❶ 20세기의 역사는 주로 계급, 인종, 그리고 성별 간 불평등의 (a)감소를 중심으로 돌아갔다. ❷ 2000년의 세계에는 여전히 계급제의 일부가 남아 있었지만, 그럼에도 불구하고 1900년의 세계보다는 훨씬 더 평등한 곳이었다. ❸ 따라서 사람들은 인류 평등주의의 과정이 계속 이어지고 심지어 가속화할 것으로 기대했다. ❹ 특히, 그들은 세계화가 경제적 번영을 전 세계에 (b)확산시킬 것이고, 그 결과 인도와 이집트의 사람들이 핀란드와 캐나다의 사람들과 같은 동일한 기회와 특권을 누리게 될 것을 희망했다. ❺ 한 세대 전체가 이 약속에 기대어 성장했다.

❻ 이제 이 약속은 이행되지 않을 것 같아 보인다. ❼ 세계화가 인류의 커다란 부분에 분명히 혜택을 주었지만, 사회들 간에 그리고 사회 내부에서 모두 커져가는 불평등의 조짐이 있다. ❽ 수십억의 사람들은 뒤에 남겨진 반면에, 일부 집단은 점점 더 세계화의 결실을 (c)독점한다. ❾ 오늘날, 최고 부유층 1퍼센트가 세계 부의 절반

을 소유하고 있다. ⑩ 이러한 상황은 훨씬 더 악화될 수 있다. ⑪ 인공 지능의 부상은 대다수 인간의 경제적 가치와 정치적 힘을 소멸시킬 수도 있다. ⑫ 동시에, 생명 공학의 발전은 경제적 불평등을 생물학적 불평등으로 전환하는 것을 (d)불가능하게(→ 가능하게) 만들지도 모른다. ⑬ 엄청난 부자들은 그들의 막대한 부를 가지고 정말로 할 가치가 있는 것을 마침내 갖게 될 것이다. ⑭ 지금까지는 고작해야 지위를 상징하는 데 지나지 않는 것들만 살 수 있었지만, 곧 그들은 생명 그 자체를 살 수 있을지도 모른다. ⑮ 생명을 연장하고 신체적, 인지적 능력을 개선하는 새로운 치료법이 (e)비용이 많이 드는 것으로 밝혀지면, 인류는 생물학적 계급으로 나뉘게 될지도 모른다.

정답 전략 **3** 사람들은 불평등이 계속 감소해온 것처럼 앞으로도 불평등이 감소하고 세계화로 인한 혜택을 전 세계 모두 받을 수 있을 거라고 기대했지만, 이제 경제적 불평등이 증가하는 조짐이 있으며 부에 의해 생물학적 계급이 나뉠 가능성도 있는 시대가 왔다는 것이 이 글의 중심 내용이다. 따라서 이 글의 핵심 소재는 평등과 불평등이다. 제목으로 가장 적절한 것은 ② '우리는 더 평등한 사회로 향하고 있는가?'이다. 제목이 의문문일 때, 이에 대한 답이 글의 주제라는 것에 유의한다.

① 물질적 부에서 정신적 부까지 ③ 세계화: 평등한 사회로 향하는 한 걸음 ④ 인공 지능: 우리의 하인인가 아니면 우리의 주인인가? ⑤ 부자와 가난한 자 사이의 격차를 해소하는 방법

4 (d) 생명 공학의 발전으로 부자들은 생명 그 자체를 살 수 있을지도 모르며, 신체적, 인지적 능력을 개선하는 치료법에 드는 비용 때문에 인류가 생물학적 계급으로 나뉠지도 모른다고 했으므로, 생명 공학의 발전은 경제적 불평등을 생물학적 불평등으로 전환되는 것을 '가능하게' 해 줄 것이다. 따라서 (d)의 impossible을 '가능한'이라는 의미의 possible로 고치는 것이 적절하다.

DAY **3** 필수 체크 전략 ①, ②

48~53쪽

[대표 유형] 1 ① 2 ② | 1 ② 2 ① 3 ① 4 ②

[대표 유형] 지문 한눈에 보기

❶ We might describe science / that has no known practical value / as basic science or basic research. (describe *A* as *B*: A를 B로 기술하다; that: 주격 관계대명사: that 이하가 science를 수식) ❷ Our exploration of worlds / such as Jupiter / would be called basic science, / and it (가주어) is easy to argue (진주어) / that (명사절을 이끄는 접속사) basic science is not worth the effort and expense / because (접속사(이유): 왜냐하면 ~때문이다) it has no known practical use. ❸ Of course, / the problem is that (명사절을 이끄는 접속사) we have no way / of knowing what (의문 형용사) knowledge will be of use / until (접속사: ~할 때까지) we acquire that knowledge. ❹ In the middle of the 19th century, / Queen Victoria is supposed to have asked / physicist Michael Faraday / what good his experiments with electricity and magnetism were (간접의문문: 의문사(구)+주어+동사). ❺ He answered, / "Madam, what good is a baby?" (what good is ~?: 무슨 도움이 되는가?) ❻ Of course, / Faraday's experiments were / the beginning of the electronic age. ❼ Many of the practical uses (주어) of scientific knowledge / that (주격 관계대명사) fill our world — transistors, vaccines, plastics — / began (동사) as basic research. ❽ Basic scientific research provides the raw materials (선행사) / that (목적격 관계대명사) technology and engineering use / to solve problems.

❾ Basic scientific research has / yet (또(횟수의 증가를 강조)) one more important use (선행사) / that (주격 관계대명사) is so valuable / it (가주어) seems an insult to refer to it / as merely functional (진주어). ❿ Science is the study of nature, / and as (접속사: ~함에 따라) we learn more / about how nature works (간접의문문: 의문사(구)+주어+동사), / we learn more / about what our existence in this universe means for us (간접의문문: 의문사(구)+주어+동사). ⓫ The seemingly impractical knowledge / we gain from space probes to other worlds (앞에 목적격 관계대명사 생략: impractical knowledge 수식) / tells us about our planet / and our own role / in the scheme of nature. ⓬ Science tells us / where we are and what we are, / and that knowledge is beyond value.

해석 ❶ 우리는 알려진 실용적 가치를 갖고 있지 않은 과학을 기초 과학 혹은 기초 연구로 기술할 수 있다. ❷ 목성과 같은 세계에 대한 우리의 탐사는 기초 과학으로 불릴 것이며, 기초 과학은 알려진 실용적 용도를 지니지 않으므로 노력과 비용을 들일만한 가치가 없다고 주장하기 쉽다. ❸ 물론, 문제는 우리가 그 지식을 얻을 때까지는 어떤 지식이 쓸모가 있을 것인지를 알아낼 방법을 우리는 전혀 갖지 못한다는 것이다. ❹ 19세기 중반에, Victoria 여왕이 물리학자인 Michael Faraday에게 전기와 자성에 관한 그의 실험이 무슨 도움이 되는지 물었다고 한다. ❺ 그는 "여왕님, 아기는 무슨 도움이 됩니까?"라고 대답했다. ❻ 물론, Faraday의 실험은 전자 시대의 시작이었다. ❼ 우리의 세상을 채우고 있는 많은 과학적 지식의 실용적 사용 ― 트랜지스터, 백신, 플라스틱 ― 은 기초 연구로서 시작되었다. ❽ 기초 과학 연구는 문제점을 해결하기 위해서 기술과 공학이 사용하는 원료를 제공한다.
❾ 기초 과학 연구는 매우 중요한 것이어서 그것을 단순히 기능적인 것으로 언급하는 것은 모욕적인 말처럼 들리는 또 한 가지 더 중요한 쓰임을 지니고 있다. ❿ 과학은 자연을 연구하는 학문이며, 우리가 자연이 어떻게 작용하는지에 대해 더 많이 알게 됨에 따라 우리는 이 우주 안에서 우리의 존재가 우리에게 무엇을 의미하는지에 대해 더 많은 것을 알게 된다. ⓫ 외부 세계에 대한 우주탐사기로부터 우리가 얻는 비현실적인 지식으로 보이는 것이 우리에게 우리의 행성에 대해 알려주고 자연의 체계 안에서의 우리 자신의 역할에 대해 알려준다. ⓬ 과학은 우리에게 우리가 어디에 있으며 그리고 우리가 무엇인지 말해주며, 그러한 지식은 가치를 넘어서는 것이다.

정답 전략 **1** 이 글의 주제는 기초 과학과 기초 연구의 필요성, 그리고 이것이 우리에게 갖는 의미이다. 따라서 제목으로 가장 적절한 것은 ① '기초 과학이 우리에게 무엇을 가져다 주는가?'이다.
② 기초 과학 연구자들의 위기 ③ 과학과 기술의 공동 목표 ④ 기술: 기초 과학의 궁극적인 목표 ⑤ Michael Faraday, 전자 시대의 개척자!

2 외부 세계에 대한 우주탐사기로부터의 지식이 '비현실적인' 것으로 보일 수 있지만, 그것이 우주 안에서 인간 존재의 의미와 자연에서의 인간의 역할 등에 대해 말해준다고 하는 것이 자연스럽다. 이 글 초반에 기초 과학을 알려진 실용적 가치를 갖고 있지 않은 과학이라고 정의하고 있었다는 것에 유의한다.
① 적용되는 ③ 부정확한 ④ 값을 매길 수 없는 ⑤ 지략이 풍부한

1~2 지문 한눈에 보기

❶ Alex Pentland's Human Dynamics Laboratory at MIT / investigated a huge Bank of America call center (선행사) / where (관계부사) the emphasis was on productivity; / reducing (주어(동명사)) the average call handle time / at that one call center by just 5 percent / would save (동사) the company $1 million a year. ❷ The bank grouped employees / into teams of about twenty, (group *A* into *B*: A를 B로 분류하다) / but they didn't interact much, / in part because their work was entirely solitary, / sitting (분사구문: as they were sitting) in a cubicle with a phone and a computer. ❸ They were unlikely to run into / each other very often anyway / because (접속사(이유): ~때문에) the bank staggered break times / in order to (~하기 위해) keep staffing levels steady (keep의 목적어와 목적격 보어). ❹ Here was a team (선행사) / that (주격 관계대명사) barely justified the term. ❺ Yet the members did (동사 interact 강조) interact a bit, / and when (접속사(시간): ~일 때) Pentland asked (동사) them (목적어) / to wear (목적격 보어) the sociometric badges for six weeks, / he found / that the best predictor of team productivity / was how much the members interacted (간접의문문: 의문사(구)+주어+동사) / in the little time they had (앞에 목적격 관계대명사 생략: the little time 수식), / and what (선행사를 포함하는 관계대명사) he calls "engagement," / the degree to which (전치사+관계대명사: which 이하가 the degree 수식) all team members were involved in the interaction. ❻ So Pentland proposed / that (명사절을 이끄는 접속사) managers try an experiment: / Give a whole twenty-person team their coffee break / at the same time. ❼ In a call center of over 3,000 employees, / it (가주어) was easy / to shift others' breaks to maintain service (진주어). ❽ The result was / that (명사절을 이끄는 접속사) group members interacted more, / though (접속사(양보): ~이긴 하지만) it still wasn't much; / more of them were involved in the interaction; / and productivity rocketed. ❾ The effects were so clear / that (so ~ that(결과): 너무 ~해서 …하다) the bank switched to team-based breaks / at all its call centers, / estimating (분사구문: and it(the bank) estimated) / the move would save $15 million a year.

해석 ❶ MIT에 있는 Alex Pentland의 인간 역학 실험실은 생산성에 주안점을 두고 있던 Bank of America의 한 대규모 콜센터를 조사했고, 그 콜센터 한 곳에서 평균 통화 처리 시간을 5퍼센트만 줄이면 회사는 연간 1백만 달러를 절약할 것으로 보았다. ❷ 그 은행은 직원을 20명 정도의 팀들로 조직했지만, 부분적으로는 자신들의 업무가 전화 한 대와 컴퓨터 한 대가 있는 칸막이가 설치된 작은 공간에 앉아 완전히 혼자서 일했기 때문에 그들은 상호 작용을 많이 하지 않았다. ❸ 은행이 직원 배치 수준을 일정하게 유지하기 위해 쉬는 시간을 서로 엇갈리게 했기 때문에, 어쨌든 그들이 서로 자주 마주칠 가능성은 낮았다. ❹ 그 용어를 거의 정당화하기 힘든 팀이 여기에 있었던 것이다.

❺ 하지만 팀원은 약간의 상호 작용을 했는데, Pentland가 6주 동안 그들에게 사회관계를 측정하는 배지를 착용해 달라고 요청했을 때, 그는 팀 생산성의 가장 좋은 예측 변수는 팀원들이 자신들이 갖고 있는 매우 짧은 시간 동안 얼마나 많이 상호 작용을 하느냐는 것과, 팀의 모든 구성원들이 상호 작용에 참여하는 정도, 즉 그가 '상호 작용의 깊이'라고 부르는 것이라는 것을 알아냈다. ❻ 그래서 Pentland는 관리자들이 20명의 팀원 모두에게 동시에 커피 휴식 시간을 주는 실험을 해 볼 것을 제안했다. ❼ 3,000명이 넘는 직원들이 있는 콜센터에서, 다른 사람의 쉬는 시간을 옮겨 서비스를 유지하는 것은 쉬웠다. ❽ 결과는 여전히 많지는 않았지만 그룹 구성원들은 더 많이 상호 작용을 했고, 그 구성원들 중 더 많은 사람들이 상호 작용에 참여했으며, 생산성이 급증했다. ❾ 그 효과는 너무나 분명해서, 그 은행은 모든 콜센터에서 팀 기반 휴식 시간으로 전환하였고, 그 조치로 연간 1,500만 달러를 절약할 수 있을 것으로 추정했다.

정답 전략 **1** 콜센터에서 이루어진 실험을 통해, 혼자 하는 업무일지라도 팀원들과 사회적으로 상호 작용을 할 때 생산성이 더 올라간다는 결과가 나왔다는 것이 이 글의 중심 내용이다. 따라서 글의 제목으로 가장 적절한 것은 ② '사회적 상호 작용: 성과의 촉진제'이다.
① 더 많은 일을 하고 싶은가? 더 천천히 일하라 ③ 인간 관계가 스트레스의 원인이 될 수 있다 ④ 성공적인 경영은 권력의 분배에 달려 있다 ⑤ 높은 생산성: 직업 만족도의 지표가 아님

2 빈칸이 있는 문장 앞에 한 팀 전체가 동시에 휴식 시간을 가지면서 더 많은 상호 작용을 했을 때 생산성이 급증했다고 했으므로, 은행은 콜센터의 쉬는 시간을 '팀 기반의' 쉬는 시간으로 바꾸었다고 하는 흐름이 자연스럽다.
② 장기간의 ③ 소음이 없는 ④ 시간 제한의 ⑤ 지도자가 시작하는

3~4 지문 한눈에 보기

❶ Increased size affects / group life in a number of ways. ❷ There is evidence / that larger groups (five or six members) / are more productive than smaller groups (two or three members). ❸ Members of larger groups / tend to offer more suggestions than members of smaller groups, / and although they seem to reach less agreement, / they also show less tension. ❹ These differences may reflect / the greater need of larger groups / to solve organizational problems. ❺ Members may realize / that their behavior must become more goal-directed, / since it is unlikely / that they can coordinate their actions / without making a special effort to do so. ❻ Larger groups also put more pressure on their members / to conform. ❼ In such groups, / it is harder / for everyone to take part equally in discussions / or to have the same amount of influence on decisions.
❽ There is evidence / that groups with an even number of members / differ from / groups with an odd number of members. ❾ The former disagree more than the latter / and suffer more deadlocks / as a result. ❿ Groups with an even number of members / may split into halves. ⓫ This is impossible / in groups with an odd number of members — / one side always has a numerical advantage. ⓬ According to some researchers, / the number five has special significance. ⓭ Groups of this size / usually escape the problems / we have just outlined. ⓮ Moreover, they are not plagued / by the fragility and tensions / found in groups of two or three. ⓯ Groups of five

(주석: that – 동격의 that(that 이하가 evidence와 동격); more productive than – 비교급: ~보다 더 생산적인; more suggestions than – 비교급: ~보다 더 많은 제안들; although – 접속사(양보): 비록 ~하더라도; that(❺) – 명사절을 이끄는 접속사; since – 접속사(이유): ~ 때문에; it – 가주어; that they can coordinate their actions – 진주어; making – 동명사; put more pressure on their members to conform – put pressure on someone to do : ~에게 …하도록 압력을 가하다; it(❼) – 가주어; for everyone – 의미상 주어; to take part equally in discussions – 진주어 1; to have the same amount of influence on decisions – 진주어 2; that(❽) – 동격의 that(that 이하가 evidence와 동격); more than – 비교급: ~보다 더 많이; Groups – 주어; may split – 동사; we have just outlined – 앞에 목적격 관계대명사 생략: the problems 수식; found in groups of two or three – 과거분사구: the fragility and tensions 수식)

rate high / in member satisfaction; / because of the odd number of members, / deadlocks are unlikely / when disagreements occur.

because of+명사구: ~ 때문에 / 접속사: ~일 때

해석 ❶ 증가된 크기는 여러 방면으로 집단의 생활에 영향을 준다. ❷ (5명 또는 6명의 구성원으로 이루어진) 규모가 더 큰 집단이 (2명 또는 3명의 구성원으로 이루어진) 규모가 더 작은 집단보다 더 생산적이라는 증거가 있다. ❸ 규모가 더 큰 집단의 구성원들은 규모가 더 작은 집단의 구성원들보다 더 많은 제안을 하는 경향이 있고, 비록 그들이 더 적게 의견 일치에 이르는 것 같더라도, 또한 긴장이 덜하다는 것을 보여 준다. ❹ 이러한 차이는 조직의 문제를 해결하기 위한 규모가 더 큰 집단의 더 큰 요구를 반영하는 것일 수 있다. ❺ (규모가 더 큰 집단의) 구성원들은 그렇게 하고자 하는 특별한 노력 없이 자신의 행동을 조정할 수 있을 것 같지 않기 때문에 자신의 행동이 더 목표 지향적이 되어야 한다는 것을 깨달을 수도 있다. ❻ 규모가 더 큰 집단은 또한 구성원들에게 순응하도록 더 큰 압력을 가한다. ❼ 그런 집단에서, 모든 이들이 동등하게 논의에 참여하거나 의사 결정에 같은 정도의 영향을 끼치기는 더 어렵다.
❽ 구성원이 짝수인 집단이 홀수인 집단과 다르다는 증거가 있다. ❾ 전자는 후자보다 의견이 더 많이 일치하지 않고, 결과적으로 더 많은 교착 상태를 겪는다. ❿ 짝수 구성원인 집단은 반반으로 나뉠지도 모른다. ⓫ 이것은 구성원이 홀수인 집단에서는 불가능한데, 한 쪽이 항상 수적인 우위에 서기 때문이다. ⓬ 몇몇 연구자들에 따르면, 5라는 숫자가 특별한 중요성을 지닌다. ⓭ 이 크기의 집단은 일반적으로 우리가 방금 간략하게 기술했던 그 문제들을 모면한다. ⓮ 게다가, 그 집단들은 2명 내지 3명으로 이루어진 집단에서 발견되는 취약함과 긴장 상태로 괴로워하지 않는다. ⓯ 구성원이 5명인 집단은 구성원의 만족도에서 높은 평가를 받는데, 구성원의 수가 홀수로 이루어져 있어서, 의견 충돌이 일어나더라도 교착 상태가 일어날 가능성은 없기 때문이다.

정답 전략 **3** 집단 구성원의 많고 적음, 또는 구성원 수가 짝수인지 홀수인지가 집단과 그 구성원에게 영향을 미친다는 것이 이 글의 요지이다. 따라서 ① '집단 구성원의 수가 왜 중요한가'가 제목으로 가장 적절하다.
② 직장에서의 개성 대 집단성 ③ 동등한 기회: 최대의 만족을 향하여 ④ 집단 내의 갈등에 대처하는 방법 ⑤ 집단 크기에 대한 합의가 성과를 가져온다!
4 다섯 명으로 이루어진 집단은 앞에서 간략히 기술했던 문제, 즉 구성원의 수가 짝수라서 반반으로 쪼개지는 문제를 '피할 수 있다'. 빈칸이 있는 문장 앞에 '홀수인 집단에서는 짝수인 집단에서 나타나는 의견이 반반으로 갈리는 문제가 일어나지 않는다'는 내용의 왔다는 점에 유의한다. 따라서 빈칸에는 ② '모면한다'가 가장 적절하다.
① 탐색한다 ③ 반영한다 ④ 일으킨다 ⑤ 단계적으로 확대한다

누구나 합격 전략

54~57쪽

1⑤ **2**① **3**② **4**③

1~2 지문 한눈에 보기

❶ A group of researchers / designed a study / about recycling. ❷ Participants were told / that they would be evaluating a new brand of scissors. ❸ The process required them / to rate how good the scissors were / at cutting out shapes / from a stack of 200 sheets of plain white paper. ❹ Half the participants tested the scissors / in a room / where there weren't any recycling facilities, / only a trash can. ❺ The other half completed the task / in a room / where recycling facilities were available / in addition to a regular trash can. ❻ The participants were purposely not given any specific instructions / about the sizes of the shapes / or the amount of paper / that they should use in the task. ❼ Instead they were simply told / to dispose of any scraps / in the containers provided. ❽ Then they completed a "green attitude" questionnaire / that asked them / about their beliefs and attitudes / toward the environment.

were told: 수동태: 들었다 / that: 명사절을 이끄는 접속사 / would be evaluating: 조동사의 진행형 / required: 동사 / them: 목적어 / to rate: 목적격 보어 / how good the scissors were: 간접의문문: 의문사(구)+주어+동사 / cutting: 동명사 / a room: 선행사 / where: 관계부사 / a room: 선행사 / where: 관계부사 / in addition to: ~에 더하여 / paper: 선행사 / that: 목적격 관계대명사 / to dispose: 명사적 용법 / provided: 과거분사: the containers 수식 / a "green attitude" questionnaire: 선행사 / that: 주격 관계대명사

❾ The results were quite simply startling. ❿ Participants / who evaluated the scissors / when recycling facilities were available / used nearly three times more paper / than the group who didn't have recycling facilities. ⓫ Interestingly, / this increase in the use of resources / occurred regardless of / how positive the participants' "green attitudes" were, / as measured / in the post-study questionnaire. ⓬ So this study demonstrated / that the presence of paper-recycling facilities / caused people to actually use more paper.

(Participants: 주어(선행사), who: 주격 관계대명사, when: 접속사(시간), used: 동사, the group: 선행사, who: 주격 관계대명사, this increase: 주어, occurred: 동사, as measured: 접속사가 생략되지 않은 분사구문, that: 명사절을 이끄는 접속사, caused: 동사, people: 목적어, to actually use: 목적격 보어)

해석 ❶ 한 연구자 집단이 재활용에 대한 연구를 고안했다. ❷ 참여자들은 자신들이 새로운 상표의 가위를 평가할 것이라는 말을 들었다. ❸ 그 과정은 그들이 그 가위가 무늬 없는 200장의 흰 종이 더미에서 모양을 잘라 만드는 데 얼마나 좋은지를 평가하도록 요구했다. ❹ 참여자들의 절반은 재활용 시설은 전혀 없고 쓰레기통만 있는 방에서 가위를 시험했다. ❺ 나머지 절반은 일반 쓰레기통 이외에 재활용 시설이 이용 가능한 방에서 작업을 완료했다. ❻ 그 참여자들에게는 모양의 크기나 그들이 그 과업에서 사용해야 하는 종이의 양에 관한 어떤 구체적인 지시 사항도 의도적으로 주어지지 않았다. ❼ 대신 그들은 오직 어떤 종잇조각이든 제공된 용기에 처리하라는 말을 들었다. ❽ 그런 다음 그들은 환경에 대한 그들의 신념과 태도를 묻는 '친환경 태도' 설문지 작성을 완료했다.
❾ 결과는 그저 상당히 놀라웠다. ❿ 재활용 시설이 이용 가능했을 때 가위를 평가한 참여자들은 재활용 시설이 없었던 집단보다 거의 3배가 넘는 종이를 사용했다. ⓫ 흥미롭게도, 이런 자원 사용의 증가는 연구 후 설문지에서 측정된 바대로 참여자의 '친환경 태도'가 얼마나 긍정적이냐와 관계없이 일어났다. ⓬ 그래서 이 연구는 종이 재활용 시설의 존재가 사람들로 하여금 실제로 더 많은 종이를 사용하게 한다는 것을 입증했다.

정답 전략 1 재활용에 관한 연구에서 종이 재활용 시설이 있을 때 오히려 사람들이 종이를 더 많이 썼다는 결과가 도출되었으므로 가장 적절한 제목은 ⑤ '재활용하려는 노력이 원치 않는 결과로 이어질 수 있다'이다.
① 재활용이 어떻게 경제를 구하는가 ② 친환경 태도: 지속 가능한 삶의 열쇠 ③ 평가 과정이 객관적이어야 하는 이유 ④ 종이와 철: 가장 중요한 자원들
2 빈칸이 있는 문장은 연구가 입증하는 결과를 설명하므로, 글을 읽으며 연구의 내용을 파악해야 한다. 종이 재활용 시설이 있을 때 사람들이 오히려 종이를 더 많이 썼다고 했으므로, 사람들이 종이를 더 많이 쓰게 하는 것은 재활용 시설의 ① '존재'라는 것을 알 수 있다.
② 다양성 ③ 부족 ④ 비용 ⑤ 표준화

3~4 지문 한눈에 보기

❶ One cannot take for granted / that the findings of any given study / will have validity. ❷ Consider a situation / where an investigator is studying deviant behavior. ❸ In particular, / she is investigating the extent / to which cheating by college students occurs / on exams. ❹ Reasoning / that it is more (a) difficult / for people monitoring an exam / to keep students under surveillance / in large classes / than in smaller ones, / she hypothesizes / that a higher rate of cheating / will occur on exams / in large classes / than in small. ❺ To test this hypothesis, / she collects data on cheating / in both large classes and small ones / and then analyzes the data. ❻ Her results show / that (b) more cheating per student occurs / in the larger classes. ❼ Thus, / the data apparently (c) reject (→ support) / the investigator's research hypothesis. ❽ A few days later, however, / a colleague points out / that all the large classes in her study / used multiple-choice exams, / whereas all the small classes / used short answer and essay exams. ❾ The investigator immediately realizes / that an extraneous variable (exam

(take for granted ~: 동사+전치사구+목적어(절): 목적어가 길어져서 전치사구 뒤에 옴, a situation: 선행사, where: 관계부사, the extent to which: the extent to which+완전한 문장: ~하는 정도, cheating: 주어(동명사), occurs: 동사, Reasoning: 분사구문(이유), it: 가주어, for people: 의미상 주어, monitoring an exam: 현재분사구: people 수식, to keep ~: 진주어, that: 명사절을 이끄는 접속사, To test: 부사적 용법(목적), both ~ and: both A and B: A와 B 둘 다, that: 명사절을 이끄는 접속사, that: 명사절을 이끄는 접속사, whereas: 접속사(대조): ~인 반면에, that: 명사절을 이끄는 접속사)

format) is interfering with the independent variable (class size) / and may be operating / as a (d) cause in her data. ⑩ The apparent support for her research hypothesis / may be nothing more than an artifact. ⑪ Perhaps the true effect is / that more cheating occurs / on multiple-choice exams / than on essay exams, / regardless of class (e) size.

전치사: ~로서

명사절을 이끄는 접속사

해석 ❶ 주어진 연구의 결과가 타당하다는 것을 당연하게 여길 수는 없다. ❷ 한 연구자가 일탈 행동을 연구하는 상황을 생각해 보자. ❸ 특히, 그녀는 시험에서 대학생들에 의한 부정행위가 발생하는 정도를 조사하고 있다. ❹ 그녀는 시험을 감독하는 사람들이 더 작은 수업에서보다 큰 수업에서 학생들을 감독하는 것이 더 (a)어렵다고 추론하였기 때문에, 작은 수업에서보다 큰 수업에서의 시험에서 더 높은 비율의 부정행위가 발생할 것이라고 가정한다. ❺ 이러한 가설을 검증하기 위해, 그녀는 큰 수업과 작은 수업 둘 다에서 부정행위에 대한 자료를 수집하고 그 자료를 분석한다. ❻ 그녀의 결과는 더 큰 수업에서 학생당 (b)더 많은 부정행위가 발생한다는 것을 보여 준다. ❼ 그러므로, 그 자료는 명백히 연구자의 연구 가설을 (c)부인한다(→ 지지한다). ❽ 그러나 며칠 후에 한 동료가 그녀의 연구에서 작은 수업은 전부 단답형과 서술형 시험을 사용한 반면, 큰 수업은 모두 선다형 시험을 활용했다는 것을 지적한다. ❾ 그 연구자는 즉각 외부 변인(시험 형식)이 독립 변인(수업 크기)을 간섭하고 있고, 그녀의 자료에서 한 (d)원인으로 작용하고 있을지도 모른다는 것을 깨닫는다. ❿ 그녀의 연구 가설에 대한 명백한 지지는 가공물에 불과할 수도 있다. ⓫ 아마도 진짜 영향은 더 많은 부정행위가 수업 (e)크기와는 관계없이 서술형 시험에서보다 선다형 시험에서 발생한다는 것이다.

정답 전략 **3** 연구 과정에서 실험을 설계한 사람이 미처 생각하지 못한 변수로 인해 결과의 해석을 달리해야 할 수도 있는 상황을 예로 들고 있다. 따라서 이 글의 제목으로는 ② '잘못된 실험 설계로 인한 연구 오류'가 가장 적절하다.

① 조사자의 태도: 주관적 대 객관적 ③ 학문적 지지를 얻기 위해 당신의 가설을 시험하라 ④ 대규모 수업에서의 선다형 시험의 한계 ⑤ 학생들이 부정행위를 하지 못하게 하는 방법이 있는가?

4 밑줄 친 낱말이 있는 문장은 해당 낱말로 인해 글의 요지나 주제와 어긋나지 않는지 확인해야 한다. (c) reject가 있는 문장은 연구자가 설계한 실험의 결과가 가설과 맞아 떨어지는 상황을 설명한 후 바로 뒤에 Thus(그러므로)로 이어지고 있으므로, '부인하다, 거부하다'라는 의미의 reject 대신 '지지하다'라는 의미의 support로 바꿔 써야 적절하다.

창의·융합·코딩 전략 ①, ②

58~61쪽

1 Break, Overuse **2** ① results ② parts ③ repair ④ maintenance ⑤ loss **3** maximum, negative
4 advertisement, survey, cautious **5** Statistical, Advertisements **6** 네 번째 문장

1~3

해석 한 조직이 질 좋은 제품을 더 낮은 가격으로 생산하는 능력을 가진 새로운 기계를 수입했다. 한 관리자는 상대적으로 짧은 시간에 많은 양에 대한 책임이 있었다. 그는 새로운 기계의 최대한 사용으로 시작했다. 그는 새로운 기계를 최대 능력치로 24시간 7일 내내 작동시켰다. 그는 비가동 시간, 회복을 위한 휴지기, 또는 기계의 일반적인 유지 보수에 최소한의 관심을 기울였다. 그 기계가 새것이었기 때문에, 그것은 지속적으로 결과물을 생산했고, 따라서, 그 조직의 수익성은 치솟았다.

얼마의 시간이 지난 후, 이 관리자는 승진하였고 다른 지점으로 옮겼다. 새로운 관리자가 그의 자리에 왔다. 그러나 이 관리자는 그 기계의 많은 부품들이 상당히 닳았고 대체되거나 수리되어질 필요가 있다는 것을 깨달았다. 새 관리자는 상당한 시간과 노력을 그 기계의 수리와 유지 보수에 들여야만 했다. 그것은 낮은 생산과 따라서 이익의 손실을 초래했다.

Words and Phrases • machinery 기계(류) • capacity 능력 • be responsible for ~에 책임이 있다 • utilization 사용 • maximum 최대, 최대한 • downtime 비가동 시간 • recovery 회복 • maintenance 유지 보수 • profitability 수익성 • soar 치솟다 • promote 승진하다 • replace 대체하다 • significant 상당한 • result in ~을 초래하다

정답 전략 1 새 기계라 해도 유지 보수 없이 쉬지 않고 가동하면 처음에는 수익성이 올라가지만 결국은 부품에 문제가 생겨 유지 보수에 시간과 노력이 들고 생산성이 떨어져 수익도 감소한다는 내용의 글이다. 따라서 '과잉 사용(overuse)을 막도록 기계에 휴식(break)을 주어야 한다'가 제목으로 알맞다.

2 새 기계 → 최대한의 성능으로 24시간 7일 내내 작동시켰다 → 지속적으로 결과물을 생산했다 → 수익성이 치솟았다 → 기계의 많은 부품이 닳았다 → 수리와 유지 보수에 시간과 노력을 쏟았다 → 낮아진 생산 → 이익의 손실

3 관리자는 새 기계를 최대 능력치로 작동시켰지만, 그러나 궁극적으로 회복과 유지 보수에 주의를 기울이지 않은 것은 장기간의 부정적인 결과들을 초래했다.

4~5

해석 많은 광고는 통계 조사를 인용한다. 하지만 우리는 보통 이러한 조사들이 어떻게 실시되는지를 모르기 때문에 신중해야 한다. 예를 들면, 한 치약 제조 업체가 예전에 "80퍼센트 이상의 많은 치과의사들이 Smiley Toothpaste를 추천한다."라고 적혀 있는 포스터를 올렸다. 이것은 대부분의 치과의사들이 다른 브랜드보다 Smiley Toothpaste를 선호한다고 말하는 것처럼 보인다. 하지만 그 조사 항목이 치과의사들에게 한 가지 이상의 브랜드를 추천할 수 있게 했다는 것과, 실제로 또 다른 경쟁업체의 브랜드도 Smiley Toothpaste만큼 많이 추천되었다는 것이 드러났다! 영국의 Advertising Standards Authority는 그 포스터가 잘못된 정보를 준다고 판결을 내렸고 그것이 더 이상 게시될 수 없었음은 당연했다.

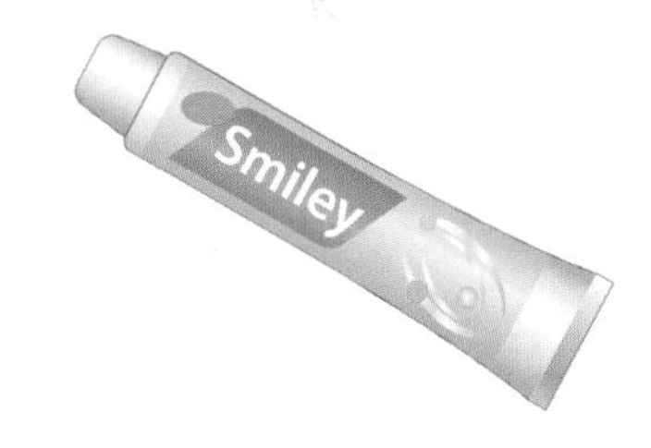

A: 너는 Smiley Toothpaste 광고를 본 적 있니?
B: 아, 어제 TV에서 그것을 봤어. 그것은 새로운 브랜드야.
A: 맞아. 치과의사 80% 이상이 그 치약을 추천해서, 나는 그것을 살 거야.
B: 음… 조사는 어떻게 했는지 아니?
A: 글쎄, 몰라. 광고는 그것에 대해 말하지 않았어.
B: 내 생각에 너는 광고에 나오는 통계자료를 조심해야 해. 그들은 종종 소비자들에게 잘못된 정보를 줘.

Words and Phrases • advertisement 광고 • cite 인용하다 • statistical 통계적인 • cautious 신중한 • conduct 실시하다 • toothpaste 치약 • manufacturer 제조업체 • turn out 드러나다 • rule 판결을 내리다 • misleading 잘못된 정보를 주는

정답 전략 4 두 사람의 대화를 통해 광고의 통계자료는 조사가 어떻게 이루어졌는지 알아야 하고, 주의해야 한다고 했다. 광고의 통계자료는 소비자들에게 잘못된 정보를 줄 수도 있다고 말하고 있다.

5 광고는 통계 조사를 인용하지만 조사가 어떻게 실시되는지 모르므로 그대로 신뢰해서는 안된다는 주장을 하고 있다. 그러므로 글의 제목으로는 '광고의 통계자료는 신뢰할 수 있는가?'가 알맞다.

6

해석 • 그들은 십 대들이 TV나 라디오를 켜 둔 채로 공부를 더 잘 할 수 있다고 주장한다.
• 그들은 많은 십 대들이 어린 시절부터 '배경 소음'에 반복적으로 노출되어 왔기 때문에 전혀 이상적이지 않은 상황에서 실제로 생산적으로 공부할 수 있다고 주장한다.
• 그들은 숙제를 할 때 학생들이 텔레비전이나 라디오를 꺼야 한다고 주장하는 것이 반드시 그들의 학업 성적을 높이는 것은 아니라고 주장한다.
• 그들은 시끄러운 환경에서 공부하는 학생들이 흔히 비효율적으로 학습한다는 것을 그들 자신의 경험으로 확신한다.

Words and Phrases • argue 주장하다 • productively 생산적으로 • less-than-ideal 전혀 이상적이지 않은 • condition 상황, 조건 • improve 높이다, 향상시키다 • academic performance 학업 성적 • convince 확신시키다 • inefficiently 비효율적으로

정답 전략 많은 십 대들이 어린 시절부터 '배경 소음'에 반복적으로 노출되어 왔기 때문에 소음에 노출되는 시끄러운 환경에서 공부하는 것이 실제로 공부에 도움이 된다는 주장이 나열되고 있다. 마지막 문장은 시끄러운 환경에서 공부하는것이 비효율적이라는 상반된 주장을 하고 있으므로 마지막 문장이 정답이다.

1 ① 2 ③ 3 ⑤ 4 ①

1~2 지문 한눈에 보기

❶ Although organisms interact / with their surroundings in many ways, / certain factors may be critical / to a particular species' success. ❷ A shortage or absence of this factor / restricts the success of the species; / thus, / it is known as a limiting factor. ❸ Limiting factors / can be quite different from one species to another.

(Although — 접속사(양보): 비록 ~이지만 / is known as — be known as: ~로 알려져 있다)

❹ The limiting factor / for many species of fish / is the amount of dissolved oxygen / in the water. ❺ In a swiftly flowing, tree-lined mountain stream, / the level of dissolved oxygen is high / and so provides a favorable environment for trout. ❻ As the stream continues down the mountain, / the steepness of the slope decreases, / which results in fewer rapids / where the water tumbles over rocks / and becomes oxygenated. ❼ (A) In addition, / as the stream becomes wider, / the canopy of trees over the stream usually is thinner, / allowing more sunlight to reach the stream / and warm the water. ❽ Warm water cannot hold as much dissolved oxygen / as cool water.

(The limiting factor — 주어, is — 동사 / the level — 주어, is — 동사 / As — 접속사: ~하면서 / the steepness of the slope decreases — 선행사 / which — 계속적 용법의 주격 관계대명사 / rapids — 선행사 / where — 관계부사 / as — 접속사: ~하면서 / the canopy — 주어, is — 동사 / allowing — the canopy를 의미상 주어로 하는 분사구문 / as ... as — 동등 비교: ~만큼 …하다)

❾ (B) Therefore, / slower-flowing, warm-water streams / contain less oxygen / than rapidly moving, cool streams. ❿ Fish such as black bass and walleye / are adapted to such areas, / since they are able to tolerate / lower oxygen concentrations and higher water temperatures. ⓫ Trout are not able to survive / under such conditions / and are not found / in warm, less well-oxygenated water. ⓬ Thus, / low levels of oxygen and high water temperatures / are limiting factors / for the distribution of trout.

(less ... than — 열등 비교: ~ 보다 덜 …하다 / Fish — 주어, such as — ~와 같은, are adapted — 동사, since — 접속사(이유): ~때문에 / Trout — 주어, are not able to survive — 동사 1, are not found — 동사 2)

해석 ❶ 유기체들은 여러 방식으로 그들을 둘러싼 환경과 상호 작용하지만, 어떤 요인들은 특정한 종들의 성공에 매우 중요할 수도 있다. ❷ 이러한 요인의 부족이나 결여는 그 종들의 성공을 제한한다. 따라서 이것은 제한 요인으로 알려져 있다. ❸ 제한 요인들은 종마다 상당히 다를 수 있다.
❹ 많은 종의 물고기들의 제한 요인은 물속의 용존 산소량이다. ❺ 물살이 빠르게 흐르고 나무가 늘어선 산골짜기 개울에서는 용존 산소량 수치가 높아 송어에게 유리한 환경을 제공한다. ❻ 개울이 산 아래로 계속 내려가면서 경사면의 가파름이 감소하는데, 그것은 물이 바위 위로 떨어져 내리면서 산소화되는 급류의 수를 줄어들게 한다. ❼ 게다가, 개울이 더 넓어지면서 개울 위로 드리워진 나뭇가지들의 우거짐이 보통은 더 얇아지고 더 많은 햇빛이 개울에 이르러 물을 따뜻하게 한다. ❽ 따뜻한 물은 차가운 물만큼 많은 용존 산소를 보유할 수 없다. ❾ 따라서 천천히 흐르는 따뜻한 개울은 빠르게 움직이는 차가운 개울보다 산소를 덜 포함한다. ❿ 미국산 농어(black bass)와 망상어(walleye)와 같은 어류들은 그러한 지역에 잘 적응하는데, 왜냐하면 그것들은 더 낮은 산소 농도와 더 높은 수온을 견딜 수 있기 때문이다. ⓫ 송어는 그러한 환경에서 살아남을 수 없으며 따뜻하고 산소가 덜 공급되는 물에서는 발견되지 않는다. ⓬ 따라서 낮은 수준의 산소와 높은 수온이 송어의 분포에 대한 제한 요인들이다.

정답 전략 1 생물종의 생존에 있어 제한 요인이 큰 영향을 미친다는 요지의 글이다. 이에 대한 예시로 물속 용존 산소량과 수온이 송어의 생존을 결정하므로, 낮은 용존 산소량과 높은 수온이 송어 분포의 제한 요인이라고 설명했다. 따라서 글의 제목으로 가장 적절한 것은 ① '무엇이 종의 생존을 결정하는가'이다.
② 제한 요인과 경쟁 ③ 송어: 심각하게 위기에 처한 종 ④ 동물 멸종의 매우 흥미로운 사례 ⑤ 물의 산소화 상태를 유지하는 핵심 요소
2 빈칸에 들어갈 연결어는 빈칸이 있는 문장과 그 앞 문장의 관계를 통해 짐작할 수 있다. (A) 뒤의 내용은 송어에게 유리한 환경에서 변화가 생기는 상황을 설명하고 있으므로 (A) 앞의 내용과 같은 맥락이다. 따라서 (A)에는 '추가'의 의미를 나타내는 'In addition(게다가)'이 적절하다.

(B) 뒤의 내용은 바로 앞 문장의 결과를 나타내고 있으므로 'Therefore(따라서)'가 빈칸에 들어가는 것이 적절하다.

3~4 지문 한눈에 보기

❶ We are accustomed to thinking of light / as always going in straight lines. ❷ But it doesn't. ❸ This is manifest / when you view a mirage on a long straight highway / on a hot day. ❹ The road looks wet way up ahead / because light from the sky refracts, / bending as it crosses the many successive layers of warm air / near the surface of the road, / until it heads back up to your eye.

(think of A as B: A를 B로 생각하다 / when 접속사(시간) / up ahead 그 앞쪽으로 / bending 분사구문(동시 동작) / as 접속사: ~일 때)

❺ The French mathematician Pierre de Fermat showed another way / to understand this phenomenon. ❻ Light travels faster in warmer, less dense air / than it does in colder air. ❼ Because the warmest air is near the surface, / the light takes less time to get to your eye / if it travels down near the ground and then returns up to your eye / than it would / if it came directly / in a straight line to your eye. ❽ Fermat formulated a principle, / which says / that, to determine the ultimate path of any light ray, / you simply need to examine all possible paths from A to B / and find the one / that takes the least time.

(to understand 형용사적 용법: another way 수식 / faster ~ than 비교급: ~보다 더 빠르게 / less ~ than 비교급: ~보다 더 적은 / it 주어(the light) / travels 동사 1 / returns 동사 2 / a principle 선행사 / which 계속적 용법의 주격 관계대명사 / the one 선행사 / that 주격 관계대명사)

❾ This makes it sound as if light has intentionality, / and I resisted the temptation to say / light considers all paths / and chooses the one / that takes the least time. ❿ This is / because I fully expect / that my online opponent Deepak Chopra would later quote me / as implying that light has consciousness. ⓫ Light does not have consciousness, / but the mathematical result makes it appear / as if light chooses the shortest distance.

(as if 마치 ~처럼 / to say 형용사적 용법: the temptation 수식 / light 앞에 접속사 that 생략 / the one 선행사 / that 주격 관계대명사 / that 명사절을 이끄는 접속사(목적어) / as 전치사: ~로 / that 명사절을 이끄는 접속사(목적어) / as if 마치 ~처럼)

해석 ❶ 우리는 빛이 항상 일직선으로 나아가는 것으로 생각하는 데 익숙하다. ❷ 하지만 그것은 그렇지 않다. ❸ 이것은 뜨거운 어느 날 여러분이 길게 뻗은 고속도로에서 신기루를 볼 때 분명하다. ❹ 그 도로는 저 멀리 앞쪽으로 젖어 있는 것처럼 보이는데 왜냐하면 하늘에서 오는 빛이 그 도로의 표면 가까이에 있는 많은 연속적인 따뜻한 공기층을 지날 때 꺾이면서 그 빛이 다시 여러분의 눈으로 돌아올 때까지 굴절하기 때문이다.
❺ 프랑스의 수학자인 Pierre de Fermat는 이 현상을 이해하기 위한 또 다른 방법을 보여 주었다. ❻ 빛은 더 차가운 공기에서보다 더 따뜻하고 밀도가 더 낮은 공기에서 더 빠르게 이동한다. ❼ 가장 따뜻한 공기는 지면 근처에 있기 때문에, 빛이 지면 근처 아래쪽으로 이동하고 나서 여러분의 눈으로 되돌아온다면, 빛이 여러분의 눈에 직선으로 곧장 들어올 때보다 여러분의 눈에 도달하는 시간은 덜 걸린다. ❽ Fermat는 원리를 공식화했는데, 그것에는 어떤 광선의 궁극적인 경로를 정하려면 우리는 단지 A부터 B까지의 모든 가능한 경로를 조사하여 가장 시간이 적게 걸리는 경로를 찾기만 하면 된다고 나와 있다.
❾ 이것은 마치 빛이 의도성을 가지고 있는 것처럼 들리게 하는데, 나는 빛이 모든 경로를 고려해서 가장 시간이 적게 걸리는 것을 선택한다고 말하고 싶은 유혹을 참았다. ❿ 이는 나의 온라인 상대인 Deepak Chopra가 빛이 의식을 가지고 있다고 암시하는 것으로 나중에 나를 인용할 것임을 충분히 예상하기 때문이다. ⓫ 빛은 의식을 가지고 있지 않지만, 수학적 결과는 빛이 마치 가장 짧은 거리를 선택하는 것처럼 보이게 한다.

정답 전략 3 이 글의 요지는 공기의 온도와 밀도에 따라 빛이 이동하는 속도가 다르며, 빛은 항상 최단 시간이 걸리는 경로를 통과하기 때문에 반드시 일직선으로 움직이는 것은 아니라는 것이다. 따라서 '빛은 가장 적은 시간이 걸리는 길을 알고 있는 것처럼 최적의 경로로 이동한다.'라고 요약할 수 있다.
① 일직선의 – 가장 많은 ② 일직선의 – 가장 적은 ③ 최적의 – 가장 많은 ④ 반대의 – 완벽한

4 빈칸이 있는 문장의 주어 This가 가리키는 바를 파악한다. 빛은 따뜻하고 밀도가 낮은 공기에서 더 빠르게 이동할 수 있으며, 빛이 이동하는 경로는 가장 빠르게 이동할 수 있는 경로와 일치한다는 것이 This가 의미하는 바이다. 또한 바로 뒤에서 글쓴이가 '빛이 모든 경로를 고려해서 가장 짧은 시간이 걸리는 것을 택한다고 말하고 싶은' 유혹을 참았다고 했으므로, 빛이 '의도성'을 가지고 있는 것처럼 표현되고 있음을 알 수 있다.

② 무작위성 ③ 저항 ④ 강도 ⑤ 내구성

1·2등급 확보 전략 1회

68~71쪽

1 ① 2 ④ 3 ④ 4 ③

1~2 지문 한눈에 보기

❶ Life[주어] in the earth's oceans simply would not exist[동사] / without the presence of dissolved oxygen. ❷ This life-giving substance / is not, however, distributed evenly / with (a) depth in the oceans. ❸ Oxygen levels are typically high / in a thin surface layer 10–20 metres deep. ❹ Here / oxygen[주어] from the atmosphere can freely diffuse[동사] / into the seawater, / plus there is plenty of floating plant life / producing oxygen through photosynthesis[현재분사구: floating plant life 수식]. ❺ Oxygen concentration[주어] then decreases[동사 1] rapidly / with depth / and reaches[동사 2] very low levels, / sometimes close to zero, / at depths of around 200–1,000 metres. ❻ This region is referred to / as the oxygen (b) minimum zone. ❼ This zone is created[동사 1] / by the low rates of oxygen / diffusing down from the surface layer of the ocean[현재분사구: oxygen 수식], / combined[동사 2] with the high rates of consumption of oxygen / by decaying organic matter[선행사] / that[주격 관계대명사] sinks from the surface / and accumulates at these depths. ❽ Beneath this zone, / oxygen content (c) increases again / with depth. ❾ The deep oceans contain / quite high levels of oxygen, / though[접속사: ~이긴 하지만] not generally as high / as[동등 비교: ~만큼 …한] in the surface layer. ❿ The higher levels[주어] of oxygen / in the deep oceans / reflect[동사] in part the origin of deep-ocean seawater masses[선행사], / which[계속적 용법의 주격 관계대명사(= and they)] are derived from cold, oxygen-rich seawater / in the surface of polar oceans. ⓫ That seawater sinks rapidly down, / thereby (d) exhausting (→ preserving) its oxygen content. ⓬ As well, / compared to life in near-surface waters, / organisms[주어] in the deep ocean / are[동사 1] comparatively scarce / and have[동사 2] low metabolic rates. ⓭ These organisms therefore consume (e) little / of the available oxygen.

해석 ❶ 지구의 바다 생물은 용해되어 있는 산소의 존재 없이는 전혀 존재할 수 없을 것이다. ❷ 하지만, 이 생명을 부여하는 물질은 바닷속 (a)깊이에 따라 균등하게 분포되어 있지 않다. ❸ 산소 수치는 10–20미터 깊이의 얕은 표층에서 일반적으로 높다. ❹ 여기에서는 대기로부터의 산소가 자유롭게 바닷물 속으로 퍼지며, 게다가 광합성을 통해 산소를 생산하는 많은 부유 식물들이 존재한다. ❺ 산소 농도는 이후 깊어질수록 급격히 줄어들고 대략 200–1,000미터의 깊이에서 때로는 0에 가까운 매우 낮은 수치에 도달한다. ❻ 이 구간은 산소 (b)극소 대역이라고 불린다. ❼ 이 구역은 바다의 표층에서부터 아래로 퍼져 가는 산소의 낮은 비율에 의해 형성되는데, 표면에서 가라앉아 이 깊이에 축적되는 부패하고 있는 유기물에 의한 높은 산소 소비율과 결합된다. ❽ 이 구역 아래에서, 산소 함량은 깊이에 따라 다시 (c)증가한다. ❾ 심해는 일반적으로 표층에서만큼 높지는 않지만 그래도 꽤 높은 수치의 산소를 포함한다. ❿ 심해에서 더 높아진 산소 수치는 다량의 심해수의 출처를 일부 반영하는데, 그것은 극지방 바다 표면의 차갑고 산소가 풍부한 해수로부터 나온 것이다. ⓫ 그 해수는 아래로 빠르게 가라앉고, 따라서 그 산소 함량을 (d)소진한다(→ 보존한다). ⓬ 또한 표면에 가까운 해수에서의 생물과 비교했을 때, 심해에서는 생명체가 비교적 드물며 대사율이 낮다. ⓭ 그러므로 이러한 생명체는 이용 가능한 산소 중 (e)소량을 소비한다.

Words and Phrases • presence 존재, 실재 • distribute 퍼뜨리다, 분배하다 • layer 층, 겹 • atmosphere 대기, 공기 • photosynthesis 광합성 • concentration 농도, 집중 • be referred to as ~이라고 불리다 • decay 쇠퇴, 부패; 부패하다 • accumulate 모으다, 축적하다 • mass 질량, 덩어리 • be derived from ~에 기원을 두다 • thereby 그렇게 함으로써 • comparatively 비교적 • scarce 부족한, 드문 • metabolic 물질대사의 • run out of ~을 다 써버리다 • variability 가변성, 변동성

정답 전략 **1** 이 글의 요지는 바닷속 산소가 깊이에 따라 다르게 분포되어 있다는 것이며, 층마다 다른 이유를 설명하고 있다. 따라서 제목으로는 ① '여러 해양층에 걸쳐 산소 함량은 일정한가?'이다.

② 기후 변화: 바다는 산소가 고갈되고 있다 ③ 바닷물 속의 산소 농도를 계산하는 방법 ④ 바다에 산소가 부족할 때 어떤 일이 일어나는가? ⑤ 바다의 산소 수치의 계절별 변동성

2 밑줄 친 (d)의 exhausting이 있는 문장은 심해에서의 산소 수치가 그 위의 층보다 다시 올라가는 이유를 설명하는 것이 자연스럽다. 주어 That seawater가 앞 문장에 나온 cold, oxygen-rich seawater in the surface of polar oceans를 의미하며, 이 산소가 풍부한 바닷물이 아래로 빠르게 가라앉아 산소 수치를 '보존했기' 때문에 심해에서의 산소 수치가 비교적 높다고 할 수 있다. 따라서 (d)의 exhausting을 preserving으로 고치는 것이 적절하다.

3~4 지문 한눈에 보기

❶ To the extent / that sufficient context has been provided, / the reader[주어] can come[동사 1] to a well-crafted text / with no expert knowledge / and come away with[동사 2] a good approximation / of what[선행사를 포함하는 관계대명사] has been intended by the author. ❷ The text has become a public document / and the reader can read it[the text] with a (a) minimum of effort and struggle; / his experience comes close / to[전치사] what[관계대명사: 명사절을 이끎] Freud has described / as the deployment of "evenly-hovering attention." ❸ He puts himself in the author's hands / (some have had this experience / with great novelists such as[~와 같은] Dickens or Tolstoy) / and he (b) follows / where the author leads. ❹ The real world has vanished / and the fictive world has taken its place. ❺ Now consider / the other extreme. ❻ When we come to a badly crafted text[선행사] / in which[전치사+관계대명사] context and content are not happily joined, / we must struggle to understand, / and our sense[주어] of what[선행사를 포함하는 관계대명사] the author intended / probably bears[동사] (c) close (→ little) correspondence / to his original intention. ❼ An out-of-date translation / will give us this experience; / as[접속사(시간): ~일 때] we read, / we must bring the language up to date, / and understanding[주어(동명사)] comes[단수 동사] only / at the price of a fairly intense struggle / with the text. ❽ Badly presented content / with no frame of reference / can provide (d) the same experience; / we see the words / but have no sense / of how they are to be taken. ❾ The author[주어(선행사)] / who[주격 관계대명사] fails to provide the context / has (e) mistakenly assumed[동사 1] / that[명사절을 이끄는 접속사] his picture of the world is shared / by all his readers / and fails[동사 2] to realize / that[명사절을 이끄는 접속사] supplying the right frame of reference[주어(동명사구)] / is[단수 동사] a critical part of the task of writing.

해석 ❶ 충분한 문맥이 제공되는 한, 독자는 전문적인 지식 없이도 잘 만들어진 텍스트에 도달하고 작가가 의도한 바에 매우 근접한 것을 가지고 떠날 수 있다. ❷ 텍스트는 공개 문서와 같은 것이 되어서 독자는 (a) 최소한의 노력과 투쟁으로 그것을 읽을 수 있으며, 그의 경험은 Freud가 '고르게 주의를 기울이는 것'의 배치라고 설명한 것과 가까워진다. ❸ 그는 작가의 손에 자신을 맡기고 (어떤 사람들이 Dickens나 Tolstoy와 같은 위대한 소설가와 이런 경험을 가졌던 것처럼) 작가가 이끄는 곳으로 (b) 따라간다. ❹ 현실 세계는 사라지고 허구의 세계가 그것을 대신했다. ❺ 이제 다른 극단의 경우를 생각해 보자. ❻ 문맥과 내용이 적절하게 결합되지 않은, 제대로

만들어지지 않은 텍스트의 경우, 우리는 이해하려고 애써야 하고, 작가가 의도한 것에 대한 우리의 이해는 아마도 그의 본래 의도와 (c)밀접한(→ 거의 없는) 관련성을 지닐 것이다. ❼ 시대에 뒤떨어진 번역은 우리에게 이런 경험을 줄 것인데, 우리가 읽을 때, 우리는 언어를 최신의 것으로 해야 하고 이해는 텍스트와의 꽤 격렬한 투쟁의 대가로만 온다. ❽ 참조의 틀이 없이 잘못 제시된 내용도 (d)같은 경험을 줄 수 있는데, 우리는 단어를 보지만 그것들이 어떻게 받아들여져야 하는지를 이해하지 못한다. ❾ 문맥을 제공하지 못한 작가는 세상에 대한 자신의 그림이 모든 독자들에 의해 공유되고 있다고 (e)잘못 가정하고, 적절한 참조의 틀을 제공하는 것이 글을 쓰는 일의 중요한 부분임을 깨닫지 못한다.

Words and Phrases • to the extent that ~일 경우에, ~하는 한 • context 문맥, 맥락 • come away with ~을 갖고 떠나다 • approximation 근접한 것, 비슷한 것 • struggle 투쟁 • vanish 사라지다 • fictive 허구의 • extreme 극단 • happily 적절하게 • correspondence 관련성 • out-of-date 구식의, 시대에 뒤떨어진 • up to date 최신의 • intense 격렬한, 강렬한 • reference 참조 • mistakenly 잘못하여, 실수로 • critical 중대한 • lighthouse 등대 • outlook 견해, 관점

정답 전략 **3** 충분한 문맥이 제공되는 잘 만들어진 텍스트의 경우, 전문적 지식이나 큰 노력 없이도 독자는 작가의 의도를 쉽게 이해할 수 있는 반면, 그렇지 않은 텍스트는 독자가 그것을 이해하기 위해서 상당히 애써야 한다는 것이 이 글의 중심 내용이다. 따라서 글의 제목으로 가장 적절한 것은 ④ '글의 문맥: 텍스트 이해를 위한 등대'이다.

① 현실과 허구의 세계 사이에 벽 세우기 ② 창의적인 독서: 작가의 의도를 넘어서 ③ 효과적인 글쓰기를 위한 독자의 경험의 유용성 ⑤ 자기 자신의 말에 갇히다: 작가들의 좁은 견해

4 (c)의 close가 있는 문장은 잘 쓰이지 못한 텍스트의 경우 그것을 이해하기 위해 독자가 애써야 한다고 했으므로, 작가의 원래 의도와 '밀접한' 관련성을 갖고 이해하기 어렵다고 하는 것이 자연스럽다. 따라서 '밀접한'이라는 의미의 close를 '거의 없는'이라는 의미의 little로 바꾸는 것이 적절하다.

1·2등급 확보 전략 2회

72~75쪽

1 ① **2** ③ **3** ③ **4** ②

1~2 지문 한눈에 보기

❶ Culture is / a uniquely human form of adaptation. ❷ Some theorists view it / as a body of knowledge (선행사) / that (주격 관계대명사) developed to provide accurate information (선행사) to people / that (주격 관계대명사) helps them (a) adjust to the many demands of life, / whether (접속사: ~이든) that means obtaining (목적어 1(동명사)) food and shelter, / defending (목적어 2(동명사)) against rival outgroups, / and so on. ❸ Culture also tells us / how groups of people work together (간접의문문: 의문사(구)+주어+동사) / to achieve (부사적 용법(목적)) mutually beneficial goals, / and how to live our lives / so that others will like and accept us / — and maybe even fall in love with us. ❹ So / if adaptation to physical and social environments / were all (선행사) / that (목적격 관계대명사) cultures were designed to (b) facilitate, / perhaps cultures would always strive (가정법 과거: 주어+would+동사원형) / toward an accurate understanding of the world. (가정법 과거: If+주어+were ~)

(view A as B: A를 B로 간주하다)

❺ However, / adaptation (주어) to the metaphysical environment suggests (동사) / that (명사절을 이끄는 접속사(목적어)) people do not live by truth and accuracy alone. ❻ Sometimes it (가주어) is more adaptive / for cultural worldviews (의미상 주어) to (c) reveal (→ distort) / the truth about life and our role in it (진주어). ❼ Some things about life / are too emotionally (d) devastating / to face head on, / (too ~ to부정사: ~하기에는 너무 … 한) such as the inevitability of death. ❽ Because overwhelming fear / can get in the way of many types of adaptive action, / it (가주어) sometimes is adaptive / for cultures (의미상 주어) to provide "rose-colored glasses" (진주어) / with which to understand (전치사+관계대명사+to부정사: glasses 수식) reality and our place in it. ❾ From the existential perspective, / the adaptive utility of accurate worldviews / is tempered / by the adaptive value of anxiety-buffering (e) illusions.

해석 ❶ 문화는 인간의 독특한 적응 형식이다. ❷ 몇몇 이론가들은 그것을 삶의 많은 요구에 (a)적응하도록, 그 요구들이 식량과 안식처를 얻는 것을 의미하든, 경쟁 관계에 있는 외부 집단으로부터 방어하는 것을 의미하든, 그 밖에 다른 것을 의미하든 간에, 도와주는 '정확한' 정보를 사람들에게 제공하기 위해 발전된 지식의 집합체로 본다. ❸ 문화는 또한 집단의 사람들이 상호 이익이 되는 목표를 달성하기 위해 어떻게 함께 협력하는지, 그리고 다른 사람들이 우리를 좋아하고 받아들이고 어쩌면 심지어 사랑에 빠지도록 우리의 삶을 사는 방법을 우리에게 말해 준다. ❹ 그러므로 만약 문화가 물리적 환경과 사회적 환경에 대한 적응을 (b)촉진하도록 고안된 것이라면, 아마도 문화는 항상 세계를 정확하게 이해하는 방향으로 애써 나아가려고 할 것이다.

❺ 그러나, 형이상학적 환경에의 적응은 사람들이 진실과 정확성에 따라서만 살지 않는다는 것을 시사한다. ❻ 때때로 문화적 세계관이 삶에 대한 진실과 그 안에서의 우리의 역할을 (c)드러내는(→ 왜곡하는) 것이 더 적응을 돕는다. ❼ 죽음의 필연성과 같은 삶에 대한 어떤 것들은 정면으로 맞서기에는 너무 정서적으로 (d)충격적이다. ❽ 압도적인 공포는 많은 종류의 적응 작용에 방해가 될 수 있으므로, 문화가 현실과 그 안에서 우리의 위치를 이해할 수 있게 하는 "장밋빛 안경(낙관적 견해)"을 제공하는 것은 때때로 적응을 돕는다. ❾ 실존적 관점에서, 정밀한 세계관의 적응적 효용성은 불안감을 완화하는 (e)환상의 적응적 가치에 의해 경감된다.

Words and Phrases • theorist 이론가 • view *A* as *B* A를 B로 간주하다 • body 많은 양, 모음 • shelter 안식처 • defend 방어하다 • mutually 서로, 상호 간에 • beneficial 이익이 되는 • facilitate 촉진하다 • strive 애써 나아가다 • metaphysical 형이상학적인 • devastate 엄청난 충격을 주다 • face 직시하다, 마주하다 • head on 정면으로 • inevitability 필연성 • overwhelming 압도적인 • get in the way of ~에 방해되다 • rose-colored 낙관적인, 장밋빛의 • existential 실존적인 • utility 유용성, 효용 • obsession 강박 상태, 집착 • prosperity 번영

정답 전략 **1** 문화는 인간이 삶의 현실적인 요구에 적응할 수 있게 해 주는 정보를 제공하는 지식의 집합체인 동시에, 삶의 어떤 부분은 왜곡하고 그것에 대해 낙관적 견해를 갖게 해 주는 두 가지 역할을 한다는 것이 이 글의 중심 내용이다. 따라서 제목으로 가장 적절한 것은 ① ' 문화는 우리에게 적응에 대한 이중 기능 렌즈를 제공한다'이다.
② 정확성에 대한 집착이 우리의 마음에 어떻게 해를 끼치는가 ③ 문화적 다양성: 인간 번영의 열쇠 ④ 적응: 정서적 스트레스의 주요 원인 ⑤ 건강한 사회 생활을 위해 현실을 직면하라!
2 (c)의 reveal이 있는 문장 바로 앞에 '형이상학적 환경에의 적응은 사람들이 진실과 정확성에 따라서만 살지 않는다는 것을 시사한다'라는 내용이 나오므로, 문화적 세계관이 때로 삶에 대한 진실과 그 안에서의 우리의 역할을 '드러내는(reveal)' 것이 아니라 '왜곡하는' 것이 적응에 도움이 된다는 흐름으로 이어지는 것이 자연스럽다. 따라서 '왜곡하다'란 의미의 distort를 쓰는 것이 적절하다.

3~4 지문 한눈에 보기

❶ The right to privacy may extend only to the point / where it does not restrict / someone else's right to
선행사 관계대명사
freedom of expression or right to information. ❷ The scope of the right to privacy / is (a) similarly restricted /
주어 동사(수동태)
by the general interest / in preventing crime or in promoting public health. ❸ However, / when we move away
전치사구 1 전치사구 2 접속사(시간): ~일 때
/ from the property-based notion of a right / (where the right to privacy would protect, for example, images
from *A* to *B*: A부터 B까지 선행사 관계부사
and personality), / to modern notions of private and family life, / we find it (b) easier (→ harder) / to establish
find+가목적어(it)+목적격 보어(형용사)+진목적어(to establish ~)
the limits of the right. ❹ This is, of course, the strength of the notion of privacy, / in that it can adapt / to meet
~라는 점에서
changing expectations and technological advances.

❺ In sum, / *what* is privacy today? ❻ The concept includes a claim / that we should be unobserved, / and that
동격의 that 1(that 이하가 claim과 동격) 동격의 that 2
certain information and images about us / should not be (c) circulated without our permission. ❼ *Why* did these privacy claims arise? ❽ They arose / because powerful people took offence / at such observation. ❾ Furthermore, / privacy incorporated the need / to protect the family, home, and correspondence / from arbitrary
형용사적 용법: the need 수식

(d) interference / and, in addition, / there has been a determination / to protect honour and reputation. ❿ *How*
형용사적 용법: a determination 수식
is privacy protected? ⓫ Historically, / privacy was protected / by restricting circulation of the damaging material.
by+V-ing: ~함으로써
⓬ But if the concept of privacy first became interesting legally / as a response to reproductions of images /
접속사 / 전치사: ~로서
through photography and newspapers, / more recent technological advances, / such as data storage, digital
전치사: ~를 통한 / 주어
images, and the Internet, / (e) pose new threats to privacy. ⓭ The right to privacy / is now being reinterpreted to
동사 / 현재진행형 수동태(be being p.p.)
meet those challenges.
부사적 용법(목적)

해석 ❶ 사생활에 대한 권리는 다른 사람의 표현의 자유 또는 정보에 대한 권리를 제한하지 않는 정도까지만 확대될 수 있을 것이다. ❷ 사생활에 대한 권리의 범위는 범죄 예방이나 공중 보건 증진에서의 공공이익에 의해 (a)비슷하게 제한된다. ❸ 그러나, 우리가 속성에 기반을 둔 권리 개념(예를 들어, 사생활에 대한 권리가 이미지와 인격을 보호하는)에서 사생활과 가족의 생활이라는 현대적 개념으로 옮겨갈 때, 우리는 그 권리의 한계를 설정하기가 (b)더 쉽다는(→ 더 어렵다는) 것을 알게 된다. ❹ 물론, 이것은 변화하는 기대와 기술 진보에 대처하기 위해 적응할 수 있다는 점에서, 사생활 개념의 강점이다.
❺ 요약하자면, 오늘날 사생활이란 '무엇'인가? ❻ 그 개념은 우리가 주시당하지 않아야 하고 우리에 관한 특정한 정보와 이미지가 우리의 허락 없이 (c)배포되어서는 안 된다는 주장을 포함한다. ❼ '왜' 이러한 사생활에 대한 주장들이 생겼는가? ❽ 그것은 영향력 있는 사람들이 그러한 주시에 불쾌감을 느꼈기 때문에 생겨났다. ❾ 게다가, 사생활은 임의의 (d)간섭으로부터 가족, 가정, 그리고 통신을 보호할 필요성을 포함했고, 또한 명예와 평판을 보호하려는 확고한 의지가 있었다. ❿ 사생활은 '어떻게' 보호되는가? ⓫ 역사적으로, 사생활은 피해를 주는 자료의 유포를 제한함으로써 보호되었다. ⓬ 그러나 사생활 개념이 사진과 신문을 통한 이미지 재생산에 대한 대응으로 처음 법적으로 관심을 끌게 되었다면, 자료 저장, 디지털 이미지, 그리고 인터넷과 같은 더 최신의 기술 발전은 사생활에 새로운 위협을 (e)제기한다. ⓭ 사생활에 대한 권리는 이제 그러한 어려움에 대처하기 위해 재해석되고 있다.

Words and Phrases • restrict 제한하다 • general interest 공익 • property-based 속성에 기반을 둔 • notion 개념 • in that ~이라는 점에서 • meet 대처하다 • unobserved 주시당하지 않는 • circulate 유포하다 • permission 허락 • arise 생기다 • take offence 불쾌감을 느끼다 • incorporate 포함하다 • correspondence 통신, 연락 • interference 간섭 • determination 결정 • damaging 피해를 주는 • reproduction 재생산 • storage 저장 • pose (문제 등을) 제기하다 • reinterpret 재해석하다 • intervention 개입, 간섭

정답 전략 **3** 사생활의 개념이 기대의 변화와 기술 발전에 대처하기 위해 적응하고 있어 사생활에 대한 권리 역시 재해석되고 있음을 알려주는 글이다. 따라서 글의 제목으로는 ③ '사생활에 대한 권리: 진화하는 개념과 실제'가 가장 적절하다.
① 사생활 보호 기술의 부작용 ② 사생활에 대한 주장과 갈등의 법적 영역 ④ 누가 더 느슨한 사생활 (보호) 규정으로부터 정말로 이득을 얻는가? ⑤ 적을수록 더 좋다: 사생활에 대한 국가의 개입을 줄여라!
4 (b)의 easier가 쓰인 문장 앞에서는 사생활에 대한 권리의 범위를 어떻게 제한하는지에 대해 설명하고 있는데, easier가 쓰인 문장은 However(그러나)로 시작하여 앞의 문장과 대조되는 내용이 나올 것임을 알 수 있다. 사생활에 대한 권리의 개념이 속성에 기반을 둔 개념에서 사생활과 가족의 생활이라는 현대적 개념으로 바뀜에 따라 그 권리의 한계를 설정하는 것이 '더 어려워진다'고 하는 흐름이 자연스러우므로 '더 쉬운'이라는 의미의 easier를 '더 어려운'이라는 의미의 harder로 바꿔 쓰는 것이 적절하다.

Book 2

WEEK

1

DAY

1 개념 돌파 전략 ②

10~13쪽

About the passage (A) 노랫소리 (B) 금화 (C) 금화 (D) 부자, 제화공 1 ⑤ 2 ④ 3 ②
About the passage (B) 연습 (C) 허락 4 ⑤ 5 ⑤ 6 ②

1~3

해석 (A) 옛날 옛적에 가난하지만 쾌활한 제화공이 살았다. 그는 너무 행복해서 하루 종일 노래를 불렀다. 아이들은 (a)그가 노래하는 것을 듣기 좋아했다. 제화공 옆집에는 부자가 살았다. 그는 자신의 금화를 세기 위해 밤을 새곤 했다. 아침에, 그는 잠자리에 들었지만, 제화공의 노랫소리 때문에 잠을 잘 수 없었다.
(D) 어느 날, (d)그는 그 노래를 멈추는 방법을 생각해 냈다. 그는 제화공에게 방문해 달라고 요청하는 편지를 썼다. 제화공은 즉시 왔고, 놀랍게도 부자는 그에게 금화가 든 가방을 주었다. (e)그는 그때까지 그렇게 많은 금화를 본 적이 없었다! 그가 다시 집에 돌아왔을 때, 그는 그것을 세기 시작했고 아이들은 창문을 통해서 지켜보았다.
(C) 거기엔 금화가 너무 많아서 제화공은 그것을 자신에게 보이지 않는 곳에 두기가 겁났다. 그는 그것에 대한 걱정으로 잠을 잘 수 없었다. 이른 아침에, (c)그는 정원에 구멍을 파고 그 안에 금화가 든 가방을 묻었다. 일을 해 보려고 해도 소용이 없었다. 그리고 노래에 관해서라면, 그는 너무 불행해서 한 음도 낼 수 없었다.
(B) 그는 잠을 잘 수도, 일을 할 수도, 노래를 부를 수도 없었고, 최악은, 아이들이 더 이상 (b)그를 보러 오지 않았다. 마침내, 그는 그의 금화가 든 가방을 움켜쥐고 옆집 부자에게 달려갔다. "제발 당신의 금화를 다시 가져가세요."라고 그가 말했다. "그것에 대한 걱정이 저를 아프게 하고 있고, 저는 제 친구들을 모두 잃었어요. 저는 예전처럼 차라리 가난한 제화공이 되겠어요." 그래서 제화공은 다시 행복해졌고 일을 하면서 하루 종일 노래를 불렀다.

1 정답 전략 (A)에서는 항상 노래를 하는 행복한 제화공과, 그 노랫소리에 잠들지 못하는 부자가 등장한다. (D)에서는 부자가 제화공에게 금화가 든 가방을 주고, (C)에서는 제화공이 그 금화를 잃어버릴까 걱정하느라 아무것도 하지 못하는 상황이 나온다. 그리고 (B)에서는 금화 때문에 오히려 불행해진 제화공이 부자에게 금화를 돌려주고 다시 행복해진다. 이러한 흐름이 자연스러우므로 (D)－(C)－(B)의 순서가 적절하다.

2 정답 전략 (d)는 옆집의 부자이고, 나머지는 모두 제화공을 가리킨다.

3 정답 전략 ② 제화공은 금화 때문에 아무것도 하지 못하고 불안해하느니 전처럼 가난한 제화공이 되는 것이 더 낫다고 했다.

끊어 읽기로 보는 구문

그는 편지를 썼다 / 제화공에게 / 그를 방문해 달라고 요청하는
He wrote a letter / to the shoemaker / asking him to visit.
현재분사구: asking 이하가 a letter 수식

4~6

해석 (A) 거장 Brooks가 학급 학생들이 배우도록 바이올린으로 모차르트 곡을 연주하는 중이었고, 학급 학생들은 그 음악을 열심히 배우려고 노력했다. 학급 학생 중에, Joe Brooks가 단연 최고였다. 사실, Joe는 그 거장의 아들이었다. 그는 이제 겨우 열여섯 살이었지만, 이미 자신의 아버지처럼 거장이 되는 (a)자신의 길을 가고 있었다.
(D) 수업 후에, Joe가 아버지와 단둘이 있게 되었다. Joe는 심호흡을 하고 말했다. "아버지의 허락을 받고 싶은 일이 있어요. 저는 크로스오버 콘서트에서 연주해 달라는 요청을 받았어요." 거장 Brooks는 놀란 표정이었다. "아버지," Joe가 계속 말했다. "아버지가 크로스오버 음악을 싫어하시

는 것은 알지만, 그것은 (e)아버지가 생각하는 그런 것이 아니에요. 내일 우리 연습에 오셔서 들어 보지 않으시겠어요? 아버지 마음에 안 드시면, 취소할게요."

(C) "저, 허락을 받았니?" 다음 날 Joe가 연습실에 들어서자마자 Brian이 물었다. "음, 잘 모르겠어." Joe가 자신 없게 말했다. Joe는 그것이 그들과 함께 하는 (d)그의 마지막 연습이 될 거라고 생각했다. 그 3인조 — 건반에 Brian, 기타에 Nick, 바이올린에 Joe로 이루어진 — 는 오랫동안 함께 연습한 그룹만이 할 수 있는 것처럼 쉽게 자신들의 일상적인 연주에 들어갔다.

(B) 그들이 연주를 마쳤을 때, Joe는 자신의 아버지가 구석에 서 있는 것을 알아차렸다. "와, 정말 대단하구나." 그가 감탄하며 말했다. 거장 Brooks는 아들 쪽으로 다가갔다. "나는 (b)네가 바이올린의 정신을 지키면서 그런 독특한 소리를 만들어내는 방식이 좋구나. 크로스오버 음악이 창조할 수 있는 힘을 내가 과소평가했어."라고 거장 Brooks가 (c)그에게 말했다.

4 정답 전략 (A)에서는 Master Brooks가 자신의 아들 Joe가 있는 학급에서 연주를 했고, (D)에서는 수업 후에 Joe가 자신의 아버지에게 크로스오버 콘서트에 초대받았다는 것을 말하고 참가 허락을 구하려 했으며, (C)에서는 아버지의 허락을 받지 못한 상태에서 연습실에 가서 팀원들과 연주를 했고, (B)에서는 그 연습을 지켜본 Master Brooks가 아들이 하는 음악을 인정하고 자신의 견해를 바꾸게 되었다는 내용으로 전개된다.

5 정답 전략 (a), (b), (c), (d)는 Joe Brooks를 가리키지만, (e)는 Master Brooks를 가리킨다.

6 정답 전략 ② Master Brooks는 Joe가 콘서트를 위해 연습하는 것을 보러 갔다.

끊어 읽기로 보는 구문

나는 그 방식이 좋구나 / 네가 그런 독특한 소리를 만들어내는 / 바이올린의 정신을 지키면서

I love the way / you created those unique sounds / while keeping the spirit of the violin.

(the way 뒤에 관계부사 how가 생략) (분사구문: 접속사가 while이 생략되지 않음)

DAY 2 필수 체크 전략 ①, ②

14~19쪽

[대표 유형] 1 ② 2 ④ 3 ⑤ | 1 ② 2 ⑤ 3 ② 4 ② 5 ③ 6 ④

[대표 유형] 지문 한 눈에 보기

(A) ❶ The children arrived at sunrise / at their grandmother's house. ❷ They always gathered / at this time of year / to assist with her corn harvest. ❸ In return, / their grandmother would reward them / with a present / and by cooking a delicious feast. ❹ The children were all in great spirits. ❺ But not Sally. ❻ She disliked working in the corn field / as she hated the heat and the dust. ❼ (a) She sat silently / as the others took a sack each / and then sang their way to the field.

(at: 전치사(시간), at: 전치사(장소), to assist: 부사적 용법(목적): ~하기 위해, reward A with B: A에게 B로 답례하다, with a present: 전치사구 병렬 구조 1, by cooking a delicious feast: 전치사구 병렬 구조 2, working: 목적어(동명사), as: 접속사(이유): ~ 때문에, She: Sally, as: 접속사: ~일 때, the others: 주어, took: 동사 1, sang: 동사 2)

(C) ❽ They reached the field / and started to work happily. ❾ Soon after, / Sally joined them with her sack. ❿ Around mid-morning, / their grandmother came with ice-cold lemonade and peach pie. ⓫ After finishing, / the children continued working / until the sun was high / and their sacks were bursting. ⓬ Each child had to make three trips / to the granary. ⓭ Grandmother was impressed by their efforts / and (d) she wanted to give them presents accordingly.

(to work: 목적어(to부정사), with: 전치사: ~를 가지고, After finishing: 접속사가 생략되지 않은 분사구문, working: 목적어(동명사), until: 접속사: ~까지, the sun was high: 병렬 구조 1, their sacks were bursting: 병렬 구조 2, she: grandmother)

(B) ⓮ Sally just wanted / to get her present and leave the field / because she was starting / to get hot and feel irritated. ⓯ (b) She had only filled her sack twice, / but the others were now taking their third sacks / to the granary. ⓰ Sally sighed heavily. ⓱ Then an idea struck her. ⓲ To make the sack lighter / and speed things up, /

(because: 접속사(이유): ~ 때문에, She: Sally, To make: 부사적 용법(목적): 병렬 구조 1, speed: 병렬 구조 2)

she quickly filled her last sack with corn stalks. ⑲ Sally reached the granary first, / and her grandmother asked (c) her / to put aside the final load / and write her name on it.
Sally ask의 목적격 보어 1 ask의 목적격 보어 2

(D) ⑳ Grandmother asked the other children / to do the same thing. ㉑ Then, / all of the children enjoyed their grandmother's delicious lunch. ㉒ "I am so pleased with your work," / she told them / after lunch. ㉓ "This year, / you can all take home / your final load / as a present!" ㉔ The children cheered for joy, / gladly thanked her, / and lifted their sacks to take home. ㉕ Sally was terribly disappointed. ㉖ There was nothing but useless corn stalks / in (e) her sack. ㉗ She then made the long walk home, / pretending that she was carrying a heavy load.
동사 목적어 목적격 보어 / 전치사: ~로 / 동사 1 동사 2 동사 3 / 그저 ~일 뿐인(= only) / Sally / 분사구문(동시 동작) pretending의 목적어절

해석 (A) ❶ 아이들은 동틀 녘에 할머니 댁에 도착했다. ❷ 그들은 항상 한 해의 이맘때면 할머니의 옥수수 수확을 돕기 위해 모였다. ❸ 그에 대한 보답으로, 할머니는 선물과 맛있는 진수성찬을 만들어서 그들에게 보답하곤 했다. ❹ 아이들은 모두 아주 활기 넘쳤다. ❺ 하지만 Sally는 아니었다. ❻ 그녀는 더위와 먼지를 싫어했기 때문에 옥수수 밭에서 일하는 것을 싫어했다. ❼ 다른 아이들이 각자 자루를 들고 노래를 부르며 밭으로 향할 때 (a)그녀는 말없이 앉아 있었다.

(C) ❽ 그들은 들판에 도착해서 즐겁게 일하기 시작했다. ❾ 곧이어, Sally는 자신의 자루를 가지고 그들에게 합류했다. ❿ 오전 중반쯤, 할머니는 얼음처럼 차가운 레모네이드와 복숭아 파이를 가지고 왔다. ⓫ 다 먹고 난 뒤, 아이들은 해가 높이 뜨고 자신들의 자루가 꽉 찰 때까지 계속 일했다. ⓬ 아이들은 각자 곡물창고로 세 번 오가야 했다. ⓭ 할머니는 아이들의 노력에 감동해서, (d)그녀는 그에 맞춰 그들에게 선물을 주고 싶었다.

(B) ⓮ Sally는 덥고 짜증이 나기 시작했기 때문에, 그저 선물을 받고 밭을 떠나고 싶었다. ⓯ (b)그녀는 자루를 두 번만 채웠지만, 다른 아이들은 이제 세 번째 자루를 곡물창고로 나르고 있었다. ⓰ Sally는 무거운 한숨을 쉬었다. ⓱ 그때 한 가지 묘안이 떠올랐다. ⓲ 자루를 더 가볍게 만들고 속도를 내기 위해, 그녀는 마지막 자루를 옥수수 줄기로 재빨리 채웠다. ⓳ Sally는 곡물창고에 가장 먼저 도착했고, 할머니는 (c)그녀에게 마지막 짐을 한쪽에 놓고 그 위에 그녀의 이름을 쓰라고 했다.

(D) ⑳ 할머니는 다른 아이들에게도 똑같이 하도록 했다. ㉑ 그러고 나서, 아이들은 모두 할머니의 맛있는 점심을 즐겼다. ㉒ "난 너희들이 한 일에 정말 기쁘단다."라고 점심 식사 후에 할머니가 그들에게 말했다. ㉓ "올해엔, 너희들 모두 마지막에 가져온 짐을 선물로 집에 가져가렴!" ㉔ 아이들은 기뻐서 환호했고, 그녀에게 즐겁게 감사하다고 했으며, 자신들의 자루를 들어 올려 집으로 가져갔다. ㉕ Sally는 몹시 실망했다. ㉖ (e)그녀의 자루에는 쓸모없는 옥수수 줄기 외에는 아무것도 없었다. ㉗ 곧이어 그녀는 자신이 무거운 짐을 가지고 가는 체하면서 먼 길을 걸어 집으로 갔다.

정답 전략 1 (A)에는 아이들이 할머니의 옥수수 수확을 도우러 가는 가운데, 그 일을 하기 싫어하는 Sally의 모습이 묘사되어 있다. (C)에는 옥수수 밭에서 열심히 일하는 아이들의 모습이 그려지고, (B)에는 다른 아이들과 달리 일하기 싫어 꾀를 부리는 Sally의 모습이 그려진다. 그런 다음 (D)에서 하루 일이 마무리된 후 열심히 일한 아이들에게 각자 수확한 마지막 자루를 선물로 가져가라는 할머니와, 마지막 자루를 쓸모없는 옥수수 줄기로 채웠다가 실망하는 Sally의 모습이 결말로 그려진다.
2 (d)는 할머니를 가리키고, 나머지는 모두 Sally를 가리킨다.
3 ⑤ Sally는 일을 빨리 끝내려고 마지막 자루를 가벼운 옥수수 줄기로 채우는 꾀를 부렸다.

1~3 지문 한 눈에 보기

(A) ❶ Olivia and her sister Ellie / were standing with Grandma / in the middle of the cabbages. ❷ Suddenly, / Grandma asked, / "Do you know what a Cabbage White is?" ❸ "Yes, (a) I learned about it / in biology class. ❹ It's a beautiful white butterfly,"/ Olivia answered. ❺ "Right! ❻ But it lays its eggs on cabbages, / and then the caterpillars eat the cabbage leaves! ❼ So, / why don't you help me / to pick the caterpillars up?" Grandma suggested. ❽ The two sisters gladly agreed / and went back to the house / to get ready.
간접의문문: know의 목적어 / Olivia / 제안: ~하는 게 어때? / 부사적 용법(목적): ~하기 위해

(C) ⑨ Soon, / armed with a small bucket each, / Olivia and Ellie went back to Grandma. ⑩ When they saw the cabbage patch, / they suddenly remembered / how vast it was. ⑪ There seemed to be a million cabbages. ⑫ Olivia stood open-mouthed / at the sight of the endless cabbage field. ⑬ She thought / they could not possibly pick all of the caterpillars off. ⑭ Olivia sighed in despair. ⑮ Grandma smiled at her and said, / "Don't worry. ⑯ We are only working / on this first row here today." ⑰ Relieved, / (d) she and Ellie started / on the first cabbage.

armed: being이 생략된 분사구문: ~한 채 / When: 접속사(시간): ~일 때 / they: 앞에 명사절을 이끄는 접속사 that 생략 / Relieved: being이 생략된 분사구문: ~한 채 / she: Olivia

(B) ⑱ The caterpillars wriggled / as they were picked up / while Cabbage Whites filled the air around them. ⑲ It was as if the butterflies were making fun of Olivia; / they seemed to be laughing at (b) her, / suggesting that they would lay millions more eggs. ⑳ The cabbage patch looked / like a battlefield. ㉑ Olivia felt like she was losing the battle, / but she fought on. ㉒ (c) She kept filling her bucket with the caterpillars / until the bottom disappeared. ㉓ Feeling exhausted and discouraged, / she asked Grandma, / "Why don't we just get rid of all the butterflies, / so that there will be no more eggs or caterpillars?"

as: 접속사: ~면서 / while: 접속사: ~하는 동안에 / as if: 접속사: 보어절을 이끎 / her: Olivia / suggesting: 분사구문(동시 동작) / like(looked): 전치사: ~처럼 / like(felt): 접속사 / She: Olivia / kept filling: keep+동명사: 계속 ~하다 / until: 접속사: ~일 때까지 / Feeling exhausted and discouraged: 분사구문: As she felt exhausted and discouraged / so that: so (that)+주어+동사: 그래서 ~하다(결과)

(D) ㉔ Grandma smiled gently and said, / "Why wrestle with Mother Nature? ㉕ The butterflies help us grow some other plants / because they carry pollen from flower to flower." ㉖ Olivia realized / (e) she was right. ㉗ Grandma added / that although she knew / caterpillars did harm to cabbages, / she didn't wish to disturb the natural balance of the environment. ㉘ Olivia now saw / the butterflies' true beauty. ㉙ Olivia and Ellie looked at their full buckets / and smiled.

help: 동사 / us: 목적어 / grow: 목적격 보어 / she: grandmother / that: 명사절을 이끄는 접속사 / although: 접속사(양보): 비록 ~이지만

해석 (A) ❶ Olivia와 그녀의 여동생 Ellie는 양배추들 한가운데 할머니와 함께 서 있었다. ❷ 갑자기, 할머니가 "배추흰나비가 뭔지 아니?"라고 물었다. ❸ "네, (a)저는 생물 시간에 그것에 대해 배웠어요. ❹ 그건 아름다운 하얀 나비예요."라고 Olivia가 대답했다. ❺ "맞아! ❻ 하지만 그건 양배추에 알을 낳고, 그러면 애벌레는 양배추 잎을 먹지! ❼ 그러니, 내가 애벌레를 잡는 것을 도와주지 않겠니?"라고 할머니가 제안했다. ❽ 두 자매는 흔쾌히 동의했고 준비를 위해 집으로 돌아갔다.

(C) ❾ 곧, 각자 작은 양동이를 갖춘 채 Olivia와 Ellie는 할머니에게 돌아갔다. ❿ 그들이 양배추밭을 보았을 때, 그들은 갑자기 그것이 얼마나 넓은지 기억해냈다. ⓫ 백만 개의 양배추가 있는 것 같았다. ⓬ Olivia는 끝없는 양배추밭을 보고 입을 벌린 채 서 있었다. ⓭ 그녀는 아마도 그들이 애벌레를 모두 다 떼어낼 수 없을 것이라고 생각했다. ⓮ Olivia는 절망감에 한숨을 쉬었다. ⓯ 할머니는 그녀를 보고 미소를 지으며 "걱정하지 마라. ⓰ 우리는 오늘 여기 첫 번째 줄에서만 일할 거란다."라고 말했다. ⓱ (d)그녀와 Ellie는 안도한 채 첫 번째 양배추부터 시작했다.

(B) ⓲ 배추흰나비들이 그들 주위의 하늘을 가득 메운 채 애벌레들이 잡히면서 꿈틀거렸다. ⓳ 마치 그 나비들은 Olivia를 놀리고 있는 것 같았다. 그것들은 수백만 개의 알을 더 낳을 것이라고 암시하며 (b)그녀를 비웃는 것처럼 보였다. ⓴ 양배추밭은 마치 전쟁터처럼 보였다. ㉑ Olivia는 싸움에서 지고 있다고 느꼈지만, 계속 싸웠다. ㉒ (c)그녀는 바닥이 모습을 감출 때까지 계속해서 자신의 양동이를 애벌레로 채웠다. ㉓ 지치고 낙담한 채, 그녀는 할머니에게 "나비를 모두 없애서 더 이상의 알이나 애벌레가 생기지 않게 하면 어때요?"라고 물었다.

(D) ㉔ 할머니는 부드럽게 미소를 지으며 말했다. "왜 대자연과 싸우려고 하니? ㉕ 나비들은 이 꽃에서 저 꽃으로 꽃가루를 옮기기 때문에 우리가 다른 식물들을 키우는 데 도움을 준단다." ㉖ Olivia는 (e)그녀가 옳다는 것을 깨달았다. ㉗ 할머니는 애벌레가 양배추에게 해를 끼친다는 것을 알지만, 자연환경의 자연스러운 균형을 방해하고 싶지 않다고 덧붙였다. ㉘ Olivia는 이제 나비의 진정한 아름다움을 깨달았다. ㉙ Olivia와 Ellie는 자신들의 가득 찬 양동이를 보고 미소 지었다.

정답 전략 1 (A)에서는 할머니가 Olivia와 Ellie에게 양배추밭에 있는 애벌레를 잡는 것을 도와 달라고 요청했다. (C)에서는 Olivia가 동생 Ellie, 할머니와 함께 양배추에서 애벌레를 잡기 시작했고, (B)

에서는 지친 Olivia가 할머니에게 나비를 모두 없애버리면 어떻겠느냐고 묻는 모습이 이어진다. 그리고 (D)에서는 Olivia의 물음에 대한 대답으로 할머니가 Olivia에게 자연의 섭리를 일깨워 주었다. 따라서 적절한 글의 순서는 (C)-(B)-(D)이다.

2 (a), (b), (c), (d)는 Olivia를 가리키지만, (e)는 Olivia의 할머니를 가리킨다.

3 할머니가 자신을 도와 애벌레를 잡아 달라고 말한 후에 Olivia와 Ellie는 양동이를 가져와 양배추에 붙은 애벌레를 잡기 시작했다. 따라서 ②는 적절하지 않다.

4~6 지문 한눈에 보기

(A) ❶ Mr. Green was startled / by the sudden appearance in the doorway / of a tall young man. ❷ His dark trench coat / caught Mr. Green's attention. ❸ He was Jacob. ❹ He had grown a bit / since Mr. Green last saw him / and his demeanor was certainly different, / but Mr. Green recognized the lost, insecure first grader / (a) he had taught and loved many years ago. ❺ At that time, / some children didn't have the privilege of a nurturing family.

(of a tall young man: appearance 수식 / caught one's attention: ~의 주의를 끌다 / since 접속사: ~한 이후로 / (a) he → Mr. Green / he 앞에 목적격 관계대명사 생략: first grader 수식)

(C) ❻ Jacob was / one of those children. ❼ In the first grade, / (c) he required constant reassurance and redirection / from his teachers. ❽ He often was unable or unwilling / to participate or cooperate / in the classroom. ❾ Mr. Green took the responsibility not only for Jacob's education, / but for his social and emotional needs as well. ❿ Jacob quickly became one of (d) his favorites, / and began to willingly engage / in the process of learning.

((c) he: Jacob / not only *A* but (also) *B*: A뿐만 아니라 B도 / as well: 마찬가지로 / (d) his: Mr. Green)

(B) ⓫ Even after Jacob left first grade, / he would return year after year, / willing to give up his recess time / to see Mr. Green. ⓬ Jacob simply needed / that unconditional acceptance. ⓭ Family circumstances eventually took Jacob to another state, / and with a heavy heart Mr. Green thought / he would never see him again. ⓮ (b) He was worried / how life would treat Jacob. ⓯ So, Mr. Green felt great relief and joy / to see him standing / in the doorway. ⓰ He waved Jacob / to come in.

(willing: 앞에 as he was 생략 / to see Mr. Green: 부사적 용법(목적) / (b) He: Mr. Green / how life would treat Jacob: 간접의문문: 의문사(구)+주어+동사+목적어 / see him standing: 지각동사(see)의 목적어(him)와 목적격 보어(standing))

(D) ⓱ Entering the classroom, / Jacob greeted him back. ⓲ His eyes darted / around Mr. Green's classroom. ⓳ Suddenly, with a laugh, / he asked, / "Do you still have that treasure chest for your students?" ⓴ Mr. Green reached under (e) his desk / to pull out the old treasure chest. ㉑ Jacob began digging / for his favorite candy. ㉒ They sat down for conversation / over the candies. ㉓ Jacob must have eaten ten / before he was finished. ㉔ On the way out / he gave Mr. Green both a hug and a look of gratitude. ㉕ Both his stomach and his emotional "bucket" were filled.

(Entering: 분사구문(동시 동작) / (e) his: Mr. Green / digging: 목적어(동명사) / must have p.p.: ~임에 틀림없다 / gave: 수여동사, Mr. Green: 간접목적어, both a hug and a look of gratitude: 직접목적어 / 주어: Both *A* and *B*(A와 B 둘 다))

해석 (A) ❶ Green 선생님은 키가 큰 젊은이가 문가에 갑자기 나타나 깜짝 놀랐다. ❷ 그의 짙은 색 트렌치코트가 Green 선생님의 주의를 끌었다. ❸ 그는 Jacob이었다. ❹ 그는 Green 선생님이 마지막으로 본 이후로 조금 성장했고, 행동거지는 확실히 달랐지만, Green 선생님은 (a)자신이 여러 해 전에 가르쳤고 사랑했던 그 방황하고 불안정했던 1학년 학생을 알아보았다. ❺ 그 당시에, 몇몇 아이들은 보살펴 주는 가족이라는 특권을 갖지 못했다.

(C) ❻ Jacob은 그런 아이 중의 하나였다. ❼ 1학년 때, (c)그는 교사들로부터 끊임없이 안심시키는 말과 재지시를 필요로 했다. ❽ 그는 자주 교실에서 참여하거나 협력하는 일을 하지 못하거나 하고 싶어 하지 않았다. ❾ Green 선생님은 Jacob의 교육뿐만 아니라 그의 사회적 그리고 정서적 욕구도 책임을 졌다. ❿ Jacob은 빠르게 (d)그가 가장 좋아하는 학생 중의 하나가 되었고, 배움의 과정에 자발적으로 참여하기 시작했다.

(B) ⓫ Jacob이 1학년을 마친 후에도, 그는 해마다 돌아와, 기꺼이 자신의 쉬는 시간을 포기하고 Green 선생님을 보러 왔다. ⓬ Jacob은 단지 그러한 무조건적 수용이 필요했다. ⓭ 가정 환경 때문에 Jacob은 결국 다른 주로 이사를 가게 되었고, Green 선생님은 무거운 마음으로 자신이 그를 결코 다시는 볼 수 없으리라고 생각했다. ⓮ (b)그는 삶이 Jacob을 어떻게 대할지 걱정되었다. ⓯ 그래서, Green 선생님은 문간에 서 있는 그를 보고 큰 안도감과 기쁨을 느꼈다. ⓰ 그는 Jacob에게 들어오라고 손짓했다.

(D) ⓱ 교실로 들어가면서, Jacob도 선생님께 인사했다. ⓲ 그의 시선이 Green 선생님의 교실을 빠르게 둘러보았다. ⓳ 그는 갑자기 웃으며, "선생님은 아직도 학생들을 위한 보물 상자를 갖고 있으세요?"라고 물었다. ⓴ Green 선생님은 (e)그의 책상 밑으로 손을 뻗어 그 낡은 보물 상자를 꺼냈다. ㉑ Jacob은 자신이 가장 좋아하는 사탕을 뒤져서 찾기 시작했다. ㉒ 그들은 사탕을 먹으며 대화를 나누기 위해 앉았다. ㉓ 대화를 끝낼 때까지 Jacob은 열 개는 먹었음에 틀림없다. ㉔ 밖으로 나가면서 그는 Green 선생님을 안으며 감사의 표정을 지었다. ㉕ 그의 배와 그의 정서적 '양동이'가 모두 채워졌다.

정답 전략 4 (A)에서는 Green 선생님이 수년 전(many years ago)에 가르쳤던 제자 Jacob을 보고 놀라는 모습이 묘사된다. 그리고 마지막에 가족의 보살핌을 받지 못하는 아이들이 언급되며, (C)의 첫 문장에 언급된 those children이 그런 아이들을 가리키므로 (C)가 (A) 뒤에 연결된다. (C)에서 Jacob의 1학년 생활(In the first grade)을 설명한 후, (B)에 1학년을 마친 뒤(Even after Jacob left first grade)의 Jacob의 상황이 나온다. 그리고 (D)에서 (A)와 같은 현재 시점으로 돌아와 두 사람이 대화를 나누는 모습이 그려지므로, 적절한 글의 순서는 (C) – (B) – (D)이다.

5 (a), (b), (d), (e)는 Green 선생님을 가리키지만, (c)는 Jacob을 가리킨다.

6 ④ Jacob은 1학년 때 종종 수업에 참여하거나 협력하지 못하고, 또는 하고 싶어 하지 않았다고 했다(He often was unable or unwilling ~ in the classroom.). Green 선생님의 지도로 배움의 과정에 자발적으로 참여하게 되었어도 1학년 내내 수업에 열심히 참여했다고는 할 수 없다.

DAY

3 필수 체크 전략 ①, ②

20~25쪽

[대표 유형] 1 ③ 2 ② 3 ③ | 1 ③ 2 ④ 3 ③ 4 ③ 5 ⑤ 6 ⑤

[대표 유형] 지문 한눈에 보기

(A) ❶ The colors of the trees looked / like (접속사: 마치 ~인 것처럼) they were on fire, / the reds and oranges competing (독립분사구문: 주절과 주어가 다르므로 competing 앞에 주어를 제시) / with the yellows and golds. ❷ This was Nina's favorite season, / but she remained silent for hours / while (접속사: ~하는 동안) Marie was driving. ❸ Nina had been heartbroken / after losing her championship belt. ❹ Now a former champion, / she (동격) was thinking of retiring from boxing. ❺ Marie, her long-time friend and trainer (동격), / shared her pain. ❻ After another silent hour, / Marie and Nina saw a sign: / Sauble Falls (동격). ❼ Marie thought / this would be a good place / for (a) them (Marie and Nina) to stop.

(C) ❽ Marie pulled over into the parking lot. ❾ Marie and Nina went down a path / to watch (부사적 용법(목적)) the falls. ❿ Another sign: / Watch Your Step. ⓫ Rocks Are Slippery. ⓬ (d) They (Marie and Nina) found (동사) the falls (목적어) spilling out (목적격 보어) / in various layers of rock. ⓭ No one was there / except them. ⓮ "Look at them!" ⓯ Marie pointed to movement in the water / moving toward the falls (현재분사구: movement 수식). ⓰ Hundreds of fish tails were flashing (병렬 구조 1) / and catching (병렬 구조 2) light from the sun, / moving (분사구문) upstream. ⓱ Beneath them in the water, / they saw (지각동사) salmon (목적어) slowly moving (목적격 보어) their bodies.

(D) ⑱ While Marie and Nina kept watching the salmon, / a big one suddenly leapt. ⑲ It threw itself up / and over the rushing water above, / but in vain. ⑳ (e) They were standing without a word / and watching the fish struggling. ㉑ Another jumped, / its body spinning / until it made it over the falls. ㉒ Another one leapt and was washed back / by the power of the water. ㉓ Watching the salmon, / Marie noticed Nina fixing her eyes / on their continuing challenge. ㉔ Nina's heart was beating fast / at each leap and twist.

While: 접속사: ~하는 동안 / They: Marie and Nina / were standing: 병렬 구조 1 / watching: 병렬 구조 2 / its body spinning: 독립분사구문: 주절과 주어가 다르므로 spinning 앞에 주어(its body)를 제시 / Watching: 분사구문: As she watched / noticed: 지각동사 / Nina: 목적어 / fixing: 목적격 보어

(B) ㉕ Then, with a great push, / a small one turned a complete circle / and made it over the falls. ㉖ "He made it!" ㉗ Nina shouted at the success / with admiration. ㉘ More salmon then followed and succeeded. ㉙ She felt ashamed / to be looking at (b) them. ㉚ After a moment, / she turned to Marie and said, / "Giving up is not in my vocabulary. ㉛ Marie, I'll get my championship belt back." ㉜ Marie nodded / with a bright smile. ㉝ "Our training begins tomorrow. ㉞ It's going to be tough. ㉟ Are you ready?" ㊱ Walking up the path and back to the car, / (c) they could still hear the fish splashing / in the water.

turned: 병렬 구조 1 / made: 병렬 구조 2 / them: salmon / Giving up: 주어(동명사구) / Walking up: 분사구문: As they walked up / they: Marie and Nina / hear: 지각동사 / the fish: 목적어 / splashing: 목적격 보어

해석 (A) ❶ 나무들의 색이 불타는 것처럼 보였고, 빨간색과 오렌지색이 노란색 및 황금색과 다투고 있었다. ❷ 이때가 Nina가 가장 좋아하는 계절이었지만, 그녀는 Marie가 운전하는 동안 몇 시간을 계속 침묵하고 있었다. ❸ Nina는 챔피언 벨트를 잃은 뒤 상심해 있었다. ❹ 이제 전 챔피언이 되어 버린 그녀는 권투에서 은퇴하는 것을 생각하고 있었다. ❺ 그녀의 오랜 친구이자 트레이너인 Marie는 Nina의 고통을 함께 나누었다. ❻ 침묵의 한 시간이 더 지난 뒤, Marie와 Nina는 'Sauble 폭포'라는 표지판을 보았다. ❼ Marie는 이곳이 (a)그들이 멈추기에 좋은 장소라고 생각했다.

(C) ❽ Marie는 주차장으로 들어가 차를 댔다. ❾ Marie와 Nina는 폭포를 구경하기 위해 길을 내려갔다. ❿ 또 다른 표지판이 있었다: 발밑을 조심하세요. ⓫ 바위가 미끄럽습니다. ⓬ (d)그들은 다양한 층의 바위에서 폭포가 쏟아져 나오는 것을 발견했다. ⓭ 그들 말고는 그곳에 아무도 없었다. ⓮ "저것들 좀 봐!" ⓯ Marie는 폭포를 향해 이동하는 물속의 움직임을 가리켰다. ⓰ 수백 개의 물고기 꼬리가 물살을 거슬러 올라가면서 햇빛을 받아 번쩍거리고 있었다. ⓱ 자신들 아래쪽의 물속에서, 그들은 연어들이 천천히 몸을 움직이고 있는 것을 보았다.

(D) ⑱ Marie와 Nina가 계속 연어를 지켜보고 있는 동안, 커다란 연어 한 마리가 갑자기 뛰어올랐다. ⑲ 그것은 빠르게 흐르는 물 위로 몸을 솟구쳐 넘어가려고 했지만, 소용없었다. ⑳ (e)그들은 말없이 서서 물고기들이 온 힘을 다하는 것을 지켜보았다. ㉑ 또 다른 한 마리가 뛰어올랐고, 몸이 빙글 돌아 마침내 폭포를 넘어가는데 성공했다. ㉒ 또 다른 한 마리가 뛰어올랐으나 물의 힘으로 뒤로 쓸려갔다. ㉓ 연어를 지켜보면서, Marie는 Nina가 그들의 계속된 도전에 시선을 고정하고 있다는 걸 알아챘다. ㉔ Nina의 심장이 (연어들의) 도약과 회전마다 빠르게 고동쳤다.

(B) ㉕ 그때, 작은 연어 한 마리가 힘차게 돌진하여 완전히 한 바퀴를 돌더니 폭포를 넘어가는 데 성공했다. ㉖ "걔가 해냈어!" ㉗ Nina는 그 성공에 감탄하여 외쳤다. ㉘ 그런 다음 더 많은 연어가 뒤따랐고 성공했다. ㉙ 그녀는 (b)그것들을 바라보고 있는 것이 부끄러웠다. ㉚ 잠시 후, 그녀는 Marie 쪽으로 몸을 돌려서 "포기하는 것은 내 사전에 없어."라고 말했다. ㉛ "Marie, 나는 내 챔피언 벨트를 되찾을 거야." ㉜ Marie는 밝게 미소를 지으며 고개를 끄덕였다. ㉝ "우리의 훈련은 내일 시작이야. ㉞ 힘들 거야. ㉟ 준비 됐어?" ㊱ 길을 걸어 올라가 차로 돌아가며, (c)그들은 여전히 물고기들이 물속에서 첨벙거리는 소리를 들을 수 있었다.

정답 전략 **1** (A)에는 권투 선수인 Nina가 챔피언 벨트를 잃은 뒤, 친구이자 트레이너인 Marie가 운전하는 차를 타고 가며 은퇴를 생각하는 장면이 묘사된다. 두 사람이 폭포를 만나는 문장으로 (A)가 끝나므로, 그들이 주차장에 차를 댄 후 폭포로 내려가 물속에서 움직이는 연어를 보게 되는 (C)가 이어지는 것이 자연스럽다. 그 뒤로 폭포를 넘어가려는 연어들을 지켜보는 두 사람의 모습이 묘사된 (D)가 이어지고, 마지막으로 (B)에서 그 연어들을 보며 권투를 포기하려 했던 마음을 버리고 연습을 시작하기로 하는 Nina와 Marie의 결말이 나오는 것이 적절하다. 따라서 (C)-(D)-(B)의 순서가 가장 적절하다.

2 연어를 가리키는 (b)를 제외하면 나머지는 모두 Nina와 Marie를 가리킨다.

3 ③ Nina는 폭포를 넘어가려는 연어들의 사투를 보면서 Marie에게 권투를 포기하지 않겠다고 말했다.

(A) ❶ It was the first day / of the new semester. ❷ Steve and Dave were excited / that they would be back at school again. ❸ They rode their bicycles to school together / that morning, / as they usually did. ❹ Dave had math on the first floor, / and Steve was on the second with history. ❺ On his way to the classroom, / Steve's teacher came up to him to ask / if (a) he wanted to run for student president. ❻ Steve thought for a moment and answered, / "Sure, it'll be a great experience."

(It: 비인칭 주어 / as: 접속사: ~처럼 / did: 대동사(rode ~ together) / On his way to: ~로 가는 도중에 / he: Steve / if: 명사절을 이끄는 접속사: ~인지 아닌지)

(C) ❼ After class, / Steve spotted Dave in the hallway / and ran to him excitedly, / "I've got good news! ❽ I'm going for student president / and I think / mine will be the only nomination." ❾ Dave cleared his throat and replied with surprise, / "Actually, I've just registered my name, too!" ❿ (d) He continued sharply, / "Well, best of luck! ⓫ But don't think / you'll win the election, Steve." ⓬ Dave walked quickly away / and from that moment on, / there was an uncomfortable air of tension / between the two friends. ⓭ Steve tried to be friendly toward Dave, / but he just didn't seem to care.

(spotted: 동사 1 / ran: 동사 2 / mine: my nomination / cleared: 동사 1 / replied: 동사 2 / He: Dave / between: 전치사: ~ 사이에)

(D) ⓮ When the election day came, / Steve found / that his bicycle had a flat tire, / so he started to run to school. ⓯ Just as he reached the end of the street, / Dave's dad, who was driving Dave to school, / pulled over to give him a ride. ⓰ The dead silence in the car / made the drive painful. ⓱ Noticing the bad atmosphere, / Dave's dad said, / "You know, only one of you can win. ⓲ You have known each other / since birth. ⓳ Don't let this election ruin your friendship. ⓴ Try to be happy for each other!" ㉑ His words hit Dave hard. ㉒ Looking at Steve, / Dave felt the need to apologize to (e) him / later that day.

(When: 접속사(시간): ~일 때 / that: 명사절을 이끄는 접속사 / started: 동사 / to run: 목적어 / as: 접속사: ~일 때 / Dave's dad: 선행사 / who: 계속적 용법의 주격 관계대명사 / The dead silence: 주어 / made: 동사 / the drive: 목적어 / painful: 목적격 보어 / Noticing: 분사구문: As he noticed / Looking at: 분사구문: As he looked at / to apologize: 형용사적 용법: the need 수식 / him: Steve)

(B) ㉓ Steve won the election. ㉔ Upon hearing the result, / Dave went over to Steve / and congratulated (b) him, / shaking his hand. ㉕ Steve could still see the disappointment burning in his eyes. ㉖ It wasn't until later that evening, / on the way home, / that Dave said apologetically, / "I'm so sorry, Steve! ㉗ This election hasn't damaged our friendship, / has it?" ㉘ "Of course not, Dave. ㉙ We're friends / as always!" ㉚ Steve responded / with a smile. ㉛ As Steve arrived home, / his dad was proudly waiting for him and said, / "Congratulations on the win! ㉜ How did Dave take it?" ㉝ Steve replied, / "We're fine now, / best friends for life!" ㉞ (c) His dad laughed, / "Sounds like you won two battles today!"

(Upon hearing: upon+V-ing: ~하자마자 / him: Steve / shaking: 분사구문(동시 동작) / see: 지각동사 / the disappointment: 목적어 / burning: 목적격 보어 / It wasn't until: it wasn't until ~ that: ~해서야 비로소 …했다 / as always: 늘 그렇듯 / As: 접속사(시간): ~일 때 / His: Steve)

해석 (A) ❶ 새 학기의 첫날이었다. ❷ Steve와 Dave는 다시 학교에 가게 되어 흥분해 있었다. ❸ 그날 아침 그들은 두 사람이 대개 그랬던 것처럼 자전거를 타고 함께 등교했다. ❹ Dave는 수학 수업이 1층에서 있었고, Steve는 2층에서 역사 수업이 있었다. ❺ 교실로 가는 길에, Steve의 선생님이 그에게 다가와 (a)그가 학생회장에 출마하고 싶은지 물었다. ❻ Steve는 잠시 생각하고는 "그럼요, 큰 경험이 될 거예요."라고 대답했다.
(C) ❼ 수업이 끝난 뒤, Steve는 복도에서 Dave를 발견하고는 그에게 신나게 달려가 말했다. "좋은 소식이 있어! ❽ 나는 학생회장에 출마할 건데, 나만 유일하게 추천을 받을 것 같아." ❾ Dave는 목청을 가다듬고 놀라면서 답했다. "실은, 나도 방금 내 이름을 등록했어!" ❿ (d)그는 또렷하게 말을 계속했다. "그래, 행운을 빌어! ⓫ 그러나 네가 선거에서 이길 거라고 생각하지 마, Steve." ⓬ Dave는 재빨리 떠났고 그 순간 이후로, 두 친구 사이에는 계속해서 불편한 긴장의 기색이 있었다. ⓭ Steve는 Dave에게 친근하게 하려고 했지만, 그는 전혀 신경 쓰는 것 같지 않았다.

(D) ⓮ 선거일이 되었을 때, Steve는 자신의 자전거 타이어에 펑크가 난 것을 발견했고, 그래서 학교로 뛰어가기 시작했다. ⓯ 그가 막 도로의 끝에 이르렀을 때, Dave를 학교로 태워다 주고 있던 Dave의 아버지가 그를 태워주기 위해 차를 길옆에 세웠다. ⓰ 차안의 절대적인 정적은 차를 타고 가는 것을 고통스럽게 했다. ⓱ 불편한 분위기를 눈치 채고, Dave의 아버지가 말했다. "너희도 알겠지만, 너희 중 단지 한 명만 이길 수 있단다. ⓲ 너희는 태어날 때부터 서로 알고 지냈잖아. ⓳ 이 선거가 너희의 우정을 망치게 하지 말려무나. ⓴ 서로를 위해 기쁘게 생각하도록 해 봐!" ㉑ 아버지의 말이 Dave에게 큰 충격을 주었다. ㉒ Steve를 보면서 Dave는 그날 늦게 (e)그에게 사과를 해야 할 필요를 느꼈다.

(B) ㉓ Steve는 선거에서 이겼다. ㉔ 결과를 듣자마자, Dave는 Steve에게 가서 악수를 하면서, (b)그에게 축하를 했다. ㉕ Steve는 여전히 그의 눈에서 실망감이 불타고 있는 것을 볼 수 있었다. ㉖ 그날 저녁 늦게 집으로 가는 길에서야 비로소 Dave는 미안해하며 말했다. "정말 미안해, Steve! ㉗ 이번 선거가 우리의 우정을 해친 건 아니지, 그렇지?" ㉘ "물론 아니지, Dave. ㉙ 우린 언제나처럼 친구야!" ㉚ Steve는 미소로 대답했다. ㉛ Steve가 집에 도착했을 때, 그의 아버지는 자랑스럽게 그를 기다리다가 말했다. "이긴 것을 축하해! ㉜ Dave는 그것을 어떻게 받아들였니?" ㉝ Steve는 "우린 평생을 함께 할 최고의 친구니까 이제 괜찮아요!"라고 대답했다. ㉞ (c)그의 아버지는 웃으면서 "넌 오늘 두 번의 싸움에서 이긴 것처럼 들리는구나!"라고 말했다.

정답 전략 **1** (A)에서는 새학기 첫날(the first day of the new semester) 친한 친구 사이인 Steve와 Dave의 관계를 알 수 있고, (C)에서는 수업이 끝난 후(After class) Steve와 Dave는 둘 다 학생회장 선거에 출마했음을 알고 두 사람 사이에 불편한 분위기가 형성된다. 그리고 선거일(When the election day came)에 두 사람의 불편한 분위기를 눈치챈 아버지의 조언을 들은 Dave가 Steve에게 사과할 필요성을 느끼게 되었다는 (D)가 이어지고, 마지막으로 선거가 끝나고 Steve가 이긴 뒤 Dave가 사과를 하는 (B)가 오는 흐름이 적절하다. 따라서 (C)-(D)-(B)의 순서가 자연스럽다.

2 Dave를 가리키는 (d)를 제외하면 나머지는 모두 Steve를 가리킨다.

3 ③ Steve는 수업이 끝난 뒤 Dave를 보고 달려가 자신이 학생회장에 출마한다는 사실을 알렸다.

4~6 지문 한눈에 보기

(A) ❶ People were gathering / in the boarding area / for the cross-country flight / from Chicago to Portland. ❷ Southwest Airlines has open seating. ❸ I wanted to be early in line / for my boarding section / so I could get a choice seat near the front. ❹ It was then / I noticed the young mother / with (a) her toddler and infant. ❺ "Nobody is going to want to sit / next to that wiggly boy," / I thought to myself. ❻ "I'm traveling alone. ❼ I could do it. ❽ I might even be able to help the lady."

(so I could: so (that) ~ can: ~할 수 있도록 / It was: It is(was) ~ that 강조: that이 생략된 형태로 then을 강조 / (a) her: the young mother)

(C) ❾ Sure enough, / no one had chosen the aisle seat / by the threesome. ❿ "May I sit here?" / I requested. ⓫ We exchanged a few pleasantries / after which I suggested / that she let me hold her sleeping darling / while she attended to the wiggly one. ⓬ (c) Her treasure was gratefully handed over. ⓭ The little boy was well-behaved, / but constantly moving. ⓮ If she had had to hold the baby on (d) her lap / and entertain the wiggly one / it would have been much more difficult.

(a few pleasantries: 선행사 / after which: 전치사+관계대명사 / let me hold: 사역동사 목적어 목적격 보어 / while: 접속사: ~하는 동안 / (c) Her: the young mother / If she had had: 가정법 과거완료: If+주어+had p.p. ~ / (d) her: the young mother / it would have been: 주어+조동사 과거형+have p.p. / much: 비교급 강조)

(D) ⓯ I mentally recalled some of my own journeys / with wiggly ones on my lap, / especially the day my own toddler cried / the entire trip from Chicago to Florida, / which was something of a nightmare. ⓰ At least neither of these children / was crying or being difficult. ⓱ The sleeping baby seemed to get heavier / as time went on.

(my own: 앞에 관계부사 when 생략: / toddler cried: the day 수식 / which: 계속적 용법의 주격 관계대명사: 선행사는 the day ~ Florida / neither of: 둘 중 어느 쪽도 아니다)

⑱ The book / I had planned to read / remained in my bag under the seat. ⑲ Sleepiness overtook me / for a short while. ⑳ Then we could see the snow on Mt. Hood, / and I knew the flight would soon end. ㉑ Finally the wiggly one slept. ㉒ The baby sister had slept / all the way across the country. ㉓ Now (e) she opened her big blue eyes / and smiled at me, / unafraid.

(과거완료(대과거): had planned는 주절보다 이전에 있었던 일 / The book: 선행사 / 앞에 목적격 관계대명사 생략 / she: the baby / opened: 동사 1 / smiled: 동사 2 / unafraid: 분사구문: as she was unafraid)

(B) ㉔ Then it was my turn / to play little games with her. ㉕ How easy it was / to entertain this contented baby! ㉖ I offered to help / the children into their stroller on the jet way, / but the mother assured / (b) she could manage quite well on her own. ㉗ In the terminal stood a young father / waiting for his family to return / from baby's first visit to far away grandparents. ㉘ He was easily identified / from his wife's description. ㉙ As I passed him / I smiled / and lifted up a prayer for God's blessing / on this lovely young family.

(to play: 형용사적 용법: my turn 수식 / it: 가주어 / to entertain this contented baby: 진주어 / she: the young mother / In the terminal stood a young father: 도치: 장소 부사구+동사+주어 / waiting ~ grandparents: 현재분사구: a young father 수식 / As: 접속사(시간): ~일 때)

해석 (A) ❶ 시카고에서 포틀랜드로 가는 국토 횡단 비행기를 타기 위해 사람들이 탑승 구역에 모여들고 있었다. ❷ Southwest Airlines은 비지정좌석 시스템이다. ❸ 앞쪽 근처의 선택 좌석을 얻을 수 있도록 내 탑승 섹션에 일찍 줄을 서고 싶었다. ❹ 젊은 어머니가 (a)그녀의 걸음마하는 아이와 아기를 데리고 있는 것을 내가 알아차린 것은 바로 그때였다. ❺ "아무도 저 꼼지락거리는 남자 아이 옆에 앉고 싶어 하지 않을 거야." 나는 속으로 생각했다. ❻ "나는 혼자 여행하고 있어. ❼ 나는 그걸 할 수 있어. ❽ 내가 그 엄마를 도울 수 있을지도 몰라."

(C) ❾ 아니나 다를까, 그 세 명 옆의 통로 좌석을 선택한 사람은 아무도 없었다. ❿ "여기 앉아도 될까요?" 나는 물었다. ⓫ 우리는 몇 마디의 사교적인 인사를 주고받았고, 그 후 나는 그녀가 꼼지락거리는 아이를 돌보는 동안 내가 그녀의 잠든 아기를 안아주겠다고 했다. ⓬ (c)그녀의 보물이 기꺼이 넘겨졌다. ⓭ 어린 남자 아이는 얌전했지만, 끊임없이 움직였다. ⓮ 만약 그녀가 아기를 (d)그녀의 무릎 위에 올려놓고 꼼지락거리는 아이를 즐겁게 해주어야 했다면 그것은 훨씬 더 어려웠을 것이다.

(D) ⓯ 나는 내 무릎 위에 꼼지락거리는 아이들을 올려놓고 갔었던 나의 몇 번의 여행을 마음속으로 떠올렸는데, 특히 내 아이가 시카고에서 플로리다까지 가는 여행 내내 울었던 날은 악몽과도 같았다. ⓰ 적어도 이 아이들은 누구도 울거나 힘들게 굴지 않았다. ⓱ 잠자는 아기는 시간이 지날수록 무거워지는 것 같았다. ⓲ 내가 읽으려고 계획했던 책은 좌석 밑의 가방에 그대로 있었다. ⓳ 잠깐 동안 내게 졸음이 엄습했다. ⑳ 그때 우리는 Hood 산에 쌓인 눈을 볼 수 있었고, 나는 비행이 곧 끝날 것을 알았다. ㉑ 마침내 꼼지락거리는 아이가 잠들었다. ㉒ 여동생인 아기는 국토를 가로지르는 내내 잠을 잤었다. ㉓ 이제 (e)그녀는 커다란 푸른 눈을 뜨고 두려움 없이 나에게 미소 지었다.

(B) ㉔ 그때가 내가 그녀와 간단한 게임을 할 차례였다. ㉕ 이 만족스러워하는 아기를 즐겁게 해주는 것은 얼마나 쉬운 일이었는지! ㉖ 나는 이동식 탑승교에서 아이들을 유모차에 태울 수 있도록 도와주겠다고 제안했지만, 그 어머니는 (b)그녀 혼자서 꽤 잘 해낼 수 있다고 장담했다. ㉗ 터미널에서는 한 젊은 아버지가 멀리 사는 조부모를 처음 방문한 아기를 데리고 돌아오는 자신의 가족을 기다리며 서 있었다. ㉘ 그의 아내의 묘사로 인해 그를 쉽게 알아보았다. ㉙ 그를 지나칠 때 나는 미소를 지었고 이 사랑스러운 젊은 가족에 대해 신의 축복을 기원하는 기도를 올렸다.

정답 전략 **4** (A)에서는 비행기를 타려고 기다리던 주인공이 어린 아이와 아기를 데리고 있는 젊은 어머니를 보고 돕겠다고 결심하는 장면이 묘사된다. 그리고 (C)에서는 그 어머니의 옆자리에 앉아 자고 있는 아기를 넘겨받는 장면이 이어진다. 아기를 안은 채 자신의 아이를 데리고 했던 여행 경험을 떠올리는 (D)가 이어지는 것이 자연스럽고, 마지막으로 목적지에 도착해 세 가족과 헤어지는 흐름이 적절하다. 따라서 (C)－(D)－(B)의 순서가 자연스럽다.

5 아기를 가리키는 (e)를 제외한 나머지는 모두 아이들의 엄마를 가리킨다.

6 'I'가 읽으려고 계획했던 책은 아기를 안고 있느라 좌석 밑의 가방에 그대로 넣어두었다고 했다(The book I had planned to read remained in my bag under the seat.).

누구나 합격 전략

26~29쪽

1 ④ 2 ④ 3 ⑤ 4 ② 5 ② 6 ⑤

1~3 지문 한눈에 보기

(A) ❶ There once lived a girl / named Melanie. ❷ She wanted to be a ballet dancer. ❸ One day, / Melanie's mother saw her dancing / with the flawless steps and enthusiasm of a ballerina. ❹ "Isn't it strange? ❺ Melanie is dancing so well / without any formal training!" / her mother said. ❻ "I must get (a) her professional lessons / to help her polish her skill."

(과거분사구(수동): a girl 수식 / saw: 지각동사, her: 목적어, dancing: 목적격 보어 / get: 수여동사, (a) her: 간접목적어 → Melanie, professional lessons: 직접목적어)

(D) ❼ The following day, / Melanie accompanied her mother / to a local dance institute. ❽ Upon meeting the dance teacher, Mr. Edler, / her mother requested to admit Melanie / to his institute. ❾ The teacher asked Melanie to audition. ❿ (e) She was happy / and showed him some of her favorite dance steps. ⓫ However, / he wasn't interested in her dance. ⓬ He was busy / with other tasks / in the dance room. ⓭ "You can leave now! ⓮ The girl is just average. ⓯ Don't let her waste her time / aspiring to be a dancer," / he said. ⓰ Melanie and her mother were shocked / to hear this.

(upon+V-ing: ~하자마자 / the dance teacher, Mr. Edler: 동격 / asked: 동사, Melanie: 목적어, to audition: 목적격 보어 / (e) She: Melanie / let: 사역동사, her: 목적어, waste: 목적격 보어)

(B) ⓱ Disappointed, they returned home, / tears rolling down Melanie's cheeks. ⓲ With her confidence and ego hurt, / Melanie never danced again. ⓳ (b) She completed her studies / and became a schoolteacher. ⓴ One day, / the ballet instructor at her school was running late, / and Melanie was asked to keep an eye on the class / so that they wouldn't roam around the school. ㉑ Once inside the ballet room, / she couldn't control herself. ㉒ She taught the students some steps / and kept on dancing for some time. ㉓ Unaware of time or the people around her, / (c) she was lost in her own little world of dancing.

(being이 생략된 분사구문 / 독립분사구문: 주절의 주어와 종속절의 주어가 다르므로 주어 tears가 생략되지 않음 / with 분사구문(with+명사+과거분사): ~한 채 / (b) She: Melanie, completed: 동사 1, became: 동사 2 / the ballet instructor: 주어, was running: 동사 / so that 목적: ~하기 위해 / keep on V-ing: 계속 ~하다 / being이 생략된 분사구문: ~한 채 / (c) she: Melanie)

(C) ㉔ Just then, / the ballet instructor entered the classroom / and was surprised to see Melanie's incredible skill. ㉕ "What a performance!" / the instructor said / with a sparkle in her eyes. ㉖ Melanie was embarrassed / to see the instructor / in front of her. ㉗ "Sorry, Ma'am!" / she said. ㉘ "For what?" / the instructor asked. ㉙ "You are a true ballerina!" ㉚ The instructor invited Melanie / to accompany (d) her to a ballet training center, / and Melanie has never stopped dancing since. ㉛ Today, she is a world-renowned ballet dancer.

(invited: 동사, Melanie: 목적어, to accompany: 목적격 보어 / (d) her: the instructor / stop+동명사(목적어): ~하는 것을 그만두다)

해석 (A) ❶ 옛날에 Melanie라는 소녀가 살았다. ❷ 그녀는 발레 무용수가 되고 싶었다. ❸ 어느 날, Melanie의 엄마는 Melanie가 발레리나의 완벽한 스텝과 열정을 가지고 춤추는 것을 보았다. ❹ "놀랍지 않아요? ❺ Melanie는 정규 교육을 받지 않고도 춤을 너무 잘 춰요!"라고 그녀의 엄마가 말했다. ❻ "그녀가 기술을 연마하는 것을 돕도록 (a)그녀가 전문적인 수업을 받도록 해야겠어요."
(D) ❼ 다음 날, Melanie는 엄마와 함께 지역 무용 학교에 갔다. ❽ 무용 교사인 Mr. Edler를 만나자마자, 그녀의 엄마는 Melanie를 그의 학교에 받아들여 달라고 요청했다. ❾ 교사는 Melanie에게 오디션을 보라고 했다. ❿ (e)그녀는 기뻐하며 그에게 그녀가 가장 좋아하는 댄스 스텝을 보여 주었다. ⓫ 하지만, 그는 그녀의 춤에 관심이 없었다. ⓬ 그는 무용실에서 다른 일들로 바빴다. ⓭ "이제 가셔도 됩니다! ⓮ 이 소녀는 평범합니다. ⓯ 무용수가 되려는 열망으로 시간을 낭비하게 하지 마세요."라고 그가 말했다. ⓰ Melanie와 그녀의 엄마는 이 말을 듣고 충격을 받았다.
(B) ⓱ 실망하여 그들은 집으로 돌아왔고, Melanie의 뺨에 눈물이 흘러내렸다. ⓲ 자신감과 자아가 상처받은 채, Melanie는 결코 다시는 춤을 추지 않았다. ⓳ (b)그녀는 학업을 마치고 학교 교사가

되었다. ⑳ 어느 날, 그녀가 근무하는 학교의 발레 강사가 늦게 오는 중이었고, Melanie는 학생들이 학교 주변을 배회하지 않도록 지켜봐 달라는 요청을 받았다. ㉑ 발레실 안으로 들어가자, Melanie는 자신을 통제할 수 없었다. ㉒ 그녀는 학생들에게 몇 가지 스텝을 가르쳤고 얼마 동안 계속해서 춤을 추었다. ㉓ 시간과 그녀를 둘러싼 사람들도 인식하지도 못한 채, (c)그녀는 그녀만의 작은 춤의 세계에 빠져 있었다.

(C) ㉔ 바로 그때, 발레 강사가 교실로 들어와 Melanie의 믿을 수 없는 기술을 보고 놀랐다. ㉕ "대단한 공연이에요!" 강사가 눈을 반짝이며 말했다. ㉖ Melanie는 자신 앞에 서 있는 강사를 보고 당황했다. ㉗ "죄송해요, 강사님!"이라고 그녀는 말했다. ㉘ "뭐가요?"라고 강사가 물었다. ㉙ "당신은 진정한 발레리나인걸요." ㉚ 강사는 Melanie에게 발레 교습소로 (d)그녀와 함께 가자고 요청했고, 이후 Melanie는 결코 무용을 그만두지 않았다. ㉛ 오늘날, 그녀는 세계적으로 유명한 발레 무용수이다.

정답 전략 **1** (A)에서는 Melanie라는 소녀가 발레에 재능을 보이자 엄마가 딸에게 발레 교습을 받게 하려고 결심하는 장면이 나온다. Melanie와 엄마가 발레 학교를 찾아가 오디션을 보는 내용인 (D)가 이어지고 오디션을 본 Melanie가 선생님의 말에 상처를 받아서 발레를 포기하고 학교 선생님이 되는 내용의 (B)가 뒤에 오는 것이 알맞다. (B)에서 선생님이 된 Melanie가 우연히 발레 수업에서 춤을 추는 모습이 묘사된 뒤, (C)에서 이 모습을 본 발레 강사가 Melanie를 발레 교습소로 초대하고, 결국 Melanie가 발레리나가 되는 결말이 오는 것이 적절하다. 따라서 (D)-(B)-(C)의 순서가 자연스럽다.

2 동사 accompany는 '~와 동행하다'라는 의미이다. 발레 선생님이 Melanie에게 자신과의 동행을 부탁한 것이므로, (d)의 her는 발레 선생님을 뜻한다. 나머지는 모두 Melanie를 가리킨다.

3 ⑤ Mr. Edler는 Melanie의 춤에 관심을 갖지 않았고, 발레를 동경하느라 시간 낭비를 하지 말라고 말했다.

4~6 지문 한눈에 보기

(A) ❶ Susan met Phillip, / the son of her close friend, / at a local coffee shop. ❷ Phillip **had** recently **graduated** [동사 1] from a small-town college / and **landed** [동사 2] his first job in **Los Angeles** [선행사], / **where** [계속적 용법의 관계부사] she lived. ❸ He was single / and wanted to make new friends. ❹ (a) He [Phillip] **had lived** [동사 1] his entire life in small towns / **but** [접속사] suddenly **found** [동사 2] himself in **a big city** [선행사], / **where** [계속적 용법의 관계부사] **making friends** [주어(동명사구)] **seemed like** [동사(~처럼 보였다)] a challenge.

(C) ❺ Susan **advised** [동사] **him** [목적어] / **to routinely frequent** [목적격 보어 1] a local café / near his apartment / and **to sit** [목적격 보어 2] alone at a table. ❻ Phillip told her / **that** [명사절을 이끄는 접속사] he was an antique marble collector. ❼ Susan **instructed** [동사] **him** [목적어] / **to bring** [목적격 보어] a magnifying glass and a bag of marbles with him / **each time** [~할 때마다(whenever)] (c) he [Phillip] visited the café. ❽ She **further** [far의 비교급] **instructed** [동사] **him** [목적어] / **to set** [목적격 보어 1] the marbles on the table / and thoughtfully **examine** [목적격 보어 2] each one / with the magnifying glass.

(B) ❾ In addition to such advice, / Susan **told** [동사] **Phillip** [목적어] / **to build** [목적격 보어] a good rapport with the café owner / because he would become Phillip's ambassador / to the members in the community. ❿ Because the owner had direct contact with Phillip, / other customers would naturally ask (b) him [the owner] / **who the new person was** [간접의문문: ask의 직접목적어]. ⓫ **When** [접속사(시간): ~일 때] they did, / **he would say nice things about Phillip** [선행사], / **which** [계속적 용법의 주격 관계대명사] in turn would form **a filter** [선행사] / **through which** [전치사+관계대명사] the other customers would view Phillip.

(D) ⓬ Phillip chose to take her advice. ⓭ **The first time** [time 뒤에 관계부사 when 생략] he visited the café / he **ordered** [동사 1] a drink, / **laid out** [동사 2] the marbles, / and **examined** [동사 3] them one by one with the magnifying glass. ⓮ A few minutes **after** [접속사] the owner served

Phillip his drink, / he asked (d) him about his unusual activity. ⑮ Phillip told him briefly about his marble collection / and noted the differences / in size, color, and texture of each marble. ⑯ After several visits to the café, / Phillip and the owner became better acquainted. ⑰ The owner liked Phillip / and introduced (e) him to several people / who were obviously interested in his hobby.

(him: Phillip / told: 동사 1 / noted: 동사 2 / After: 전치사 / him: Phillip / several people: 선행사 / who: 주격 관계대명사)

해석 (A) ❶ Susan은 그녀의 가까운 친구 아들인 Phillip을 동네 커피숍에서 만났다. ❷ Phillip은 최근 소도시에 있는 대학을 졸업하고 그녀가 살고 있는 Los Angeles에서 첫 직장을 얻었다. ❸ 그는 독신이었고 새로운 친구를 사귀고 싶어 했다. ❹ (a)그는 평생 소도시에서 살아오다 갑자기 대도시에 살게 되었는데, 그곳에서 친구를 사귀는 것은 어려운 일인 것 같았다.
(C) ❺ Susan은 그에게 그의 아파트 근처에 있는 동네 카페에 일상적으로 자주 방문하여 탁자에 혼자 앉아 있으라고 조언했다. ❻ Phillip은 자신이 오래된 구슬을 수집한다고 그녀에게 말했다. ❼ Susan은 (c)그가 카페를 방문할 때마다 확대경과 구슬 한 봉지를 가져가라고 그에게 알려 주었다. ❽ 그녀는 더 나아가 탁자 위에 구슬을 놓아두고 확대경으로 하나하나를 진지하게 살펴보라고 알려 주었다.
(B) ❾ 그런 조언에 덧붙여, Susan은 그 카페 주인이 그 지역 사회 구성원들에게 Phillip의 대사 역할을 하게 될 것이기 때문에 그와 좋은 관계를 맺으라고 Phillip에게 말했다. ❿ 그 주인이 Phillip과 직접 교류하기 때문에, 다른 고객들은 자연스럽게 (b)그에게 그 새로운 사람이 누구인지 물어볼 것이다. ⓫ 그들이 그렇게 할 때, 그는 Phillip에 대한 좋은 점들을 말할 것이고, 그것은 결국 다른 고객들이 Phillip을 바라볼 때 사용할 필터를 만들 것이다.
(D) ⓬ Phillip은 그녀의 조언을 따르기로 했다. ⓭ Phillip은 처음 카페를 방문했을 때 음료수를 주문했고, 구슬을 펼쳐 놓은 다음, 확대경으로 그것들을 하나하나 살펴 보았다. ⓮ 주인이 Phillip에게 음료를 가져다주고 나서 몇 분 후에, 주인은 (d)그에게 그의 색다른 활동에 관해 물어보았다. ⑮ Phillip은 그에게 자신의 구슬 수집에 관해 간단히 말해 주었고 각 구슬의 크기, 색, 그리고 질감의 차이를 언급했다. ⑯ 몇 번의 카페 방문 이후에, Phillip과 카페 주인은 더 잘 아는 사이가 되었다. ⑰ 카페 주인은 Phillip을 좋아했고, 그의 취미에 두드러지게 관심이 있는 몇몇 사람들에게 (e)그를 소개해 주었다.

정답 전략 **4** (A)에서는 Susan이 친구의 아들인 Phillip을 만났으며, Phillip은 새로운 곳에 일자리를 얻었기 때문에 친구를 사귀고 싶어 하고 있다. 따라서 뒤에는 Susan이 Phillip에게 친구를 사귀는 방법에 대해 조언을 해 주는 내용인 (C)가 오는 것이 적절하다. (B)는 Susan이 자신이 조언한 내용에 대해 부연 설명을 하고 있으므로 (C) 다음에 나오고 Phillip이 이를 받아들여 실행하는 (D)가 마지막으로 오는 흐름이 자연스럽다. 즉 (C)－(B)－(D)의 순서이다.
5 다른 손님들이 카페 주인에게 새로운 사람, 즉 Phillip이 누구인지 물어본 것이므로 (b)의 him은 카페 주인을 가리킨다.
6 ⑤ 구슬로 인해 카페 주인과 안면 있는 사이가 되어 친구를 사귀는 데 도움을 받았다.

창의·융합·코딩 전략 ①, ②

30~33쪽

1 ① **2** ④ **3** Switzerland, train, announcement, confused, old woman **4** ③ **5** ❺→❸→❷→❻ **6** ③
7 1 the other tree, in the future, the indoor tree 2 In a few years, outside 3 never grow, to achieve

1~2

해석 **1** 가난한 대학생이 학비를 마련하기 위해 위대한 피아니스트 Ignacy Paderewski의 콘서트를 주최했다. → 그는 입장권을 충분히 판매하지 못했다. 그래서 그는 연주회 비용뿐만 아니라 학비도 지불할 수 없었다. → 그는 Paderewski에게 자신의 어려움을 설명했다. 피아니스트는 학생에게 이렇게 말했다. “자네의 학비로 필요한 이 돈을 자네가 가지게.”
2 Kevin은 쇼핑몰 앞에 있는 자신의 차 옆에 있었다. 그를 향해 한 노인이 다가오고 있었다. 그는 거지처럼 보였다. → Kevin은 “그 노인이 나에게 돈을 요구하지 않았으면 좋겠어.”라고 생각했다. → 그 노인은 조용히 그의 옆에 서 있었다. 그들 사이의 침묵이 커졌다.

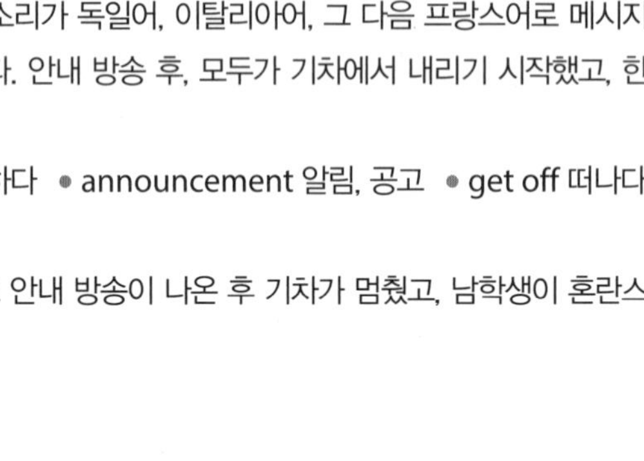

① 그 학생은 놀랐고, 그에게 진심으로 감사했다.
② 그 학생은 고아였고, 돈을 어디서 구해야 할지 몰랐다.
③ Kevin은 세차장에서 방금 나와서 아내를 기다리고 있었다.
④ Kevin은 "도움이 필요하신가요?"라고 물었다. 그 노인은 "우리 모두가 그렇지 않나요?"라고 답했다.

Words and Phrases • host 주최하다 • raise 모으다 • recital 연주회 • fee 수수료, 학비 • beggar 거지 • widen 커지다, 키우다 • heartily 진심으로 • orphan 고아 • car wash 세차장

정답 전략 **1** 가난한 대학생이 학비를 마련하기 위해 연주회를 개회했지만 입장권을 충분히 팔지 못해 연주회 비용과 학비 모두 낼 수 없는 상황에서 피아니스트가 돈을 받지 않고 학생에게 돌려준 상황이므로 ① '그 학생은 놀랐고, 그에게 진심으로 감사했다.'가 결말로 가장 알맞다.
2 Kevin은 거지처럼 보이는 노인이 다가오자 불편해하며 침묵하고 있는 상황이다. 결론으로는 ④ 'Kevin은 "도움이 필요하신가요?"라고 물었다. 그 노인은 "우리 모두가 그렇지 않나요?"라고 답했다.'가 알맞다.

3~4

해석 나는 스위스에서 기차를 타고 있었다. 기차가 멈췄고, 스피커를 통해 승무원의 목소리가 독일어, 이탈리아어, 그 다음 프랑스어로 메시지를 전했다. 나는 휴가를 떠나기 전에 이 언어 중에 어떠한 것도 배우지 않는 실수를 했다. 안내 방송 후, 모두가 기차에서 내리기 시작했고, 한 노부인이 내가 혼란스러워하고 스트레스를 받는 것을 보았다. 그녀가 나에게 다가왔다.

Words and Phrases • conductor 승무원 • loudspeaker 확성기 • deliver 전달하다 • announcement 알림, 공고 • get off 떠나다 • confuse 혼란시키다, 혼란스럽게 만들다 • come up 다가오다

정답 전략 **3** 남학생이 있었던 장소는 스위스이고, 기차 안에서 알아들을 수 없는 언어로 안내 방송이 나온 후 기차가 멈췄고, 남학생이 혼란스럽고 스트레스 받는 상황에서 노부인 그에게 다가와 주었다.
4 노부인이 남학생에게 다가와 '안내 방송의 내용을 알려줄 것'임을 추측할 수 있다.

5~6

해석 ❶ 부유한 상인이 그의 집에 혼자 살았다. 어느 날, 도둑이 그의 집에 들어왔다. 상인은 깨어 있었지만, 깊이 잠든 척했다.
❺ 도둑은 훔친 물건들을 운반하기 위해 흰 새 보자기를 함께 가지고 왔다. 그는 훔친 귀중품들을 보자기에 모두 넣을 생각으로 그것을 바닥에 펼쳐 놓았다.
❸ 도둑이 비싼 물건을 모으느라 분주한 사이, 상인은 도둑의 흰 새 보자기를 비슷하게 생긴 (자신의) 흰 보자기로 교체했는데, 이것은 도둑의 것보다 훨씬 더 약하고 값싼 것이었다.
❷ 도둑이 가능한 많은 귀중품들을 훔치는 것을 마쳤을 때, 그는 자신의 것이라고 생각했던 흰 보자기의 매듭을 서둘러 묶었다.
❻ 도둑은 서둘러서 보자기를 들어 올렸다. 놀랍게도, 훔친 물건들로 가득 찬 얇은 흰 보자기가 찢어졌다.
❹ 훔친 모든 물건들이 바닥에 떨어져 아주 큰 소리를 냈다. 많은 사람들이 그에게 달려드는 것을 보고, 도둑은 훔친 모든 물건들을 포기해야만 했다.

Words and Phrases • pretend to ~인 체하다 • hurriedly 황급히, 다급하게 • tie 묶다 • knot 매듭 • replace 대체하다 • similar 비슷한 • spread 펼쳐놓다 • valuables 귀중품 • tear apart 찢어버리다, 해체하다

정답 전략 **5** 부유한 상인의 집에 도둑이 들었고, 도둑은 흰 새 보자기에 훔친 귀중품을 넣을 생각으로 펼쳐 놓았다. 도둑이 물건을 훔치는 동안 상인은 보자기를 약하고 값싼 것으로 바꿨다. 도둑이 보자기를 묶어서 들어 올릴 때, 보자기가 찢어져 물건들이 떨어지면서 큰 소리가 났고 사람들이 몰려와 도둑은 물건들을 포기해야 하는 상황이다.
6 상인은 자신의 귀중품을 지켰을 뿐만 아니라 도둑의 새 보자기를 훔쳤으므로 도둑이 마지막에 할 말로 ③이 적절하다.

7

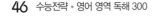

해석 **1** 할머니는 여덟 살인 Yolanda를 가까운 식물 묘목장으로 데리고 갔다. 그곳에서, 그들은 두 개의 작은 나무를 샀다. 그들은 집으로 돌아와 그 중 하나를 뒷마당에 심고 다른 하나의 나무는 화분에 심어 실내에 두었다. 그런 다음 그녀의 할머니는 그녀에게 그녀가 생각하기에 그 나무 중 어느 것이 미래에 더 성공적일 것인지 물었다. Yolanda는 잠시 생각하더니, 실내의 나무는 보호를 받아 안전하기 때문에, 실내의 나무가 더 성공적일 것이라고 말했다.
2 몇 년 후, 이제 십 대가 된 Yolanda가 자신의 할머니를 다시 찾아왔다. 할머니는 Yolanda에게 실내의 나무를 보여 주고는 그녀를 밖으로

데리고 나가 밖에 있는 높이 솟은 나무를 보게 했다. "어느 것이 더 크니?"라고 할머니가 물었다. Yolanda는 "밖에 있는 거요."라고 대답했다. **3** 할머니는 미소를 지으며, "이것을 기억해라. 네가 무엇을 하든 그 일에서 성공할 거야. 평생 안전한 선택을 한다면, 너는 결코 성장하지 못할 거야. 그러나 네가 모든 역경에도 불구하고 세상에 기꺼이 맞선다면, 너는 그 역경으로부터 배우게 되고 성장하여 대단히 높은 수준까지 성취하게 될거야."라고 말했다.

Words and Phrases • nearby 근처의 • nursery 묘목장 • purchase 사다, 구매하다 • back yard 뒷마당 • indoors 실내에 • outside 바깥쪽의 • option 선택 • all of one's life 평생 • face (대담하게) 맞서다 • challenge 역경, 도전

정답 전략 할머니와 손녀는 나무 두 그루를 사서 하나는 집 안에, 다른 하나는 밖에 심었다. 손녀는 실내가 더 보호 받고 안전하기 때문에 실내의 나무가 미래에 더 성장할 것이라고 말하지만, 몇 년 후에 와서 보니 집 밖에 있는 나무가 더 성장한 것을 보게 된다. 할머니는 손녀에게 안전한 선택만 한다면 성장하지 못하고, 역경으로부터 배우고 성장하여 높은 수준까지 성취하게 될 것이라는 교훈을 주는 내용이므로 글의 흐름에 맞추어 알맞은 단어를 넣도록 한다.

Book 2

WEEK

2

DAY 1 개념 돌파 전략 ① CHECK

36~37쪽

1 (A) 노예 (B) 숲, 사자 2 a small room 3 ③ 4 ③

해석 1~2 (A) 옛날에 한 마을에 부자가 살고 있었다. 그는 노예들과 하인들에게 매우 불친절했으며 잔인했다. 어느 날 노예 중 한 명이 음식을 요리하는 동안 실수를 했다. 그는 음식을 너무 익혔다. 부자가 그 음식을 보았을 때, 화가 나서 그 노예에게 벌을 주었다. 그는 그 노예를 작은 방에 넣어 두고는 밖에서 그 방을 잠갔다.

(B) 어찌어찌해서 그 노예는 그 방에서 탈출해서 달아났다. 그는 숲으로 갔다. 그곳에서 그는 사자 한 마리를 봤다. 그는 도망가는 대신에, 사자에게 가까이 갔다. 그는 사자가 다쳤고 다리 하나에서 피가 나고 있는 것을 봤다. 그 노예는 사자의 상처를 치료해 줄 약초를 찾아서 그 사자를 돌봐 주었다.

3 모든 사람들이 군중 속에서 주위를 둘러보고 있을 때 한 노인이 일어서서 떨리는 목소리로 "(a)내가 James Walker와 경기에 참가하겠소." 라고 말했다. 모두가 그것이 농담이라고 여기며 폭소를 터뜨렸다. James는 1분 안에 (b)그를 뭉개버릴 것이었다. James는 그 노인을 봤을 때, 그는 할 말을 잃었다. 그는 그 노인이 죽기를 바란다고 생각했다. 그 노인은 (c)그에게 할 말이 있었기 때문에 James에게 가까이 오라고 요청했다.

4 오래 전, 작은 마을에 한 농부가 사냥꾼인 이웃을 두었다. 사냥꾼은 사납고 훈련이 형편없이 된 사냥개 몇 마리를 소유하고 있었다. 그 개들이 울타리를 뛰어넘은 어느 날, 그들이 새끼 양 중 몇몇을 공격해서 심하게 다치게 했다. 농부는 이 시점까지 충분히 참아 왔다. 그는 재판관에게 조언을 구하기 위해 가장 가까운 도시로 갔다. 그의 이야기를 주의 깊게 들은 후에, 재판관이 그에게 해결책을 제시할 수 있다고 말했다.

DAY 1 개념 돌파 전략 ②

38~41쪽

1 ④ 2 ③ 3 ③ 4 ③ 5 ⑤ 6 ③

1~3

해석 (A) William Miller는 가족이 잠자리에 들고 난 후에도 잠자지 않고, 아침까지 책을 읽었다. 양초가 비쌌지만, 관솔은 넉넉히 있었고, (a)그가 해야 할 일은 숲에서 관솔을 모으는 것뿐이었다. 그래서 William은 밤에 책을 읽는 데 필요한 불빛을 위해 벽난로에서 관솔을 태우곤 했다.

(D) 그러나 그의 아버지는 그 습관을 좋아하지 않아서 그만두게 하려고 애썼다. 그의 아버지는 아들이 밤늦게 책을 읽는 것이 농장에서 다음날 일하는 데 필요한 (e)그의 에너지를 줄인다고 생각했다. 그리고 아버지는 성장하는 소년은 밤새 깊이 자야 한다고 생각했다.

(B) 그러나 William의 '비밀 생활'은 한동안 지속되었다. 밤마다 (b)그는 할 수 있는 한 오랫동안 책을 읽은 후, 조용히 위층으로 살금살금 올라갔다. 그러나 어느 날 밤 일이 벌어졌다. 그의 아버지가 잠에서 깨어 아래층의 불빛을 보았다. 집에 불이 났다고 생각하여, (c)그는 가족을 구하려고 아래층으로 달려 내려갔다.

(C) 그러나 집의 화재 대신, 그는 아들이 벽난로 앞에서 책을 읽고 있는 것을 보았다. 아버지는 빗자루를 쥐고 "지금 당장 잠자리에 들지 않으면, 널 집 밖으로 걷어찰 거다!"라고 외쳤다. William은 침대로 달려 올라갔다. (d)그는 단지 지식을 더 얻으려던 것뿐이었다.

1 정답 전략 (A) William이 관솔 불빛에 의지해 밤에 책을 읽는다고 했다. 그리고 아버지가 William의 이러한 책 읽는 습관을 싫어했다는 내용이 (D)에 나오므로, (A) 뒤에 (D)가 연결되는 것이 자연스럽다. 어느 날 William이 켠 불빛을 아버지가 화재로 오해하는 장면인 (B)가 (D)에 이어진 다음, 이 오해로 인해 William이 밤에 책을 읽은 일이 들켜 아버지가 화를 내는 결말인 (C)가 나오는 것이 자연스럽다.

2 정답 전략 (c)는 William의 아버지를 가리키고 나머지는 모두 William을 가리킨다.

3 정답 전략 ③ William은 벽난로 앞에서 책을 읽다가 아버지에게 발각되었다.

끊어 읽기로 보는 구문

그의 아버지는 생각했다 / 아들이 밤 늦게 책을 읽는 것이 / 그의 에너지를 줄인다고 / 농장에서 다음날 일하는 데 필요한

His father felt / that his son's late-night reading / would cut into his energy / for the next day's work on the farm.

동명사의 의미상 주어 / 주어(동명사) / 동사: 줄이다, 감소하다

4~6

해석 (A) 견딜 수 없을 정도로 더운 시카고의 어느 날이었다. 무전을 통해 Jacob의 소방관들에게 시내 아파트의 화재를 진압하라는 긴급 호출이 왔다. 그들이 도착했을 때, 맹렬히 타오르는 불은 건물 전체로 퍼지고 있었다. 이미 매우 절망적인 것처럼 보였다. 그러나 갑자기, 한 여자가 "우리 아기, Kris가 5층에 있어요!"라고 소리를 지르며 (a)그에게 달려왔다.
(C) 그녀의 절박한 목소리는 Jacob이 즉시 건물로 진입하는 것을 결심하게 했다. 그는 또 다른 소방관과 함께 5층을 향해 올라갔다. 그들이 5층에 다다랐지만, 불은 더욱 사나워졌다. 두 사람 다 그들 앞의 몇 피트 너머도 볼 수 없었다. Jacob의 동료는 그를 바라보며 안 된다고 했다. 소방관으로서, (c)그는 그의 동료가 옳다는 것을 알았지만, 그의 머릿속에는 계속해서 그 엄마의 얼굴이 떠올랐다.
(D) 충동적으로, Jacob은 그의 동료 없이 복도를 달려가, 화염 속으로 사라졌다. 화염이 불덩어리처럼 아파트로부터 내뿜어졌을 때 (d)그는 불이 붙지 않은 거의 유일한 곳에서 어린 소년이 바닥에 누워 있는 것을 볼 수 있었다. 그는 바로 (e)그를 껴안고 밖으로 뛰어나왔다. Jacob은 뒤에서 천장이 무너져 내리는 소리를 들을 수 있었다.
(B) 군중들은 Jacob이 그 소년과 함께 건물에서 나오는 것을 보고 환호성을 터뜨렸다. Kris를 (b)그의 가슴에 안고 있는 동안, Jacob은 그 소년의 심장이 뛰고 있는 것을 느낄 수 있었다. 응급 구조대원들이 그 소년을 돌보았고 Jacob은 바닥에 쓰러졌다. 구조 2주 후에, Kris와 그의 엄마가 소방서에 있는 Jacob을 방문했다. 그들은 그에게 평생 빚을 졌다고 말했다.

4 정답 전략 (A)에서는 소방관인 Jacob이 화재 현장에 출동했다가 자신의 아이가 불이 난 건물 안에 있다고 외치는 아이 어머니를 만난다. 따라서 바로 뒤에는 Jacob이 아이를 구하러 건물에 들어가기로 결심하는 (C)가 이어질 것이다. (C) 뒤에는 불이 난 건물 안에서 아이를 발견한 Jacob의 모습이 묘사되는 (D)가 오고, 아이를 무사히 건물 밖으로 데리고 나온 Jacob과 그 후의 일인 (B)가 마지막으로 오는 것이 자연스럽다.

5 정답 전략 (e)의 him은 소년 Kris를 가리키고, 나머지는 모두 Jacob을 가리킨다.

6 정답 전략 ③ Jacob은 다른 동료 한 명과 함께 5층으로 올라갔다.

끊어 읽기로 보는 구문

화염이 불덩어리처럼 아파트로부터 내뿜어졌을 때 / 그는 어린 소년이 바닥에 누워 있는 것을 볼 수 있었다

As flames shot out of the apartment like fireballs / he could see a little boy lying on the floor /

접속사(시간): ~일 때 / 전치사: ~처럼 / 지각동사(see)+목적어(a little boy)+목적격 보어(lying)

거의 유일한 곳에서 / 불이 붙지 않은

in just about the only spot / that wasn't on fire.

선행사 / 주격 관계대명사

DAY 2 필수 체크 전략 ①, ②

42~47쪽

[대표 유형] 1 ⑤ 2 ④ 3 ④ | 1 ③ 2 ② 3 ⑤ 4 ④ 5 ⑤ 6 ③

[대표 유형] 지문 한눈에 보기

(A) ❶ The last Saturday of each month / was always a highlight / in Adrian's life. ❷ He and his dad / had a regular fishing date. ❸ Adrian learned a lot / about fishing and about life / on these expeditions. ❹ (a) His father (Adrian) pointed out / that there are some rocks / that are too dangerous to go onto, / even when the sea looks calm. ❺ It might look like a perfect spot for fishing, / but rocks that are too close to the water's edge / can be deceptively

(that: 명사절을 이끄는 접속사 / some rocks: 선행사 / that: 주격 관계대명사 / too ~ to: 너무 ~해서 …할 수 없다 / even when: 비록 …일 때에도 / rocks: 선행사 / that: 주격 관계대명사)

dangerous.

(D) ❻ Many careless fishermen / had lost their lives / on these rocks. ❼ Concrete crosses marked the spots (선행사) / where (관계부사) these people had been swept (과거완료 수동태: marked보다 앞선 시점(대과거)) into the sea. ❽ Adrian had had a few narrow escapes / when (접속사(시간): ~일 때) he had ventured too close to the edge. ❾ (e) He (Adrian) quickly learned / to respect the mighty waters of the ocean. ❿ Adrian's dad also taught (수여동사) him (간접목적어) / which kinds of bait were suitable (직접목적어(간접의문문)) / for catching various kinds of fish, / and he also learned / which sinkers were right / for the different fishing areas.

(C) ⓫ On top of that (~ 뿐만 아니라), / (c) he (Adrian) soon knew exactly / how to make (병렬 구조 1) fishermen's knots / and how to untie (병렬 구조 2) tricky knots / in his fishing lines. ⓬ But Adrian wasn't always (부분 부정: 항상 ~한 것은 아니었다) keen / to take his dad's advice. ⓭ When his dad showed (수여동사) him (간접목적어) how to bait his hook (직접목적어), / (d) he (Adrian's dad) said / that a little piece of the hook should always stick out, / but Adrian thought otherwise. ⓮ He thought it (가목적어) logical / for the bait (의미상 주어) to hide the hook (진목적어), / so he ignored his dad / — but after quite a few days of catching nothing, / decided to follow his dad's advice.

(B) ⓯ When he did so, / he started catching (목적어(동명사)) really big fish / — and his mom was delighted with the fresh fish / she could cook for supper. (앞에 목적격 관계대명사 생략: the fresh fish 수식) ⓰ Adrian gradually realized / that (명사절을 이끄는 접속사) it pays to listen to people / with experience and knowledge of dangerous places. ⓱ He also realized / how stupid it (가주어) was not to listen (진주어) to his dad (선행사) / who (주격 관계대명사) gave (b) him (Adrian) precious advice free of charge!

해석 (A) ❶ 매달 마지막 토요일은 Adrian의 삶에서 항상 가장 빛나는 순간이었다. ❷ 그와 그의 아버지에게는 정기적으로 낚시를 가는 날이 있었다. ❸ Adrian은 이 여행에서 낚시와 인생에 관해 많은 것을 배웠다. ❹ (a)그의 아버지는 바다가 잔잔해 보일 때에도 그 위로 올라가기에 너무 위험한 몇몇 바위가 있다고 지적했다. ❺ 그곳이 낚시에 완벽한 장소처럼 보일지라도, 물가에 너무 가까이 있는 바위는 보기와는 달리 위험할 수 있는 것이다.
(D) ❻ 조심성 없는 많은 낚시꾼들이 이 바위에서 목숨을 잃었다. ❼ 이 사람들이 바다에 휩쓸려 들어간 곳에는 콘크리트로 만든 십자가가 표시되어 있었다. ❽ Adrian은 무모하게 물가에 너무 가까이 갔다가 가까스로 벗어난 적이 몇 번 있었다. ❾ (e)그는 바다의 강력한 파도를 존중하는 법을 빨리 배웠다. ❿ Adrian의 아버지는 또한 그에게 다양한 종류의 물고기를 잡는 데 어떤 종류의 미끼가 적합한지를 가르쳤고, 그는 또한 어느 낚시 추가 서로 다른 낚시 장소에 맞는지를 배웠다.
(C) ⓫ 그뿐만 아니라, (c)그는 곧 정확히 어부의 매듭(두 밧줄의 양 끝을 잇는 매듭)을 만드는 방법과 까다롭게 꼬인 낚싯줄의 매듭을 푸는 법을 알았다. ⓬ 그러나 Adrian이 항상 아버지의 충고를 열심히 받아들인 것은 아니었다. ⓭ 그의 아버지가 그에게 낚싯바늘을 미끼에 거는 방법을 그에게 보여 줬을 때, (d)그는 낚싯바늘이 항상 약간 밖으로 튀어나와야 한다고 말했지만, Adrian은 다르게 생각했다. ⓮ 그는 미끼가 낚싯바늘을 감추는 것이 합당하다고 생각해서 아버지의 말을 무시했지만, 꽤 여러 날 동안 아무것도 잡지 못한 뒤로는 아버지의 조언을 따르기로 결심했다.
(B) ⓯ 그렇게 하자, 그는 정말로 큰 물고기를 잡기 시작했고, 그의 어머니는 저녁 식사로 요리할 수 있는 신선한 물고기에 기뻐했다. ⓰ Adrian은 위험한 장소에 대한 경험과 지식을 가진 사람들의 말을 듣는 것이 이득이 된다는 것을 차츰 깨달았다. ⓱ 그는 또한 (b)자신에게 공짜로 귀중한 조언을 해 준 아버지의 조언을 듣지 않은 것이 얼마나 어리석었는지 깨달았다.

정답 전략 **1** (A)의 내용은 Adrian이 아버지와 낚시를 다니며 아버지로부터 많은 것을 배웠다는 것으로, 낚시 장소로 위험한 바위에 대한 이야기가 마지막에 나온다. 따라서 그 위험한 바위에 대한 이야기가 이어지는 (D)가 뒤에 오는 것이 적절하다. (D)에서 아버지의 여러 가르침이 언급된 뒤, 'On top of that(그뿐 아니라)'라는 표현으로 시작해 아버지의 다른 가르침을 언급하는 (C)가 이어진다. 그리고 마지막에는 아버지의 충고를 듣지 않았던 Adrian이 나중에 깨달음을 얻는 내용의 (B)가 오는 것이 자연스럽다.
2 (d)는 Adrian의 아버지, 나머지는 모두 Adrian을 가리킨다.
3 ④ 아버지의 조언을 무시했다가 며칠간 아무것도 잡지 못했다.

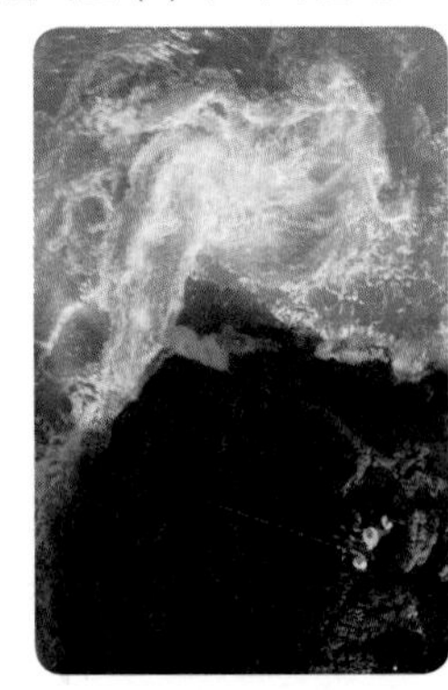

(A) ❶ Fighting against the force of the water / was a thrilling challenge. ❷ Sophia tried to keep herself / planted firmly in the boat, / paying attention to the waves / crashing against the rocks. ❸ As the water got rougher, / she was forced to paddle harder / to keep the waves from tossing her into the water. ❹ Her friends Mia and Rebecca were paddling eagerly behind her / to balance the boat. ❺ They were soaked / from all of the spray. ❻ Mia shouted to Sophia, / "Are you OK? ❼ Aren't (a) you scared?"

주어(동명사) / keep의 목적어와 목적격 보어: 수동 관계 / 분사구문(동시 동작) / 현재분사구: the waves 수식 / keep+목적어+from+V-ing.: ~가 …하는 것을 막다 / you: Sohpia

(C) ❽ "I'm great!" Sophia shouted / back excitedly. ❾ Even though the boat was getting thrown around, / the girls managed to avoid hitting any rocks. ❿ Suddenly, / almost as quickly as the water had got rougher, / the river seemed to calm down, / and they all felt relaxed. ⓫ With a sigh of relief, / Sophia looked around. ⓬ "Wow! ⓭ What a wonderful view!" / (d) she shouted. ⓮ The scenery around them / was breathtaking. ⓯ Everyone was speechless. ⓰ As they enjoyed the emerald green Rocky Mountains, / Mia said, / "No wonder rafting is the best thing / to do in Colorado!"

접속사(양보): 비록 ~이지만 / avoid의 목적어(동명사구) / as+형용사/부사+as: ~만큼 …한 / she: Sohpia / 접속사(시간): ~일 때 / 형용사적 용법: the best thing 수식

(D) ⓱ Agreeing with her friend, / Rebecca gave a thumbs-up. ⓲ "Sophia, your choice was excellent!" / she said with a delighted smile. ⓳ "I thought / you were afraid of water, / though, Sophia," / Mia said. ⓴ Sophia explained, / "Well, I was / before I started rafting. ㉑ But I graduate from college / in a few months. ㉒ And, before I do, / I wanted to do something really adventurous / to test my bravery. ㉓ I thought / that if I did something completely crazy, / it might give (e) me more confidence / when I'm interviewing for jobs." ㉔ Now they could see / why she had suggested going rafting.

분사구문(동시 동작) / 접속사: ~하기 전에 / 접속사(조건) / 접속사: ~하기 전에 / something 수식 / 명사절을 이끄는 접속사 / something 수식 / me: Sohpia / 접속사(시간): ~일 때 / 간접의문문: see의 목적어

(B) ㉕ "You've got a good point. ㉖ It's a real advantage to graduate from college / with the mindset of a daring adventurer," / Mia said. ㉗ Rebecca quickly added, / "That's why I went to Mongolia / before I started my first job out of college. ㉘ Teaching English there for two months / was a big challenge for me. ㉙ But (b) I learned a lot / from the experience. ㉚ It really gave me the courage / to try anything in life." ㉛ Listening to her friends, / Sophia looked at (c) her own reflection in the water / and saw a confident young woman / smiling back at her.

가주어 / 진주어 / 접속사: ~하기 전에 / 주어(동명사) / I: Rebecca / 형용사적 용법: the courage 수식 / 분사구문(동시 동작) / her: Sohpia / 지각동사 / 목적어 / 목적격 보어

해석 (A) ❶ 물의 힘에 맞서 싸우는 것은 짜릿한 도전이었다. ❷ Sophia는 바위에 세게 부딪치는 물결에 주목하면서 배에 단단히 버티어 자리 잡으려고 애썼다. ❸ 물이 더 거칠어지면서, 그녀는 물결이 자기를 물속으로 내동댕이치지 못하게 더 열심히 노를 저을 수밖에 없었다. ❹ 그녀의 친구들인 Mia와 Rebecca는 보트의 균형을 유지하려고 그녀의 뒤에서 열심히 노를 젓고 있었다. ❺ 그들은 모든 물보라로 흠뻑 젖었다. ❻ Mia는 Sophia에게 "너 괜찮아? ❼ (a)너 무섭지 않아?"라고 소리쳤다.

(C) ❽ "나는 아주 좋아!"라고 Sophia는 신이 나서 되받아 소리쳤다. ❾ 보트가 이리저리 내던져지고 있었지만, 그 여자들은 어느 바위에도 부딪치는 것을 가까스로 피했다. ❿ 갑자기, 물이 더 거칠어졌던 것처럼 거의 그만큼 빠르게 강이 잔잔해지는 듯이 보였고, 그들은 모두 긴장을 풀었다. ⓫ 안도의 한숨을 쉬면서, Sophia는 주변을 둘러보았다. ⓬ "우와! ⓭ 정말 멋진 풍경이다!"라고 (d)그녀는 소리쳤다. ⓮ 그들 주변의 경치는 숨이 막힐 정도로 멋졌다. ⓯ 모두 말문이 막혔다. ⓰ 그들이 에메랄드빛 녹색의 Rocky 산맥을 즐길 때, Mia가 말했다. "래프팅이 Colorado에서 할 수 있는 최고의 일이라는 것은 당연해!"

(D) ⓱ 친구에게 동의하면서, Rebecca는 엄지를 들어 올렸다. ⓲ "Sophia, 네 선택은 탁월했어!"라고 그녀는 기쁜 미소를 띠면서 말했다. ⓳ "그런데, Sophia, 나는 네가 물을 무서워한다고 생각했어."라고 Mia가 말했다. ⓴ Sophia는 "음, 래프팅을 시작하기 전에

는 무서워했었지. ㉑ 하지만 나는 몇 달 후에 대학을 졸업해. ㉒ 그래서, 그러기 전에, 나는 내 용기를 시험해 볼 수 있는 진짜 모험적인 것을 해보고 싶었어. ㉓ 나는 완전히 미친 짓을 하면, 그것이 (e)나에게 취업 면접할 때 더 많은 자신감을 줄 거라고 생각했어."라고 설명했다. ㉔ 이제 그들은 왜 그녀가 래프팅을 하러 가자고 제안했는지 알 수 있었다.

(B) ㉕ "네 말은 정말 일리가 있어. ㉖ 위험을 마다하지 않는 모험가의 마음가짐으로 대학을 졸업하는 것은 진짜 장점이야."라고 Mia가 말했다. ㉗ Rebecca가 재빨리 덧붙여 말하기를, "그게 내가 대학을 나와서 첫 직장 생활을 시작하기 전에 몽골에 간 이유야. ㉘ 그곳에서 두 달 동안 영어를 가르친 것은 내게 큰 도전이었어. ㉙ 그런데 (b)나는 그 경험에서 많이 배웠어. ㉚ 그것은 정말 인생에서 무슨 일이든 시도해 볼 용기를 내게 주었어." ㉛ 자기 친구들의 말을 들으면서, Sophia는 물에 비친 (c)자신의 모습을 보았고 자신만만한 젊은 여자가 자신에게 미소를 되돌려 주는 것을 보았다.

정답 전략 **1** (A)에서는 Sophia와 그녀의 친구 Mia와 Rebecca가 거친 강에서 보트를 타고 노를 젓고 있는 장면이 묘사된다. 마지막 부분에 Mia가 Sophia에게 괜찮은지 묻고 있으므로, 그 뒤에는 Sophia가 괜찮다고 대답하는 (C)가 이어지는 것이 적절하다. 강이 잔잔해져 긴장을 풀고, 래프팅이 최고의 경험이라고 Mia가 말하는 내용이 (C)의 마지막에 나오므로, 그 다음에는 Rebecca가 그 말에 동의하며 Sophia가 래프팅을 하기로 한 이유를 설명하는 내용인 (D)가 오는 것이 자연스럽다. Mia와 Rebecca가 Sophia의 의견에 동의하는 (B)가 마지막으로 이어지며, 물에 비친 자기 모습을 Sophia가 보는 것으로 마무리된다. 따라서 (C)-(D)-(B)의 흐름이 적절하다.

2 (a), (c), (d), (e)는 Sophia를 가리키고, (b)는 Rebecca를 가리킨다.

3 ⑤ Sophia는 대학을 졸업하기 전에 용기를 시험할 모험을 하길 원했다.

4~6 지문 한눈에 보기

(A) ❶ One day my father hired three young men / to harvest the crop. ❷ At the end of the day / (a) he gathered them around / to pay them. ❸ "What do I owe you, John?" / my dad asked / the first young man / he had hired. ❹ "Fifty-five dollars, Mr. Burres," / John said. ❺ Dad wrote him a check / for fifty-five dollars. ❻ "What do I owe you, Michael?" / (b) he asked / the second young man / who had worked the same number of hours / as John. ❼ "You owe me seventy-five dollars," / Michael said.

(to harvest: 부사적 용법(목적): ~하기 위해 / (a) he: my father / to pay: 부사적 용법(목적): ~하기 위해 / he had hired: 앞에 목적격 관계대명사 생략: the first young man 수식 / (b) he: my father / the second young man: 선행사 / who: 주격 관계대명사)

(D) ❽ With a look of surprise, / my dad asked quietly, / "How do you figure that, Michael?" ❾ "Oh," said Michael, / "I charge from the time / I get into my car to drive to the job site, / until the time / I get back home, / plus gas mileage and meal allowance." ❿ "Meal allowance / — even if we provide the meals?" / my dad said. ⓫ "Yup," replied Michael. ⓬ "I see," said my dad, / writing him a check for the seventy-five dollars / (e) he requested. ⓭ "And what about you, Nathan?" / Dad inquired. ⓮ "You owe me thirty-eight dollars and fifty cents, Mr. Burres," / Nathan said.

(I get into my car to drive to the job site: 앞에 관계부사 when 생략: the time 수식 / I get back home: 앞에 관계부사 when 생략: the time 수식 / even if: 접속사: 비록 ~일지라도 / writing: 분사구문(동시 동작) / (e) he: Michael / he requested: 앞에 목적격 관계대명사 생략: a check 수식)

(B) ⓯ Again my father was surprised. ⓰ (c) He asked for clarification. ⓱ "And how did you arrive / at that figure?" ⓲ The third young man, / like the other two, / had been hired for the same job / and had put in equal time. ⓳ "Well," said Nathan, / "I didn't charge you for the lunch break / since your wife prepared and served lunch. ⓴ I didn't have gas expenses / since I came with my buddies. ㉑ So the actual number of hours worked / brings my pay to thirty-eight dollars and fifty cents." ㉒ My father wrote him out a check / for one hundred dollars.

((c) He: my father / The third young man: 주어 / like: 전치사: ~처럼 / had been hired: 동사 1: 과거완료 수동태 / had put: 동사 2: 과거완료 / since: 접속사: ~ 때문에 / since: 접속사: ~ 때문에 / the actual number of hours: 주어 / worked: 과거분사: the actual ~ hours 수식 / brings: 동사)

(C) ㉓ Dad then looked at the three young men / — stricken silent by my father's actions / — all of whom were a bit bewildered / by the differing amounts / on their individual check. ㉔ "I always pay a man his worth, boys. ㉕ Where I come from / we call that equal pay / for equal worth." ㉖ (d) He looked benevolently at the three young men / and in his typical fatherly style added, / "The values in a man / create the value of a man."

앞에 who were가 생략된 과거분사구: the three young men 수식 / whom: the three young men / call: 동사, that: 목적어, equal pay: 목적격 보어 / He: my father

해석 (A) ❶ 어느 날 내 아버지는 농작물을 수확하려고 세 명의 젊은이를 고용했다. ❷ 하루가 끝날 즈음에 (a)그는 그들에게 품삯을 주려고 그들을 주위로 모았다. ❸ "내가 당신에게 얼마를 줘야 하죠, John?" 아버지는 자신이 고용한 첫 번째 젊은이에게 물었다. ❹ "55달러입니다, Burres 씨."라고 John이 말했다. ❺ 아버지는 그에게 55달러짜리 수표를 써 주었다. ❻ "내가 당신에게 얼마를 줘야 하죠, Michael?" (b)그는 John과 같은 시간을 일한 두 번째 젊은이에게 물었다. ❼ "저에게 75달러를 주셔야 합니다."라고 Michael이 말했다.
(D) ❽ 놀란 표정으로, 내 아버지는 조용히 물었다. "어떻게 해서 계산이 그렇게 되죠, Michael?" ❾ "아, 저는 일터로 운전해 가기 위해 차에 타는 그 시간부터 제가 집으로 돌아가는 시간까지의 비용과 추가로 연료비와 식비를 청구합니다."라고 Michael이 말했다. ❿ "식비라니, 우리가 식사를 제공하는데도 말이죠?"라고 아버지가 말했다. ⓫ "네," Michael이 대답했다. ⓬ "알겠어요."라고 (e)그가 요청한 75달러짜리 수표를 써 주면서 아버지가 말했다. ⓭ "그리고 당신은요, Nathan?" 아버지가 물었다. ⓮ "저에게 38달러 50센트를 주셔야 합니다, Burres 씨."라고 Nathan이 말했다.
(B) ⓯ 나의 아버지는 또 놀랐다. ⓰ (c)그는 해명을 요구했다. ⓱ "그런데 당신은 어떻게 그 계산에 이르게 되었나요?" ⓲ 그 세 번째 젊은이는 나머지 둘처럼 똑같은 일로 고용되었고 같은 시간을 투입했다. ⓳ "음, 당신 부인께서 점심을 준비하고 대접해 주셨기 때문에 점심시간에 대해서는 청구하지 않았습니다. ⓴ 저는 친구들과 함께 왔으므로 연료비가 들지 않았고요. ㉑ 그래서 실제로 일한 시간 수로는 제가 받을 품삯이 38달러 50센트가 되는군요."라고 Nathan이 말했다. ㉒ 아버지는 그에게 100달러짜리 수표를 써 주었다.
(C) ㉓ 그러고 나서 아버지는 아버지의 행동에 말문이 막혀 아무 말도 못하고 있는 그 세 명의 젊은이를 보았는데, 그들은 모두 각자의 수표에 적힌 다른 액수에 약간 당황해 했다. ㉔ "젊은이들, 나는 항상 사람에게 그의 가치만큼 지급해요. ㉕ 내 고향에서 우리는 그것을 동일 가치에 대한 동일 보수라고 불러요." ㉖ (d)그는 자애롭게 그 세 명의 젊은이를 보았고 늘 하는 식의 아버지 같은 방식으로 덧붙였다. "사람 안에 들어 있는 가치가 사람의 값어치를 만들죠."

정답 전략 4 문단 (A)는 아버지가 수확을 위해 고용한 세 명의 젊은이에게 자신의 품삯이 얼마인지 물어보는 장면으로, 첫 번째 젊은이인 John이 55달러를 요구한다. 두 번째 젊은이인 Michael이 여러 비용을 포함하여 75달러를 요구하는 내용의 (D)가 바로 뒤에 이어지고, 세 번째 젊은이 Nathan이 38달러 50센트를 요구하여 아버지가 설명을 요청하는 (B)가 (D) 뒤에 오는 것이 적절하다. 그리고 아버지가 세 젊은이 모두에게 교훈을 주며 이야기를 마무리하는 (C)가 오는 흐름이 자연스럽다.
5 (e)의 he는 두 번째 젊은이인 Michael을 가리키고, 나머지는 모두 아버지를 가리킨다.
6 ③ Nathan은 점심 식사를 제공받았기 때문에 점심시간을 품삯 계산에서 제외했다고 했다.

DAY
3 필수 체크 전략 ①, ②

48~53쪽

[대표 유형] 1 ④ 2 ① 3 ④ | 1 ③ 2 ③ 3 ⑤ 4 ④ 5 ② 6 ④

[대표 유형] 지문 한눈에 보기

(A) ❶ When Sally came back home / from her photography class, / she could hear Katie moving around, / chopping things on a wooden cutting board. ❷ Wondering what her roommate was doing, / (a) she ran to the kitchen. ❸ Sally watched Katie cooking something / that looked delicious. ❹ But Katie didn't notice her / because she was too focused on preparing for her cooking test / the next day. ❺ She was trying to remember /

When: 접속사(시간): ~일 때 / hear: 지각동사, Katie: 목적어, moving: 목적격 보어 / chopping: 분사구문 / Wondering: 분사구문 / she: Sally / watched: 지각동사, Katie: 목적어, cooking: 목적격 보어 / that: 주격 관계대명사: that 이하가 something 수식 / on: 전치사, preparing: 동명사

what her professor had said / in class that day.
선행사를 포함하는 관계대명사: remember의 목적어

(D) ❻ In that class, / Professor Brown said, / "You have to present your food properly, / considering every stage of the dining experience. ❼ Imagine / you are a photographer." ❽ Recalling what the professor had mentioned, / Katie said to herself, / "We need to see our ingredients as colors / that make up a picture." ❾ Sally could clearly see / that Katie was having a hard time preparing for her cooking test. ❿ Trying to make (e) her feel better, / Sally kindly asked, / "Is there anything / I can do to help?"

(considering: 분사구문 / Recalling: 분사구문 / what: 선행사를 포함하는 관계대명사 / colors: 선행사 / that: 주격 관계대명사 / that: 명사절을 이끄는 접속사 / having a hard time preparing: have a hard time+V-ing: ~를 하는데 어려움을 겪다 / Trying: 분사구문 / her: Katie)

(B) ⓫ Katie, surprised by her roommate's words, / turned her head to Sally and sighed, / "I don't know. ⓬ This is really hard." ⓭ Stirring her sauce for pasta, / Katie continued, / "Professor Brown said / that visual aspects make up a key part of a meal. ⓮ My recipe seems good, / but I can't think of any ways / to alter the feeling of the final dish." ⓯ Visibly frustrated, / (b) she was just about to throw away all of her hard work / and start again, / when Sally suddenly stopped her.

(Katie: 주어 / surprised: 앞에 being이 생략된 분사구문 / turned: 동사 1 / sighed: 동사 2 / Stirring: 분사구문 / to alter: 형용사적 용법: any ways 수식 / frustrated: 앞에 being이 생략된 분사구문 / she: Katie / to throw away: 병렬 구조 1 / start: 병렬 구조 2 / when: 접속사(시간): ~일 때)

(C) ⓰ "Wait! ⓱ You don't have to start over. ⓲ You just need to add some color / to the plate." ⓳ Being curious, / Katie asked, / "How can (c) I do that?" ⓴ Sally took out a container of vegetables from the refrigerator / and replied, "How about making colored pasta / to go with (d) your sauce?" ㉑ Smiling, she added, / "It's not that hard, / and all you need are brightly colored vegetables / to make your pasta green, orange, or even purple." ㉒ Katie smiled, / knowing that now she could make her pasta / with beautiful colors like a photographer.

(don't have to: ~할 필요가 없다 / Being: 분사구문 / I: Katie / took out: 병렬 구조 1 / replied: 병렬 구조 2 / to go with: 형용사적 용법: colored pasta 수식 / your: Katie / Smiling: 분사구문 / you need: 앞에 목적격 관계대명사 생략: all 수식 / to make: 부사적 용법(목적): ~하기 위해 / knowing: 분사구문)

해석 (A) ❶ Sally가 사진 수업을 마치고 집에 돌아왔을 때, 그녀는 Katie가 이리저리 다니며 나무 도마 위에서 재료를 썰고 있는 소리를 들을 수 있었다. ❷ 룸메이트가 무엇을 하는지 궁금해서, (a)그녀는 부엌으로 달려갔다. ❸ Sally는 Katie가 맛있어 보이는 무언가를 요리하고 있는 것을 보았다. ❹ 하지만 Katie는 다음 날의 요리 시험을 준비하느라 너무 집중한 나머지 그녀를 알아차리지 못했다. ❺ 그녀는 그날 교수님이 수업 시간에 했던 말을 기억하려고 애쓰고 있었던 것이다.
(D) ❻ 그 수업에서, Brown 교수는 "식사 경험의 모든 단계를 고려하여 음식을 적절하게 제시해야 합니다. ❼ 여러분이 사진작가라고 상상하세요."라고 말했다. ❽ 교수님의 말씀을 기억해 내며, Katie는 "우리는 재료를 그림을 구성하는 색으로 봐야 해."라고 혼잣말을 했다. ❾ Sally는 Katie가 요리 시험 준비에 어려움을 겪고 있다는 것을 분명히 알 수 있었다. ❿ Sally는 (e)그녀의 기분을 좋게 해주려고 애쓰며, "내가 도울 수 있는 일이 있을까?"라고 친절하게 물었다.
(B) ⓫ 룸메이트의 말에 깜짝 놀란 Katie는 Sally에게 고개를 돌리며 "모르겠어. ⓬ 정말 어려워."라고 한숨을 쉬며 말했다. ⓭ Katie는 파스타 소스를 저으면서 말을 이었다. "Brown 교수님은 시각적인 면이 음식의 핵심 부분을 구성한다고 말씀하셨어. ⓮ 내 요리법은 좋은 것 같지만, 최종 요리의 느낌을 바꿀 어떤 방법도 떠오르지 않아." ⓯ Sally가 갑자기 그녀를 멈춰 세웠을 때, 눈에 보이게 좌절한 (b)그녀는 애쓴 결과물을 막 던져버리고 다시 시작하려던 참이었다.
(C) ⓰ "잠깐만! ⓱ 다시 시작할 필요 없어. ⓲ 요리에 약간의 색을 더하기만 하면 돼." ⓳ 호기심이 생긴 Katie가 "(c)내가 어떻게 그걸 할 수 있지?"라고 물었다. ⓴ Sally는 냉장고에서 채소가 든 그릇을 꺼내 "(d)네 소스와 어울리는 색깔의 파스타를 만드는 건 어때?"라고 대답했다. ㉑ 웃으면서, 그녀는 "그렇게 어렵지 않아, 그리고 네 파스타를 초록색, 오렌지색, 심지어 보라색으로 만들기 위해 밝은 색깔의 채소만 있으면 돼."라고 덧붙였다. ㉒ Katie는 이제 자신이 사진작가처럼 아름다운 색으로 파스타를 만들 수 있다는 것을 알고 미소 지었다.

정답 전략 1 (A)에서는 사진 수업에서 돌아온 Sally가 다음 날 요리 시험 준비를 하는 Katie의 모습을 본 장면이 나온다. 그 뒤에 요리 시험을 준비하며 고민하는 Katie의 모습을 설명하는 (D)가 이어지고, 도움을 제안하는 Sally에게 Katie가 어려움을 토로하는 (B)가 이어지는 것이 자연스럽다. 그리고 Sally가 해결책을 제시하고 Katie가 그것에 수긍하는 결말인 (C)로 연결되는 것이 적절한 흐름이다.

2 (b), (c), (d), (e)는 모두 Katie를 가리키지만, (a)는 Sally를 가리킨다.

3 ④ Sally는 Katie에게 소스와 어울리는 파스타를 만들라고 권유한 뒤, 그것은 어렵지 않은 일이며 색깔 있는 채소를 넣기만 하면 된다고 했다.

1~3 지문 한눈에 보기

(A) ❶ Over the last week, / Jason had been feeling worried / about his daughter, Sally. ❷ For two months now, / Sally had been absorbed, / perhaps even excessively, / in studying birds. ❸ He was afraid she might begin to ignore her schoolwork. ❹ While shopping, / Jason was glad to run into his old friend Jennifer, / a bird expert / working at the local university. ❺ Maybe (a) she could help / ease his concern. ❻ Upon hearing about Sally's interest, / Jennifer invited them both to visit her office / to see just how deep Sally's fascination was.

(had been feeling: 과거완료 진행형 / had been absorbed: 과거완료 수동태 / studying: 동명사 / she might begin to: 앞에 접속사 that 생략 / While shopping: 접속사가 생략되지 않은 분사구문 / to run into: 부사적 용법(감정의 원인): ~해서 / his old friend Jennifer, a bird expert: 동격 / working: 현재분사: a bird expert 수식 / (a) she: Jennifer / help / ease: help+원형부정사(목적어) / Upon hearing: upon+V-ing: ~하자마자 / invited: 동사 / them both: 목적어 / to visit: 목적격 보어)

(C) ❼ Two days later, / Jason and Sally visited Jennifer's office. ❽ Sally was delighted by the books about birds / and she joyfully looked at the beautiful pictures in them. ❾ It was while Jason and Jennifer were talking / that Sally suddenly shouted, / "Oh, I've seen this bird!" ❿ "Impossible," / replied Jennifer, / not believing it. ⓫ "This book shows rare birds. ⓬ You can't see any of them / around here." ⓭ But (c) she insisted, / "I spotted a pair of them in their nest / in a huge oak tree nearby!"

(It was ~ that: it is(was) ~ that 강조 / replied Jennifer: 주어, 동사 도치 / not believing: 분사구문: as she didn't believe / (c) she: Sally)

(D) ⓮ Jennifer walked up to Sally / and took a close look at the page. ⓯ (d) She calmly said, / "That's the black robin of Chathas Island. ⓰ It's one of the rarest birds, Sally. ⓱ You couldn't have seen it / in this town." ⓲ Yet Sally persisted. ⓳ "In that case, / can you show (e) me the nest?" / asked Jennifer. ⓴ "Yes, I can right now if you want," answered Sally / full of confidence. ㉑ Jennifer put on her coat, / pulled out a pair of binoculars, / and stepped out. ㉒ Sally and Jason followed.

(walked: 동사 1 / took: 동사 2 / (d) She: Jennifer / couldn't have seen: could not have p.p.: ~했을 리가 없다 / (e) me: Jennifer / asked Jennifer: 주어, 동사 도치 / full: 앞에 who(that) was 생략 / put on: 동사 1 / pulled out: 동사 2 / stepped: 동사 3)

(B) ㉓ Approaching the tree, / Sally shouted excitedly, / "There, that's the nest!" ㉔ Jennifer looked up / to see a small cup-shaped nest / within a fork of the branches. ㉕ Quickly, / (b) she took out her binoculars and peered / where Sally pointed. ㉖ In the fading evening light, / she found the two rare black birds in their nest. ㉗ "See, / didn't I tell you?" exclaimed Sally. ㉘ Looking at her in joyful surprise, / both Jason and Jennifer were proud of Sally. ㉙ They now recognized her extraordinary gift and passion / as a bird-watcher.

(Approaching: 분사구문: As she approached / (b) she: Jennifer / where: 관계부사(= the place where) / exclaimed Sally: 주어, 동사 도치 / Looking: 분사구문: As they looked)

해석 (A) ❶ 지난 주 내내, Jason은 딸 Sally에 대해 걱정해 왔었다. ❷ 지금까지 두 달 동안, Sally는 새 공부에, 어쩌면 아주 지나치게 빠져 있었다. ❸ 그는 딸이 학교 공부에 소홀해지기 시작할까 봐 두려웠다. ❹ 쇼핑을 하던 중, Jason은 그 지역의 대학교에서 일하는 새 전문가인 옛 친구 Jennifer와 우연히 마주쳐서 기뻤다. ❺ 어쩌면 (a)그녀가 자신의 걱정을 더는 데 도움을 줄 수도 있었다. ❻ Sally의 흥미에 대한 이야기를 듣자마자, Jennifer는 Sally가 (새에) 매료된 상태가 얼마나 심각한지 알아보기 위해 두 사람 모두 자기 사무실을 방문하라고 초대했다.

(C) ❼ 이틀 후, Jason과 Sally는 Jennifer의 사무실을 방문했다. ❽ Sally는 새에 관한 책들을 보고 기뻤으며, 그 책에 있는 아름다운 사진들을 즐겁게 보았다. ❾ Sally가 갑자기 "오, 전 이 새들을 본 적이 있어요!"라고 소리를 친 것은 바로 Jason과 Jennifer가 이야기를 나누는 도중이었다. ❿ "그럴 리가 없어,"라고 믿지 않으며 Jennifer가 대답했다. ⓫ "이 책은 희귀한 새들을 보여 준단다. ⓬ 이 근처에서는 그런 새들 중 어떤 것도 본 적이 없을 거야." ⓭ 그러나 (c)그녀는 "근처의 큰 떡갈나무에 있는 둥지에서 한 쌍을 발견했어요!"라고 주장했다.

(D) ⑭ Jennifer는 Sally에게 다가가서 그 페이지를 자세히 들여다 보았다. ⑮ (d)그녀는 조용히 말했다. “그 새는 Chathas 섬의 검은 울새로구나. ⑯ Sally, 그건 가장 희귀한 새들 중의 하나야. ⑰ 우리 마을에서는 본 적이 없을 거야.” ⑱ 그러나 Sally는 계속 고집했다. ⑲ “그렇다면 (e)나에게 그 둥지를 보여 줄 수 있겠니?”라고 Jennifer가 물었다. ⑳ “예, 원하시면 지금 당장 할 수 있어요.”라고 Sally가 자신감에 넘쳐 대답했다. ㉑ Jennifer는 코트를 입고 쌍안경을 꺼내어 걸어 나갔다. ㉒ Sally와 Jason이 따라갔다.

(B) ㉓ 그 나무에 다가가면서, Sally가 들떠 외쳤다. “저기, 저게 둥지예요!” ㉔ Jennifer가 올려다 보니, 가지가 갈라진 곳 안에 작은 컵 모양의 둥지가 보였다. ㉕ (b)그녀는 재빠르게 쌍안경을 꺼내어 Sally가 가리키는 곳을 자세히 들여다 보았다. ㉖ 흐릿해지는 저녁의 빛 속에서, 그녀는 그 둥지 속의 희귀한 검은 새 두 마리를 보았다. ㉗ “보세요. 제가 말했잖아요?”라고 Sally가 외쳤다. ㉘ 즐거운 놀라움으로 그녀를 보면서, Jason과 Jennifer는 둘 다 Sally가 자랑스러웠다. ㉙ 그들은 이제 새 관찰자로서의 그녀의 비범한 재능과 열정을 인정했다.

정답 전략 **1** (A)는 새를 너무나 좋아하는 딸 Sally 때문에 Jason이 고민하다 새 전문가인 친구 Jennifer에게 도움을 청하는 내용이다. (A)의 마지막 부분에서 Jennifer가 두 사람을 연구실로 초대했으므로, 세 사람이 연구실에서 만나는 내용의 (C)가 바로 뒤에 오는 것이 자연스럽다. (C)에서 Sally가 자신이 희귀한 새를 보았다고 주장했고, Jennifer가 그럴 리 없다고 이유를 설명해 주는 (D)가 그 뒤에 이어지며, 결국 직접 확인하러 나선 Jennifer가 Sally의 말대로 희귀한 새를 목격하는 내용의 (B)는 마지막에 온다.

2 (c)는 Sally를, 나머지는 모두 Jennifer를 가리킨다.

3 ⑤ Jennifer는 Sally가 희귀한 새를 보았다는 말을 믿지 못해서 함께 직접 확인해 보기로 했다.

4~6 지문 한눈에 보기

(A) ❶ Gayle Sayers was / one of the best running backs / the Chicago Bears ever had. (앞에 목적격 관계대명사 생략: the best running backs 수식) ❷ He was black. ❸ In 1967, / Sayers' teammate (주어) in the backfield / was (동사) another great running back / by the name of (전치사구: ~라는 이름의) Brian Piccolo. ❹ Piccolo was white. ❺ Blacks and whites often played / on the same professional teams, / but these two athletes were different. ❻ They were roommates on away games, / which (계속적 용법의 주격 관계대명사: 선행사는 앞 문장 전체) was a first / for race relations in professional football. ❼ Sayers had never had (과거완료 부정) a close relationship with any white man before, / except with George Halas, / the head coach of the Bears. ❽ And Piccolo admitted / that he had never really known (과거완료 부정) a black person / during (전치사: ~ 동안) (a) his (Piccolo) lifetime. ❾ These two athletes became (동사 1) friends immediately / and grew (동사 2) exceptionally close.

(D) ❿ During the 1969 season, / Brian Piccolo was diagnosed as (전치사) having (동명사) cancer. ⓫ Although (접속사(양보): 비록 ~이지만) (e) he (Piccolo) fought to play out the season, / Piccolo was in the hospital more than he was on the playing field. ⓬ It was (it is(was) ~ that 강조) during this time (선행사) / when (관계부사) Piccolo was battling (병렬 구조 1) his illness / and fighting (병렬 구조 2) the daily depths of depression, / that (강조) these two athletes shared a very special relationship. ⓭ Frequently, / Sayers flew to be at the bedside of his friend, / as (접속사) the cancer gripped Piccolo's weakened body tighter and tighter (비교급 and 비교급: 점점 더 ~하게).

(B) ⓮ Sayers and Piccolo, and their wives, / had made plans to sit (형용사적 용법: plans 수식) together / at the annual Professional Football Writers' Banquet (선행사) in New York, / where (계속적 용법의 관계부사(= and there)) Gayle Sayers was to receive the George S. Halas award / as “the most courageous player in professional football.” ⓯ By the time of the banquet, / Piccolo was too sick to (too ~ to: 너무 ~해서 … 할 수 없다) attend. ⓰ When (접속사(시간): ~일 때) Sayers stood to receive (b) his (Sayers) award at the banquet, / tears began to flow.

(C) ⑰ Sayers, choking through his tears, / said, "You flatter me by giving me this award, / but I tell you / that I accept this award not for me, but for Brian Piccolo. ⑱ However, / Brian cannot be here tonight. ⑲ He is too ill. ⑳ But (c) he is a man / who has more courage than any of us / here tonight." ㉑ Shortly after that memorable night, / Brian Piccolo died. ㉒ (d) His memory will forever be etched / in the heart of Gayle Sayers. ㉓ Piccolo and Sayers / had cultivated more than a superficial, tough-guy relationship. ㉔ Although tough and competitive men to the core, / a true and caring love had developed / between these two strong athletes.

(choking through his tears — 현재분사구: Sayers에 대한 부연 설명(능동); not A but B: A가 아니라 B인; he — Piccolo; a man — 선행사; who — 주격 관계대명사; Shortly after — 직후에; His — Piccolo; Although — 접속사: 뒤에 「주어+be동사」 생략; a true and caring love — 주어; had developed — 동사(과거완료))

해석 (A) ❶ Gayle Sayers는 Chicago Bears가 보유했던 최고의 러닝백 중 하나였다. ❷ 그는 흑인이었다. ❸ 1967년에, 백 필드로 뛰는 Sayers의 팀 동료는 Brian Piccolo라는 이름의 또 하나의 훌륭한 러닝백이었다. ❹ Piccolo는 백인이었다. ❺ 흑인과 백인은 종종 같은 프로팀에서 뛰긴 했지만, 이 두 선수는 달랐다. ❻ 그들은 원정 경기 때 룸메이트로 지냈는데, 그것은 프로 미식축구에서의 인종 관계에 있어서 처음 있는 일이었다. ❼ Sayers는 Bears의 수석 코치였던 George Halas를 제외하고, 이전에는 어떤 백인과도 친밀한 관계를 형성하지 않았었다. ❽ 그리고 Piccolo는 (a)그의 일생 동안 흑인을 제대로 알았던 적이 없었음을 인정했다. ❾ 이 두 선수는 바로 친구가 되었고 매우 친해졌다.

(D) ❿ 1969년 시즌 중에, Brian Piccolo는 암 진단을 받았다. ⓫ 비록 (e)그가 시즌을 끝까지 뛰려고 노력했지만, Piccolo는 경기장에서보다 병원에서 더 많이 있었다. ⓬ Piccolo가 병마와 싸우면서 매일 깊은 우울증과도 싸우고 있었던 바로 이 시기에 이 두 선수는 매우 특별한 관계를 맺었다. ⓭ 빈번히, Sayers는 암이 Piccolo의 약해진 몸을 점점 더 지배함에 따라 비행기를 타고 가서 그의 친구의 옆을 지켰다.

(B) ⓮ Sayers와 Piccolo, 그리고 그들의 부인들은 뉴욕에서 열리는 연례 Professional Football Writers' Banquet에 동석할 계획을 세웠고, 그곳에서 Gayle Sayers는 "프로 미식축구에서 가장 용기 있는 선수"로 George S. Halas 상을 받을 예정이었다. ⓯ 그 만찬 무렵, Piccolo는 너무 아파서 참석할 수 없었다. ⓰ Sayers가 만찬에서 (b)그의 상을 받기 위해 일어서자, 눈물이 흘러내리기 시작했다.

(C) ⓱ Sayers는 눈물에 목이 멘 채 말했다, "여러분은 저에게 이 상을 주심으로써 저를 추켜세워 주시지만, 저는 저를 위해서가 아니라 Brian Piccolo를 위해 이 상을 받겠다고 여러분께 말씀 드립니다. ⓲ 하지만, Brian은 오늘 밤 이 자리에 올 수가 없습니다. ⓳ 그는 너무 아픕니다. ⓴ 하지만 (c)그는 오늘 밤 이곳에 있는 우리 중 그 어떤 누구보다도 더 용기 있는 사람입니다." ㉑ 기억에 남을 그 밤이 지나고 얼마 안 있어, Brian Piccolo는 세상을 떠났다. ㉒ (d)그에 대한 기억은 Gayle Sayers의 마음에 영원히 새겨질 것이다. ㉓ Piccolo와 Sayers는 피상적이고 거친 남자들 간의 관계 이상의 것을 쌓았다. ㉔ 비록 뼛속까지 거칠고 경쟁심이 강한 사람들이었지만, 진실하고 배려하는 애정이 이 두 강인한 선수들 사이에 생겼다.

정답 전략 **4** (A)에서는 흑인 선수인 Gayle Sayers와 백인 선수 Brian Piccolo가 같은 미식축구팀에서 친구가 되었다고 했다. (D)에서는 Piccolo가 암에 걸려 투병을 시작하고, Sayers가 친구의 곁을 지켰다고 했다. (B)에서는 Sayers가 상을 받을 때 Piccolo가 너무 아파 시상식에 참석하지 못했다고 했고, (C)에서는 그 시상식 며칠 후 Piccolo가 사망했다고 했다. 이야기의 흐름으로 보아 두 사람이 친구가 된 후, Piccolo의 암 투병이 시작되어 Sayers가 상을 받는 자리에 참석하지 못하고 얼마 후 세상을 떠나는 것이 시간상 알맞은 순서이다.

5 (b)는 Gayle Sayers를, 나머지는 모두 Brian Piccolo를 가리킨다.

6 ④ Piccolo는 Sayers가 상을 받고 며칠 후에 세상을 떠났다.

누구나 합격 전략

54~57쪽

1③ 2⑤ 3④ 4⑤ 5③ 6③

1~3 지문 한눈에 보기

(A) ❶ When I was 8 years old, / I decided to run away(목적어) from home. ❷ With my suitcase packed(with 분사구문(with+명사+과거분사): 명사와 분사가 수동 관계) / and some peanut butter sandwiches in a bag, / I started for the front door of our bungalow in Wantagh. ❸ My mom asked / where I was going. ❹ "I'm leaving home," / I said. ❺ "Billy, what's that you're carrying(that 수식)?" / she asked. ❻ "Some clothes and food," / I replied. ❼ "If(접속사(조건): ~라면) (a) you(Billy) want to run away, / that's all right," / she said. ❽ "But you came into this home without anything / and you can leave the same way." ❾ I threw(동사 1) my suitcase and sandwiches on the floor angrily / and started(동사 2) for the door again.

(C) ❿ "Wait a minute," / Mom said. ⓫ "You didn't have any clothes on / when(접속사(시간): ~일 때) you arrived, / and I want them back." ⓬ This annoyed me. ⓭ I took my clothes off — shoes, socks, underwear and all — / and shouted, / "Can (d) I(Billy) go now?" ⓮ "Yes," my mom answered, / "but once(접속사: 일단 ~하면) you close that door, / don't expect to come back." ⓯ I was so angry I slammed(so+형용사/부사+(that)+주어+동사: 너무 ~해서 …하다(결과)) the door / and stepped out on the front porch. ⓰ Suddenly I realized that I was outside, / completely naked(앞에 being이 생략된 분사구문: as I was completely naked). ⓱ Then I noticed / that down the street, / a neighbor friend was walking toward our house.

(D) ⓲ Looking(분사구문: As I looked for) for a place to hide, / I spotted the big spruce tree(선행사) / that(주격 관계대명사) took up half our yard. ⓳ Hoping(분사구문) (e) he(a neighbor friend) hadn't seen me, / I hid under the low-hanging branches. ⓴ A pile of dried-up brown needles(주어) / had accumulated(동사) beneath the tree, / and you can't imagine the pain / those sharp spruce needles caused to my body(앞에 목적격 관계대명사 생략: the pain 수식). ㉑ After(접속사: ~후에) I was sure he had passed by, / I ran to the front door / and banged on it loudly.

(B) ㉒ "Who's there?" / I heard. ㉓ "It's Billy! ㉔ Let me in!" ㉕ The voice(주어) behind the door answered(동사), / "Billy doesn't live here anymore. ㉖ (b) He(Billy) ran away from home." ㉗ Glancing(분사구문: As I glanced) behind me to see / if(명사절을 이끄는 접속사: ~인지 아닌지) anyone else was coming down the street, / I said, "Aw, Mom! ㉘ I'm still your son. ㉙ Let me in!" ㉚ The door inched open / and Mom's smiling face appeared. ㉛ "Did you change (c) your(Billy) mind / about running(동명사) away?" / she asked. ㉜ "What's for supper?" / I answered.

해석 (A) ❶ 내가 여덟 살이었을 때, 나는 가출하기로 결심했다. ❷ 가방을 싸고 가방 속에 몇 개의 땅콩버터 샌드위치를 넣고, Wantagh에 있는 우리 방갈로의 앞문으로 가기 시작했다. ❸ 엄마는 내가 어디에 가는지 물어보셨다. ❹ "집을 떠날 거예요."라고 나는 말했다. ❺ "Billy, 네가 지금 들고 가는 것은 뭐니?"라고 그녀가 물었다. ❻ "옷이랑 먹을 것이요."라고 내가 대답했다. ❼ "만약 (a)네가 나가고 싶다면, 그렇게 하도록 해라."라고 그녀가 말했다. ❽ "그러나 너는 아무것도 없이 이 집으로 왔으니 똑같은 방법으로 떠나야지." ❾ 나는 화가 나서 바닥에 가방과 샌드위치를 집어 던졌고 문 쪽으로 다시 출발했다.

(C) ❿ "잠깐 기다려." 엄마가 말했다. ⓫ "네가 왔을 때 아무 옷도 입지 않았으니, 그것들도 돌려주렴." ⓬ 이 말에 나는 짜증이 났다. ⓭ 나는 내 옷가지 — 신발, 양말, 속옷 등 모든 것 — 를 벗어 던지고 소리쳤다. "(d)저 이제 나가도 되나요?" ⓮ "그래, 하지만 일단 네가 저 문을 닫으면, 돌아올 생각은 하지 마라."라고 엄마가 대답했다. ⓯ 나는 너무 화가 나서 문을 쾅 닫고 현관으로 나섰다. ⓰ 갑자기 나는 내가 완전히 나체로 바깥에 있다는 것을 깨달았다. ⓱ 그때 나는 저 길 아래에 이웃에 사는 친구가 우리 집 쪽으로 걸어오고 있는 것을 보았다.

(D) ⓲ 숨을 곳을 찾으면서, 나는 우리 마당의 반을 차지하고 있는

큰 전나무를 발견했다. ⓳ (e)그가 나를 보지 못했기를 바라면서, 낮게 내려앉은 나뭇가지 아래 숨었다. ⓴ 한 무더기의 바싹 마른 갈색의 전나무 잎이 나무 아래 쌓여 있었는데, 여러분은 그 날카로운 전나무 잎이 내 몸에 주었던 고통을 상상할 수 없을 것이다. ㉑ 그가 지나갔다는 확신이 든 후에, 나는 앞문으로 달려가서 문을 세게 두들겼다.
(B) ㉒ "거기 누구세요?"라는 말이 들렸다. ㉓ "Billy예요. ㉔ 들여보내 주세요." ㉕ 문 뒤의 목소리가 대답했다, "Billy는 더 이상 이 집에 살지 않는단다. ㉖ (b)그는 가출했어." ㉗ 혹시 누군가가 길거리를 지나가는지 보기 위해서 내 뒤를 흘끗 보면서, 나는 말했다. "아, 엄마! ㉘ 저는 여전히 엄마 아들이에요. ㉙ 들여보내 주세요!" ㉚ 문이 살짝 열렸고 엄마의 미소 짓는 얼굴이 나타났다. ㉛ "가출하는 것에 대해 (c)네 마음이 바뀌었니?" 그녀가 물었다. ㉜ "저녁은 뭐예요?"라고 내가 대답했다.

정답 전략 1 (A)에서 여덟 살 소년 Billy는 가출을 결심하고 짐을 챙겨 나가려다 엄마에게 아무것도 없이 나가라는 말을 듣고 짐을 버린다. 엄마가 Billy에게 짐뿐만 아니라 옷도 벗어 놓고 가라고 하는 장면인 (C)가 (A) 뒤에 이어지고, 화가 난 Billy가 벌거벗은 채로 집밖으로 나갔다가 친구를 보고 집 앞 전나무의 가지 속에 숨는 장면이 나오는 (D)가 그 뒤에 이어지고, Billy가 가출을 포기하고 집으로 돌아가는 (B)가 결말로 이어지는 흐름이 자연스럽다.

2 밑줄 친 (a), (b), (c), (d)는 모두 Billy를 가리키고, (e)는 Billy의 집쪽으로 오던 친구를 가리킨다.
3 ④ Billy는 옷을 벗어 두고 가라는 엄마의 말에 화가 나서 신발, 양말, 속옷까지 전부 벗어 두고 나갔다(I took my clothes off — shoes, socks, underwear and all).

4~6 지문 한눈에 보기

(A) ❶ One day, / a mother and her little girl went to a cottage / for their vacation. ❷ Through(전치사: ~를 통해) the kitchen window, / she saw(지각동사) her little girl(목적어) swimming(목적격 보어) / in the lake behind the house. ❸ Suddenly, / the mother screamed in terror / because(접속사(이유): ~ 때문에) something was swimming / towards her girl / from the opposite side of the lake. ❹ It was an alligator!
❺ (a) She(mother) ran(동사 1) out of the kitchen / and shouted(동사 2) to her at the top of her lungs, / "Get out of the lake! ❻ There's an alligator!"

(D) ❼ The little girl saw / the oncoming alligator. ❽ She turned around / and started swimming(목적어(동명사)) back / as fast as she could(as+형용사/부사+as+주어+can: 가능한 한 ~하게). ❾ Just as she was about to(막 ~하려 하다) get out of the lake, / two things happened at the same time. ❿ The mother grabbed her arms, / doing(분사구문: as she did) (d) her(mother) best to pull the little girl out of the water, / and the alligator bit into her legs. ⓫ What(선행사를 포함하는 관계대명사) happened next was a struggle / between the mother and the beast. ⓬ The alligator was very strong, / but so was (e) her(mother) love(도치: so+동사+주어(~도 그랬다)). ⓭ She simply wouldn't let go.

(C) ⓮ Just then, / a man(주어(선행사)) who(주격 관계대명사) was driving by / saw(동사) what was happening(목적어). ⓯ He quickly got out(동사 1) of his truck, / grabbed(동사 2) his hunting gun, / and shot(동사 3) the alligator. ⓰ The little girl was rushed to the hospital / to receive(부사적 용법(목적)) treatment for her injuries. ⓱ Some time later, / a journalist came to (c) her(the little girl) hospital room / to interview(부사적 용법(목적)) her. ⓲ After a few questions, / she asked, / "Would you mind / if(명사절을 이끄는 접속사) I take a picture of your wounds?" ⓳ "Sure," / the little girl said. ⓴ "Which ones do you want to photograph?" ㉑ The journalist didn't understand. ㉒ "What do you mean?"

(B) ㉓ The little girl removed her blanket / and exposed her legs. ㉔ "These are the wounds / from the alligator's teeth." ㉕ Her legs were covered with them. ㉖ She then said, / "But my other wounds — they're what(선행사를 포함하는 관계대명사) I'm proud of." ㉗ She exposed her arms / and showed off the marks from her mother's fingernails(선행사) / that(주격 관계대명사) had dug deep into her skin. ㉘ "I love these wounds / because they represent my mother's love. ㉙ (b) She would not let go of me. ㉚ That's / why I have them."

mother

관계부사: 선행사 the reason 생략

해석 (A) ❶ 하루는, 어머니와 그녀의 어린 딸이 휴가차 별장으로 갔다. ❷ 부엌 창문을 통해서, 그녀는 집 뒤에 있는 호수에서 자신의 어린 딸이 수영하는 것을 보았다. ❸ 갑자기, 어머니는 호수의 맞은 편으로부터 자신의 딸을 향해 무언가가 헤엄쳐 오고 있어서 공포에 질려 비명을 질렀다. ❹ 그것은 악어였다! ❺ (a)그녀는 부엌에서 달려 나와 딸에게 있는 힘껏 소리쳤다. "호수에서 나와! ❻ 악어가 있어!"

(D) ❼ 어린 소녀는 다가오는 악어를 보았다. ❽ 그녀는 몸을 돌려 할 수 있는 한 빠르게 헤엄쳐 돌아오기 시작했다. ❾ 그녀가 막 호수 밖으로 나오려는 순간, 두 가지 일이 동시에 일어났다. ❿ 어머니는 그녀의 팔을 붙잡고, 어린 소녀를 물 밖으로 끌어내기 위해 (d)자신의 최선을 다하고 있었고, 악어는 그녀의 다리를 물었다. ⓫ 그 다음 일어난 일은 어머니와 그 짐승 사이의 싸움이었다. ⓬ 악어는 매우 강했지만, (e)그녀의 사랑 또한 그러했다. ⓭ 그녀는 순순히 놓아주려고 하지 않았다.

(C) ⓮ 바로 그때, 차를 타고 지나가던 남자가 일어나고 있는 일을 목격했다. ⓯ 그는 재빨리 자신의 트럭에서 내려, 사냥총을 잡아, 악어를 쏘았다. ⓰ 어린 소녀는 그녀의 상처에 대한 치료를 받기 위해 병원으로 급히 옮겨졌다. ⓱ 어느 정도 지난 후에, 한 기자가 그녀를 인터뷰하기 위해 (c)그녀의 병실에 왔다. ⓲ 몇 가지 질문 후에, 그녀는 "내가 상처 사진을 찍어도 되겠니?"라고 물어봤다. ⓳ "네."라고 어린 소녀가 말했다. ⓴ 어떤 것을 사진 찍고 싶으신가요?" ㉑ 기자는 이해하지 못했다. ㉒ "무슨 뜻이니?"

(B) ㉓ 어린 소녀가 자신의 담요를 젖히고 자기 다리를 보여 주었다. ㉔ "이것들은 악어의 이빨로 생긴 상처예요." ㉕ 그녀의 다리는 상처들로 뒤덮여 있었다. ㉖ 그러고 나서 그녀는 "하지만, 다른 상처, 그것은 제가 자랑스러워하는 것이에요."라고 말했다. ㉗ 그녀는 자기 팔을 보여 주며 자신의 피부 깊이 박혔던 어머니의 손톱으로 생긴 자국을 자랑했다. ㉘ "저는 이 상처들이 제 어머니의 사랑을 의미하기 때문에 아주 좋아요. ㉙ (b)그녀는 저를 놓아주려 하지 않았어요. ㉚ 그래서 제가 이 상처들을 가지게 된 거예요."

정답 전략 **4** (A)에서 어머니는 호수에서 수영을 하고 있는 자신의 딸 쪽으로 악어가 다가오는 것을 보고 딸에게 나오라고 소리친다. 따라서 그 다음 장면으로는 소녀가 악어를 피하려 하는 장면이 나오는 (D)가 이어질 것이다. (D)에서 호숫가로 온 어머니는 딸을 끌어내려 하고 물속에서는 악어가 딸을 잡아당기는 상황이 설명된 뒤, (C)에서 지나가던 남자가 악어에게 총을 쏘아 소녀를 구한다. 이어서 한 기자가 소녀의 이야기를 취재하면서 상처를 사진 찍어도 되겠냐고 묻자 (B)에서 소녀가 자신은 두 종류의 상처를 가지고 있다고 설명하며 악어가 입힌 상처와, 어머니가 자신을 구하려다 만든 상처에 대해 이야기하는 장면이 마지막으로 나오는 흐름이 자연스럽다.

5 (c)는 악어에게 공격당한 소녀를 가리키고, 나머지는 모두 소녀의 어머니를 가리킨다.

6 ③ 악어를 총으로 쏜 사람은 지나가던 남자이다.

창의·융합·코딩 / 전략 ①, ②

58~61쪽

1 4→5→2→3 **2** names, pull, team **3** Grandma: ⓔ, ⓖ, ⓗ / the neighbor: ⓐ, ⓑ, ⓒ, ⓘ, ⓙ / the neighbor's daughter: ⓓ, ⓕ **4** sold, take **5** 두나

1

해석 1 Justin이 외딴 농장 도로를 운전하는 중에, 그의 차가 도랑에 빠졌다.

☐ 농부는 당나귀와 밧줄, 그리고 Justin을 데리고 천천히 Justin의 차로 향했다.

☐ 농부가 다른 이름들을 부른 후에 당나귀는 도랑에서 차를 꺼냈다.

☐ Justin은 농가 앞에서 늙은 농부를 만났고, 그 농부에게 도움을 요청했다.

☐ 농부는 그의 당나귀 Old Warrick이 도랑에서 차를 꺼낼 수 있다고 말했다.

6 Justin은 그에게 감사를 표하고 떠났다.

Words and Phrases • fall into ~에 빠지다 • ditch 배수로, 도랑 • call out ~를 부르다 • farmhouse 농가

정답 전략 Justin의 차가 도랑에 빠져서 늙은 농부를 만나 도움을 요청하는 장면이 나오고 농부는 늙은 당나귀가 차를 꺼낼 수 있다고 말을 한 뒤, 실제로 농부가 여러 이름들을 불러주자 늙은 당나귀가 힘을 내서 차를 꺼냈다는 내용이다.

2

해석 Justin: Old Warrick에게 도랑에서 차를 꺼내라는 지시를 내리기 전에 왜 그 이름들을 모두 불러야 했나요?

늙은 농부: 보다시피, Old Warrick은 아주 늙었네. 하지만 그가 팀의 일원이라고 믿는 한, 그는 위대한 일을 할 수 있다네.

정답 전략 차를 꺼내기 전에 당나귀에게 다른 이름들을 불러 준 이유를 묻고 있으므로, 당나귀가 팀의 일원으로 믿게 하기 위해서라는 답변이 알맞다.

3~4

해석 어느 날, 할머니는 길을 올라오는 이웃을 발견했다. ⓐ그녀는 자신의 딸들 중 한 명과 걷고 있었고, 그들은 대화에 몰두하고 있었다. 그들이 다가오자, 할머니는 ⓑ그 여자가 자신의 딸에게 "이 붓꽃들 보이니? 내 거란다."라고 말하는 것을 들었다. "무슨 말이에요, 엄마 거라니요?"라고 딸이 물었다. "ⓒ내가 샀단다."라고 그 여자는 말했다. "ⓓ저는 이해할 수가 없어요. 그럼 왜 아직 ⓔ그녀의 뜰에 있는 거예요?"라고 딸이 물었다. "아, 나는 꽃들을 가져올 수가 없었어."라고 ⓕ그녀의 어머니가 대답했다. "ⓖ그녀는 우리 집 앞을 지나가지 않아. 하지만 난 매일 여기에 온단다. 이렇게 하면, 우리 둘 다 꽃들을 즐길 수 있지. 나는 화단에서 일할 시간이 없지만, ⓗ그녀는 꽃들을 아주 잘 돌보신단다." ⓘ그녀는 할머니에게 미소 지었다. "ⓙ나는 그냥 저렇게 아름다운 걸 갖고 싶었을 뿐이란다."

Words and Phrases • spot 발견하다 • be absorbed in ~에 몰두하다 • approach 다가오다, 접근하다 • flower bed 화단 • mighty 아주 • take care of ~을 돌보다 • own 갖다, 소유하다

정답 전략 3 문맥에 따라 글을 읽으면서 명사나 대명사가 지칭하는 것이 할머니, 이웃집 여자, 이웃집 여자의 딸 중에 누구인지 분류하도록 한다.
4 '할머니는 붓꽃을 이웃에게 팔았지만, 이웃은 할머니의 마당에서 꽃을 가져가지 않았다.'는 것을 추측할 수 있다.

5

해석 Andrew는 두 눈을 검고 흰 정사각형들에 고정하였다. 그는 잠시 생각한 후에, 나이트를 상대방이 이길 수 없는 곳으로 밀었다. 이제 Andrew는 작년 대회의 우승자인 Timothy Tandon에게 이겼다고 확신했다. 금년에 선수권 쟁탈전 이전에는 아무도 알아보지 못했던 Andrew가 결승전에 진출하게 되었다. 이 잊지 못할 승리를 즐기고 나서, Andrew는 자신의 아픈 할아버지가 계신 요양원으로 직행했다.

결승전의 날이었다. 그날 아침에 Andrew는 요양원으로부터 전화를 받았었다. 할아버지의 상태가 위독해졌다고 알리는 소식을 들었다. 그 소식은 그가 시합을 시작했을 때 그의 마음에 영향을 끼쳤다. 몇 차례의 격전 후에, Andrew의 집중력이 잠시 동안 흔들렸다. 그의 마음은 할아버지에게로 이동해 갔다. Andrew가 큰 실수를 범한 것은 바로 그때였다! 그 실수는 치명적인 것이었다. 그는 졌다.

Words and Phrases • steady one's eyes upon 눈을 ~에 고정하다 • awhile 잠시, 잠깐 • knight (체스의 말) 나이트 • unbeatable 이길 수 없는, 무적의 • memorable 잊지 못할 • head straight to ~로 직행하다 • nursing home 요양원, 양로원 • play upon ~에 영향을 끼치다 • fierce 격렬한 • concentration 집중(력) • waver 흔들리다 • fatal 치명적인

정답 전략 Andrew는 작년 우승자인 Timothy Tandon을 이기고 결승전에 진출했지만, 결승전 날 할아버지가 위독하다는 전화를 받고 집중하지 못해서 경기에 졌다.

1③ 2⑤ 3⑤ 4⑤ 5③ 6③

1~3 지문 한눈에 보기

(A) ❶ In this area, / heavy snow in winter / was not uncommon. ❷ Sometimes / it poured down(동사 1) for hours and hours / and piled up(동사 2) very high. ❸ Then, / no one could go out. ❹ Today too, / because of the heavy snow, / Mom was doing her office work at the kitchen table. ❺ Felix, the high schooler(동격), / had to take online classes in his room. ❻ Five-year-old Sean(주어(선행사)), / who(계속적 용법의 주격 관계대명사) normally went to kindergarten, / was(동사) sneaking around in the house / playing(분사구문(동시 동작)) home policeman. ❼ (a) The kindergartener(Sean) wanted(동사 1) / to know what his family members were up to, / and was checking up(동사 2) on everyone.

(C) ❽ While checking(접속사가 생략되지 않은 분사구문) on his family, / Sean interfered in their business / as if(마치 ~인 것처럼) it was his own. ❾ This time, / (c) the playful and curious boy(Sean) was interested in his brother Felix,(선행사) / who(계속적 용법의 주격 관계대명사) committed himself to studying / no matter where(어디에 있든지(= wherever)) he was. ❿ Sean secretly looked(동사 1) inside his brother's room / from the door, / and shouted(동사 2) toward the kitchen(선행사) / where(관계부사) Mom was working, / "Mom, Felix isn't studying. ⓫ He's just watching a funny video." ⓬ Sean was naughtily smiling / at his brother.

(D) ⓭ Felix was mad / because(접속사(이유): ~ 때문에) (d) his little brother(Sean) was bothering him. ⓮ Felix was studying science / using(분사구문(동시 동작)) a video / posted on the school web site(과거분사구: a video 수식). ⓯ He made an angry face / at the naughty boy. ⓰ Right then, / Mom asked loudly from the kitchen, / "What are you doing, Felix?" ⓱ Felix's room was located next to the kitchen, / and he could hear Mom clearly. ⓲ "I'm watching a lecture video / for my science class." ⓳ Felix argued(동사 1) against Sean's accusation / and mischievously stuck(동사 2) (e) his(Felix) tongue out at his little brother.

(B) ⓴ "All right. ㉑ I'm sure / you're doing your work." ㉒ Mom replied(동사 1), / and then sharply added(동사 2) a question. ㉓ "Sean, what are *you* doing?" ㉔ Sean's face immediately became blank, / and he said, "Nothing." ㉕ "Come here, Honey, / and you can help me." ㉖ Sean ran to the kitchen right away. ㉗ "What can I do for you, Mom?" ㉘ His voice was high, / and Felix could sense / that(명사절을 이끄는 접속사) his brother was excited. ㉙ Felix was pleased / to get rid of(부사적 용법(감정의 원인)) (b) the policeman(Sean), / and now he could concentrate on the lesson, / at least till Sean came back.

해석 (A) ❶ 이 지역에서는, 겨울에 폭설이 내리는 것이 드문 일이 아니었다. ❷ 때로는 몇 시간이고 쏟아져 내려 아주 높이 쌓였다. ❸ 그러면, 아무도 나갈 수 없었다. ❹ 오늘 또한, 폭설로 인해, 엄마는 주방 식탁에서 사무실 업무를 보고 있었다. ❺ 고등학생 Felix는 자기 방에서 온라인 수업을 들어야 했다. ❻ 평소에는 유치원에 가던 다섯 살짜리 Sean은 가정 경찰관 놀이를 하며 집안 이곳저곳을 몰래 돌아다니고 있었다. ❼ (a)그 유치원생은 가족들이 무엇을 하는지 알고 싶었고, 모두를 확인하고 있었다.

(C) ❽ Sean은 가족을 확인하는 동안, 그들의 일이 자기 일인 것처럼 그 일에 간섭했다. ❾ 이번에는, (c)그 장난기 많고 호기심 많은 아이가 형 Felix에게 관심을 보였는데, 그는 어디에 있든지 공부에 전념했다. ❿ Sean은 문에서 형의 방을 몰래 들여다보고는, 엄마가 일하고 있는 주방을 향해 소리쳤다. "엄마, Felix가 공부를 안 하고 있어요. ⓫ 그는 재미있는 영상을 보고 있을 뿐이에요." ⓬ Sean은 형을 바라보며 짓궂게 웃고 있었다.

(D) ⑬ Felix는 (d)그의 어린 남동생이 자신을 성가시게 하고 있었기 때문에 화가 났다. ⑭ Felix는 학교 웹사이트에 올라온 영상을 이용해 과학 공부를 하고 있었다. ⑮ 그는 그 개구쟁이 아이를 향해 화난 표정을 지었다. ⑯ 바로 그때 엄마가 주방에서 큰소리로 "Felix, 무얼 하고 있니?"라고 물었다. ⑰ Felix의 방은 주방 옆에 있었고, 그는 엄마의 말을 똑똑히 들을 수 있었다. ⑱ "과학 수업의 강의 영상을 보고 있어요." ⑲ Felix는 Sean의 비난을 반박하고는 장난기 있게 동생에게 (e)자기 혀를 내밀었다.

(B) ⑳ "그래. ㉑ 넌 틀림없이 네 일을 하고 있을 거야." ㉒ 엄마가 대답하고 나서, 재빨리 질문을 덧붙였다. ㉓ "Sean, '넌' 뭐 하고 있니?" ㉔ Sean은 즉시 얼빠진 표정이 되었고, 그는 "아무것도 안 해요."라고 말했다. ㉕ "얘야, 이리 오렴. 그러면 날 도와줄 수 있어." ㉖ Sean은 곧바로 주방으로 달려갔다. ㉗ "엄마, 내가 뭘 도와줄까요?" ㉘ 그의 목청은 높았고, Felix는 동생이 신이 났다는 것을 알 수 있었다. ㉙ Felix는 (b)경찰관에게서 벗어나서 기뻤고, 적어도 Sean이 돌아올 때까지 이제 그는 수업에 집중할 수 있었다.

정답 전략 **1** (A)에서는 폭설로 인해 엄마와 Felix, Sean이 모두 집안에 머무르는데, Sean이 가족들 모두를 살펴보며 돌아다니는 상황이 묘사된다. 따라서 (A) 뒤에는 Sean이 Felix의 방을 들여다보고 엄마에게 거짓으로 이르는 내용인 (C)가 이어지고, (C) 뒤에는 Felix가 엄마에게 Sean의 고자질을 반박하는 내용의 (D)가 이어진다. 마지막으로 상황을 눈치 챈 엄마가 Sean을 주방으로 부르고, Felix가 Sean의 방해에서 벗어나는 결말인 (B)가 오는 것이 자연스럽다.

2 글의 흐름 속에서 한 인물을 가리키는 다양한 표현을 파악할 수 있어야 한다. (a)의 '유치원생,' (b)의 '경찰관,' (c)의 '장난기 많고 호기심 많은 아이,' (d)의 '그(Felix)의 어린 남동생'은 모두 Sean을 가리키는 다양한 표현이다. (e)는 Felix를 가리킨다.

3 ⑤ 문단 (D)에서 'Felix's room was located next to the kitchen(Felix의 방은 부엌 옆에 위치해 있었다)'고 했다.
① 엄마는 폭설 때문에 주방 식탁에서 사무실 업무를 하고 있었다. ② Sean은 엄마가 불러서 주방으로 달려갔다. ③ Sean은 공부하는 형의 방을 몰래 들여다보았다. ④ Felix는 과학 수업 영상을 보고 있었다.

4~6 지문 한눈에 보기

❶ What(선행사를 포함하는 관계대명사(주어)) interested me the most about the new house / was(동사) the stable(선행사) in the backyard, / in which(전치사+관계대명사) my father let(사역동사) me(목적어) make(목적격 보어) a small space / for a pony. ❷ I believed / that it meant / that(명사절을 이끄는 접속사) I would get a pony for Christmas. ❸ (a) He(my father) also said, / "Lennie, someday you'll have a pony of your own." ❹ However, / "some day" is a pain to a boy(선행사) / who(주격 관계대명사) lives in and knows only "now."

❺ Meanwhile my father took me to a pony fair / and let(사역동사) me(목적어) try(목적격 보어) some ponies, / but (b) he(my father) always found some fault with them, / leaving(분사구문: and he left) me in despair. ❻ When Christmas was at hand, / I had abandoned all hope of getting one. ❼ Instead, / I hung up the biggest stocking / I had(앞에 목적격 관계대명사 생략: the biggest stocking 수식). ❽ Waking up(분사구문: As we woke up) at 7 a.m., / my little sisters and I raced for the fireplace downstairs. ❾ While(접속사(대조): ~인 반면에) my sisters were delighted / to find(부사적 용법(감정의 원인)) their stockings filled with presents(과거분사구: their stockings 수식), / mine was empty. ❿ I went out into the yard / and wept all by myself.

⓫ After an hour, / my frustration reached its climax, / when I saw(지각동사) a man(목적어) riding(목적격 보어) a pony / with a brand-new saddle. ⓬ When he looked at our door, / he just passed by, / which(계속적 용법의 주격 관계대명사: 선행사는 앞 문장 전체) caused me to break into a flood of tears. ⓭ Then, / he said, / "Kid, do you know a boy / named Lennie Steffens(과거분사구: a boy 수식)?" ⓮ "That's me," / I replied in tears. ⓯ He said, / "I've been looking all over for your house. ⓰ Why don't you put your house number / where it can be seen?" ⓱ He went on saying, / "I should have been(should have p.p.: ~했어야 했는데 (하지 못했다)) here at 7. ⓲ Your father told me to bring the pony here / and leave (c) him(the pony) for you."
⓳ I'd never seen anything so beautiful / as my pony. ⓴ And finally, / I rode off into the fields. ㉑ Thrilled(앞에 being이 생략된 분사구문: As I was thrilled) by riding,

/ I began to feast my eyes on the world around me. ㉒ The trees seemed to be taking on smiling faces / and the birds seemed to be singing / to congratulate me on getting my new friend. ㉓ When I returned home, / my father asked, / "Why did you come back so soon?" ㉔ With a smile on my face, / I answered (d) him, / "I didn't want to make him feel tired. ㉕ It's his first day with me." ㉖ (e) He laughed and wiped away / the tear stains from my face — / his heartfelt gesture of apology / for such a long-delayed present. ㉗ Bursting with happiness, / I spent the rest of the day brushing my pony / in the stable.

getting: 동명사
With a smile on my face: with 분사구문(with+명사+전치사구): ~한 채
him: my father
make him feel: make의 목적어와 목적격 보어
He: my father
Bursting: 분사구문: As I burst
spent the rest of the day brushing: spend+시간+V-ing: ~하는 데 시간을 보내다

해석 ❶ 새 집에서 나에게 가장 흥미로웠던 것은 뒤뜰에 있는 마구간이었는데, 아버지는 그 안에 나에게 조랑말을 위한 작은 공간을 만들게 하셨다. ❷ 나는 그것이 크리스마스 선물로 조랑말을 받게 될 것을 의미한다고 믿었다. ❸ (a)그는 또, "Lennie야, 너는 언젠가 너만의 조랑말을 가지게 될 거야."라고 말씀하셨다. ❹ 그러나, "언젠가"라는 것은 "현재"에 살고 그것만을 아는 소년에게는 고통이다.

❺ 그러는 동안 아버지께서는 나를 조랑말 시장에 데려가서 조랑말 몇 마리를 시험해 보게 하셨지만, (b)그는 항상 그 녀석들에게서 어떤 결점을 찾아내서, 나를 절망에 빠지게 하셨다. ❻ 크리스마스가 코앞에 다가왔을 때, 이미 나는 조랑말을 얻을 수 있을 거라는 희망을 모두 포기했다. ❼ 대신에, 나는 가지고 있는 것 중에서 가장 긴 양말을 걸어 놓았다. ❽ 아침 7시에 잠에서 깨어, 여동생들과 나는 아래층의 난로 쪽으로 달려갔다. ❾ 여동생들은 양말 안에 선물이 가득한 것을 보고 기뻐했지만, 내 양말은 비어 있었다. ❿ 나는 뜰로 나가서 혼자 흐느껴 울었다.

⓫ 한 시간 후에 내 좌절감은 최고조에 달했고, 그때 어떤 남자가 최신의 안장을 얹은 조랑말을 타고 오는 것을 보았다. ⓬ 그는 우리 집 문을 보자, 그냥 지나쳐 갔는데, 그 때문에 나는 눈물을 펑펑 쏟았다. ⓭ 그때, 그가 말했다. "얘야, Lennie Steffens라는 남자아이를 아니?" ⓮ "전데요." 나는 눈물을 흘리며 대답했다. ⓯ 그는 말했다. "내내 네 집을 찾으려고 기웃거렸구나. ⓰ 보이는 곳에 집 번지를 적은 문패를 걸어 놓는 게 어떻겠니?" ⓱ 그는 계속해서 말했다. "나는 여기 7시에 왔어야 했단다. ⓲ 네 아버지께서 나에게 조랑말을 이리 몰고 와서 너에게 (c)그 녀석을 넘겨주라고 말씀하셨거든."

⓳ 나는 내 조랑말처럼 예쁜 것을 본 적이 없었다. ⓴ 그리고 마침내, 나는 말을 타고 들판으로 나갔다. ㉑ 말을 타고 짜릿한 기분을 느끼면서, 나는 주변의 세상을 실컷 보기 시작했다. ㉒ 나무들은 미소를 띤 얼굴을 하고 있는 것 같았고, 새들은 내가 새 친구의 등에 타고 있는 것을 축하하기 위하여 노래하고 있는 것 같았다. ㉓ 집에 돌아오자, 아버지께서 물으셨다. "왜 이렇게 빨리 돌아왔니?" ㉔ 얼굴에 미소를 띤 채, 나는 (d)그에게 대답했다. "저는 말을 피곤하게 만들고 싶지 않았어요. ㉕ 저와 함께 하는 첫날이거든요." ㉖ (e)그는 웃으면서 내 얼굴의 눈물 자국을 닦아 주셨는데, 그것은 그렇게 오래 지체된 선물에 대한 그분의 진심 어린 사과의 표시였다. ㉗ 행복감으로 터질 것 같아서 나는 마구간에서 내 조랑말을 솔질하면서 그 날의 나머지 시간을 보냈다.

정답 전략 **4** 선물을 받지 못하는 줄 알고 절망했다가(desperate) 늦게 도착한 조랑말을 선물로 받아 기쁨에 넘치는(joyful) 모습이 묘사되고 있으므로 ⑤가 알맞다.

① 만족하는 → 낙담한 ② 화가 난 → 무관심한 ③ 겁에 질린 → 차분한 ④ 기쁜 → 좌절한

5 (c)는 조랑말을 가리키고, 나머지는 모두 Lennie의 아버지를 가리킨다.

6 ③ 집 번지를 적은 문패가 없었기 때문에 조랑말을 데려온 사람이 Lennie의 집을 쉽게 찾지 못했고, 그래서 문패를 걸어놓으라고 Lennie에게 조언했다.

1·2등급 확보 전략 1회

1④ 2⑤ 3④ 4② 5⑤ 6③

1~3 지문 한눈에 보기

(A) ❶ Louise checked(동사 1) her watch / and began(동사 2) a last sweep of the paediatric ward / she worked on(앞에 목적격 관계대명사 생략: the paediatric ward 수식). ❷ The hospital was always busy; / there was very little time / to think(형용사적 용법: time 수식) about anything other / than what(선행사를 포함하는 관계대명사) was right there in front of you. ❸ Louise paused(동사 1) in front of her favourite cubicle / and looked(동사 2) in. ❹ "All set for the afternoon?" ❺ (a) she(Louise) asked Hazel(선행사), / who(계속적 용법의 주격 관계대명사) was six and had just come back to the ward.

(D) ❻ Hazel was battling cancer / and was in and out of the hospital, / which(계속적 용법의 관계대명사: 선행사는 앞 문장 전체) broke Louise's heart, / but somehow she stayed positive throughout. ❼ Louise supposed / she shouldn't really have favourite patients, / but Hazel was definitely hers. ❽ "Mum got me a new colouring book. ❾ She's gone home / to try and find my teddy. ❿ We think / we might have lost(might have p.p.: ~했을 지도 모른다) it / when(접속사(시간): ~일 때) I went for tests the other day." ⓫ Louise remembered the cute bear(선행사) / that(목적격 관계대명사) Hazel usually had. ⓬ "Oh, I'm sorry. ⓭ I'm sure / he'll turn up. ⓮ Enjoy your colouring / and I'll see (e) you(Hazel) / when I'm next in?"

(B) ⓯ Hazel nodded / and Louise left(동사) her(목적어) alone(목적격 보어). ⓰ Louise grabbed(동사 1) her things from the staffroom / and walked out(동사 2), / passing by(분사구문: and she passed by) the charity shop at the end of the ward. ⓱ The teddy in the window / immediately caught (b) her(Louise) eye. ⓲ It looked very similar to the one(선행사) / that(목적격 관계대명사) Hazel was missing / and it was a bargain at five pounds. ⓳ She went straight in / and bought it. ⓴ Checking(분사구문: As she checked) her watch, / she walked briskly back to the ward.

(C) ㉑ When(접속사(시간): ~일 때) Louise returned, / Hazel's mum, Sarah(동격), was outside the cubicle / talking(분사구문: as she talked) on her phone. ㉒ Louise nodded(동사 1) and smiled(동사 2) at Sarah / as(접속사: ~하면서) she passed(동사 1) and ducked(동사 2) back into Hazel's cubicle. ㉓ "Now (c) I(Louise) know / this isn't your bear, / but I think / this one will do / just as good a job looking after you," / Louise said, / handing(분사구문: as she handed) it to Hazel(선행사) / who(주격 관계대명사) gasped. ㉔ "Really?" ㉕ Hazel's face lit up / as(접속사: ~하면서) she looked at it. ㉖ That smile made(동사) all the long hours and the hard tasks(목적어(선행사)) / (d) she(Louise) often had to deal with(목적격 관계대명사절: all ~ tasks 수식) / worth(목적격 보어) it.

해석 (A) ❶ Louise는 시계를 확인하고 그녀가 일하는 소아병동을 마지막으로 훑어보기 시작했다. ❷ 병원은 항상 분주해서 바로 앞에 있는 것 말고는 어떤 일도 생각할 시간이 거의 없었다. ❸ Louise는 가장 좋아하는 (칸막이) 병실 앞에서 잠시 멈추고 안을 들여다보았다. ❹ "오후를 위한 준비는 다 되었니?" ❺ (a)그녀는 여섯 살의, 이제 막 다시 병동에 돌아온 Hazel에게 물었다.

(D) ❻ Hazel은 암 투병을 하며 병원을 드나들고 있었는데, 그것이 Louise의 마음을 아프게 했지만, 여하튼 그녀는 내내 긍정적인 태도를 유지했다. ❼ Louise는 정말 좋아하는 환자가 생기면 안 된다고 생각했지만, Hazel은 분명히 그녀가 좋아하는 환자였다. ❽ "엄마가 새 칠하기 그림책을 사주셨어요. ❾ 그리고 제 곰 인형을 찾아보려고 집에 가셨어요. ❿ 우리는 지난번에 제가 검사 받으러 갔을 때 그걸 잃어버렸을 지도 모른다고 생각해요." ⓫ Louise는 Hazel이 평소에 가지고 다니던 귀여운 곰 인형을 기억해냈다. ⓬ "저런, 안됐구나. ⓭ 내 생각에 곰 인형은 꼭 나타날 거야. ⓮ 칠하기 재미있게 하고 내가 다음 번 근무 때 (e)널 볼까?"

(B) ⓯ Hazel은 고개를 끄덕였고 Louise는 그녀를 혼자 두고 자리를 떴다. ⓰ Louise는 직원 사무실에서 자신의 물건을 챙겨서 걸어 나가다

가 병동 끝에 있는 자선 상점을 지나갔다. ⑰ 창에 진열된 곰 인형이 즉시 (b)그녀의 눈길을 끌었다. ⑱ 그것은 Hazel이 잃어버린 것과 매우 비슷해 보였고 5파운드에 할인 중인 품목이었다. ⑲ 그녀는 곧장 들어가 그것을 샀다. ⑳ 시계를 확인하면서, 그녀는 기분 좋게 다시 병동으로 걸어갔다.

(C) ㉑ Louise가 돌아왔을 때, Hazel의 엄마 Sarah가 병실 밖에서 전화 통화를 하고 있었다. ㉒ Louise가 지나쳐서 Hazel의 병실로 다시 몸을 굽혀 들어가면서 그녀는 Sarah에게 고개를 끄덕이고 미소 지었다. ㉓ "자, (c)나는 이것이 네 곰 인형이 아니라는 것을 알지만, 이 녀석이 널 돌보는 일은 그만큼 잘할 거라고 생각해."라고 Louise는 숨이 막힐 정도로 놀라워 하는 Hazel에게 그것을 건네주며 말했다. ㉔ "정말요?" ㉕ 그것을 바라보면서 Hazel의 얼굴이 환하게 밝아졌다. ㉖ 그 미소는 (d)그녀가 자주 감당해야 했던 그 오랜 시간과 힘든 업무들을 모두 가치 있게 해 주었다.

Words and Phrases • sweep 훑음 • ward 병동 • pause 잠시 멈추다 • cubicle (칸막이를 한) 병실 • charity 자선, 자선 기금 • bargain 할인 품목 • briskly 기분 좋게, 힘차게 • nod (고개를) 끄덕이다 • duck into (몸을) 숙여 들어가다 • gasp 숨이 턱 막히다 • light up 밝아지다 • worth it 그만한 가치가 있는 • somehow 여하튼 • throughout 내내, ~ 동안 쭉 • definitely 분명히

정답 전략 **1** (A)에서는 병원 소아병동에서 근무하는 Louise와 어린 환자인 Hazel의 관계가 나온다. (A)에서 Louise가 Hazel에게 말을 걸고, Hazel이 그것에 답하며 자신의 잃어버린 곰 인형 이야기를 꺼내는 (D)가 오는 것이 적절하다. 뒤이어 (B)에서 Hazel의 곰 인형과 비슷한 곰 인형을 자선 상점에서 발견한 Louise가 그것을 사서 병원으로 되돌아오고, 그 뒤에는 인형을 선물 받은 Hazel이 기뻐하고, Louise는 자신의 일에서 보람을 찾는 모습이 묘사되는 (C)가 오는 것이 자연스럽다.

2 (e)는 어린 환자인 Hazel을 가리키고, 나머지는 모두 Louise를 가리킨다.

3 ④ Hazel은 엄마가 자신에게 칠하기 그림책을 주고는 곰 인형을 찾으러 집에 갔다고 말했다.

4~6 지문 한눈에 보기

(A) ❶ One day while Grace was in reading class, / the teacher called on Billy to read a sentence / from the board.
(while: 접속사: ~일 때 / called on Billy to read: call on *A* to *B*: A가 B하도록 요청하다)
❷ He had been sick most of the winter / and had missed a lot of school. ❸ Billy stood to read the sentence, / but he didn't know all the words. ❹ Since (a) she had been listening to the class, / Grace read it for him. ❺ Billy sat down, / red-faced and unhappy.
(had been sick: 과거완료: 병렬 구조 1 / had missed: 병렬 구조 2 / didn't know all the words: 부분 부정: 모든 단어를 알지는 못했다 / Since: 접속사(이유): ~ 때문에 / she: Grace)

(C) ❻ Grace felt rather proud of herself / for having known / more than Billy did. ❼ (c) Her pride didn't last long, / however. ❽ Her brother, Justin, reported to Mom / what had happened. ❾ He said, / "Grace made Billy feel / like a fool today." ❿ Grace tossed her head defiantly. ⓫ "Well, I did know the words, / and Billy didn't," / she said proudly. ⓬ "Your brother is right, Grace," / said Mom. ⓭ "You made Billy feel bad / by reading for him. ⓮ After this, you are not to speak up, / even if (d) you do know the answer." ⓯ Grace nodded her head. ⓰ She understood / that if she knew something, / she was to keep it to herself.
(having known: 완료 동명사: 주절의 동사(felt)보다 이전의 시점 / Her: Grace / what had happened: 간접의문문: 의문사(주어)+동사 / made Billy feel: 사역동사 목적어 목적격 보어 / like: 전치사: ~처럼 / did: 동사 know 강조 / made Billy feel: 사역동사 목적어 목적격 보어 / even if: 비록 ~일지라도 / you: Grace / do: 동사 know 강조 / if: 접속사(조건) / that: 접속사: understood의 목적어절을 이끎)

(B) ⓱ After that incident, / the teacher was invited to a church dinner / which Grace's mom attended, too. ⓲ While talking with her, / the teacher happened to remark, / "I know Grace is bright, / but I'm worried these days. ⓳ She doesn't recite or answer any question / during class. ⓴ I can't understand it." ㉑ Mom couldn't understand it either. ㉒ She had heard Grace reading her book at home, / and her brother drilled her on her sums / until (b) she knew them well.
(a church dinner: 선행사 / which: 목적격 관계대명사 / While talking: 접속사가 생략되지 않은 분사구문 / heard Grace reading: 지각동사 목적어 목적격 보어 / until: 접속사: ~일 때까지 / she: Grace)

(D) ㉓ Mom approached the subject at suppertime, / asking, / "Grace, can you read your lessons?" ㉔ Grace said, / "Sure, Mom. ㉕ I can read the whole book!" ㉖ Mom was puzzled. ㉗ "Then why," / she asked, / "does the teacher
(asking: 분사구문)

say you don't recite in school?" ㉘ Grace was surprised. ㉙ "Why, Mom," / she answered, / "you told me not to!" ㉚ Mom exclaimed, / "Why, Grace, / I did no such thing!" ㉛ "Yes, (e) you did," / Grace said. ㉜ "You told me not to speak up, / even when I knew the answer." ㉝ Mom remembered. ㉞ The matter was soon straightened out, / and Grace recited again / during class.

(you: Grace's mom / even when: ~일 때조차도)

해석 (A) ❶ 어느 날 Grace가 읽기 수업을 들을 때, 선생님은 Billy에게 칠판의 문장을 읽어 보라고 했다. ❷ 그는 겨울의 대부분을 아파서 수업에 많이 빠졌다. ❸ Billy는 그 문장을 읽으려고 일어섰지만, 모든 단어를 알지는 못했다. ❹ (a)자신은 수업을 계속 들어 왔기 때문에, Grace는 그를 위해 그것을 읽어 주었다. ❺ Billy는 붉어진 얼굴로 언짢아하며 자리에 앉았다.

(C) ❻ Grace는 Billy보다 더 많이 알고 있었다는 것에 자신이 다소 자랑스러웠다. ❼ 그러나 (c)그녀의 자랑스러움은 오래가지 않았다. ❽ 그녀의 오빠 Justin이 엄마에게 무슨 일이 있었는지 일렀다. ❾ 그는 "Grace가 오늘 Billy를 바보처럼 느끼도록 만들었어요."라고 말했다. ❿ Grace는 반항적으로 머리를 치켜들었다. ⓫ "그렇지만 저는 그 단어들을 정말 알고 있었고, Billy는 몰랐어요."라고 그녀가 자랑스럽게 말했다. ⓬ "네 오빠 말이 맞아, Grace." 엄마가 말했다. ⓭ "넌 그를 위해 읽음으로써 Billy를 기분 나쁘게 만들었어. ⓮ 이번 일 이후로는, 크게 소리 내서 말해선 안 돼. 비록 (d)네가 답을 정말로 알고 있다고 해도 말이야." ⓯ Grace는 고개를 끄덕였다. ⓰ 그녀는 자신이 무언가를 안다 해도 그것을 혼자만 알고 있어야 한다고 이해했다.

(B) ⓱ 그 일 이후, 선생님이 Grace의 어머니도 참석한 교회 저녁 식사에 초대받았다. ⓲ 그녀와 이야기를 나누다가, 선생님은 우연히 말했다. "Grace가 똑똑하다는 것은 알지만, 전 요즘 걱정이 되네요. ⓳ 그 아이는 수업 중에 낭독하지도 않고 어떤 질문에 대답하지도 않습니다. ⓴ 이해가 안 되네요." ㉑ 엄마도 이해할 수 없었다. ㉒ 그녀는 Grace가 집에서 책을 읽는 것을 들었고, 그녀의 오빠는 (b)그녀가 잘 알 때까지 계산을 반복해서 연습시켰다.

(D) ㉓ 엄마는 저녁 식사 시간에 그 주제를 꺼내서 "Grace, 너 수업 내용을 읽을 수 있니?"라고 물었다. ㉔ Grace는 "그럼요, 엄마. ㉕ 난 책을 통째로 읽을 수 있는 걸요!"라고 말했다. ㉖ 엄마는 어리둥절했다. ㉗ "그럼 왜 선생님께서는 네가 학교에서 낭독하지 않는다고 말씀하실까?"라고 그녀가 물었다. ㉘ Grace는 놀랐다. ㉙ "아니, 엄마, 엄마가 하지 말라고 하셨잖아요!"라며 그녀가 답했다. ㉚ "아니, Grace, 나는 그런 말 안 했단다!"라고 엄마가 큰 소리로 말했다. ㉛ "아뇨, (e)엄마가 그러셨어요." Grace가 말했다. ㉜ "엄마가 저한테 제가 답을 알고 있을 때조차도 크게 말하지 말라고 하셨잖아요." ㉝ 엄마는 기억이 났다. ㉞ 그 문제는 곧 바로 잡혔고, Grace는 수업 중에 다시 낭독했다.

Words and Phrases • red-faced 얼굴을 붉힌 • attend 참석하다 • recite 암송하다 • drill 반복 연습시키다 • sum 계산, 산수 • toss one's head 머리를 홱 치켜들다 • defiantly 반항적으로 • keep it to oneself 혼자만 알고 있다 • suppertime 저녁 식사 시간 • puzzle 어리둥절하게 만들다 • straighten out 바로 잡다, 바르게 하다

정답 전략 **4** (A)에서 Grace는 단어를 잘 몰랐던 Billy 대신 선생님이 읽으라고 한 문장을 읽어 주었고, Billy는 기분이 상했다. (C)는 그 날 일을 Grace의 오빠인 Justin이 엄마에게 이야기하고, 엄마가 Grace에게 아는 것이 있어도 나서지 말라고 충고하는 내용이 나오므로 (A) 뒤에 오는 것이 적절하다. (B)에는 그 이후로 Grace가 수업 시간에 발표를 하지 않아 걱정이 된 선생님이 Grace의 엄마에게 이 사실을 알리는 내용이 나오므로 (C) 뒤에 이어지고, 마지막으로 (D)에서 오해를 푸는 Grace와 엄마의 대화가 나오는 것이 자연스럽다.

5 (e)는 Grace의 엄마를 가리키고, 나머지는 모두 Grace를 가리킨다.

6 ③ 엄마는 Grace가 Billy를 기분 나쁘게(feel bad) 만들었다고 말했다.

1·2등급 확보 전략 2회

1② 2⑤ 3⑤ 4② 5⑤ 6③

1~3 지문 한눈에 보기

(A) ❶ One day at the table / I reached(동사 1) for something without looking(동명사) / and dumped(동사 2) a cup of coffee into Dad's plate. ❷ He looked at the messy results / with distaste. ❸ "I'm not sure / the pigs will even want this," / he commented. ❹ "Why don't you look in the direction / you're moving(앞에 where나 in which 생략: the direction 수식), Susan?" / scolded Mom, / "When(접속사: (~하는) 동안에) you're eating, / pay attention to what(선행사를 포함하는 관계대명사) you're doing. ❺ (a) I(Susan's mom) am afraid / someday you're going to embarrass yourself with someone / besides(전치사: ~ 외에) your family."

(C) ❻ It was not long before(오래지 않아 ~했다) that happened. ❼ We were invited / to the minister's house for dinner. ❽ As we prepared to go, / Mom folded a dish towel / and tucked it into (c) her(Susan's mom) handbag. ❾ "What's that for, Mom?" ❿ I asked suspiciously. ⓫ "It's to tie under your chin," / she said. ⓬ "Oh, Mom!" ⓭ I moaned. ⓮ "I'd rather be left / at home!" ⓯ "I've thought of that, too." ⓰ (d) She(Susan's mom) eyed me sternly. ⓱ "But you have to(~해야 한다(must)) learn / how to conduct(learn의 목적어) yourself / in public someday."

(B) ⓲ When(접속사(시간): ~일 때) we arrived for dinner, / we learned / that(명사절을 이끄는 접속사) the minister's mother was visiting him. ⓳ For some reason, / she took an instant liking to me. ⓴ As(접속사: ~하는 동안) we were sitting down to eat, / this kind lady insisted / that I sit(주장·요구를 나타내는 동사(insist)+that+주어+(should)+동사원형) beside her. ㉑ Mom was reluctant. ㉒ "Susan sometimes needs help / cutting(분사구문: as she cut) her food. ㉓ Perhaps she'd better sit / beside(전치사: ~ 옆에) (b) me(Susan's mom)." ㉔ "Oh, that's no bother. ㉕ I'll be glad to help her," / the old lady said. ㉖ All seemed to be going well / when the worst happened.

(D) ㉗ I was attempting / to enter the conversation. ㉘ In trying to explain the width of something, / I flung my arms wide / to measure(부사적 용법(목적)) the distance. ㉙ As usual(여느때처럼), / I did not remember / that(명사절을 이끄는 접속사) I had something in my hand. ㉚ A spoonful of sauce landed / just under the nice lady's chin. ㉛ With horror(with+추상명사: 겁에 질려) / I watched(지각동사) it(목적어) dribble(목적격 보어) down / into (e) her(minister's mother) lap. ㉜ The minister's mother assured us / that no permanent harm had been done(assure A that+주어+동사: A에게 ~를 안심시키다). ㉝ But I was in disgrace. ㉞ The journey home was a difficult one. ㉟ Dad remarked / that he hoped / I had learned(과거완료: hoped보다 앞선 시점(대과거)) my lesson.

해석 (A) ❶ 어느 날 식탁에서 나는 보지 않고 무언가를 잡기 위해 손을 뻗었다가 아빠의 접시에 커피 한 잔을 엎질렀다. ❷ 그는 불쾌해 하며 엉망인 결과물을 바라봤다. ❸ "돼지들이라도 이런 걸 원할지 모르겠다."라고 그는 말했다. ❹ "Susan, 네가 움직이는 방향을 보는 게 어떠니? 식사하는 동안에는, 너의 행동에 집중해라. ❺ 네가 언젠가 가족 말고 다른 사람 앞에서 망신당할 것 같아 (a)나는 걱정이다." 엄마가 나를 나무랐다.
(C) ❻ 오래지 않아 그런 일이 일어났다. ❼ 우리는 목사님 댁으로 저녁 식사 초대를 받았다. ❽ 우리가 갈 준비를 하는 동안, 엄마는 행주를 접어서 그것을 (c)그녀의 손가방에 챙겨 넣었다. ❾ "엄마, 그건 왜요?" ❿ 나는 의심이 들어 물었다. ⓫ "네 턱 아래에 묶어주려고." 엄마가 말했다. ⓬ "아, 엄마!" ⓭ 나는 투덜댔다. ⓮ "차라리 전 집에 있을게요!" ⓯ "나도 그 생각을 했단다." ⓰ (d)그녀가 엄한 표정으로 나를 쳐다봤다. ⓱ "하지만 너도 남들 앞에서 처신하는 법을 언젠가는 배워야지."

(B) ⑱ 우리가 저녁 식사를 위해 도착했을 때, 우리는 목사님의 어머니가 목사님을 방문 중이라는 사실을 알게 되었다. ⑲ 무슨 이유에서인지, 그녀는 나를 즉시 마음에 들어 했다. ⑳ 식사하기 위해 우리가 앉는 동안, 이 친절한 노부인은 자기 옆에 앉으라고 나에게 강하게 권했다. ㉑ 엄마는 꺼려했다. ㉒ "Susan은 자기 음식을 자르는 데 가끔 도움이 필요해요. ㉓ 그 애가 (b)제 옆에 앉는 게 아마 나을 거예요." ㉔ "아, 그건 별일이 아니에요. ㉕ 제가 그녀를 기꺼이 도와줄게요." 그 노부인이 말했다. ㉖ 모든 게 잘 진행되는 것 같았을 때 최악의 일이 벌어지고 말았다.
(D) ㉗ 나는 대화에 참여하려고 시도하고 있었다. ㉘ 나는 어떤 물건의 너비를 설명하려다가, 거리를 재기 위해 팔을 크게 뻗었다. ㉙ 여느 때처럼, 나는 내 손에 무엇이 있다는 것을 기억하지 못했다. ㉚ 한 숟갈 가득한 소스가 그 친절한 노부인의 턱 바로 밑에 떨어졌다. ㉛ 나는 겁에 질려 그것이 (e)그녀의 무릎으로 뚝뚝 떨어지는 것을 보았다. ㉜ 목사님의 어머니는 우리에게 영구적 피해를 끼친 건 아니라고 안심시켰다. ㉝ 그러나 나는 면목이 없었다. ㉞ 집으로 돌아가는 길은 힘들었다. ㉟ 아빠는 내가 교훈을 얻었기를 바란다고 말했다.

Words and Phrases • dump ~을 털썩 내려놓다, 떨어뜨리다 • messy 지저분한 • distaste 불쾌감 • direction 방향 • scold 꾸짖다 • pay attention to ~에 주의를 기울이다 • minister 목사 • take a liking to ~가 마음에 들다 • reluctant 꺼리는, 마지못한 • tuck *A* into *B* A를 B에 집어넣다 • suspiciously 의심이 들어 • moan 투덜거리다 • sternly 엄격하게 • conduct oneself 처신하다 • in public 사람들이 있는 데서 • fling (신체 일부를 갑자기) 내밀다 • dribble 뚝뚝 떨어지다 • permanent 영구적인 • be in disgrace 면목을 잃고 있다 • remark 말하다

정답 전략 **1** (A)에서 '나'는 식사 도중 실수로 아버지의 접시에 커피를 쏟고, 부모님께 주의를 듣는다. (C)에서는 그 사건 이후 목사 댁에 식사 초대를 받아 가게 되어 어머니와 실랑이하는 장면이 그려지므로 (A) 뒤에 나오는 것이 자연스럽고, (B)에서는 목사 댁에 도착하여 목사의 어머니가 마침 그곳에 있다는 것을 알게 되는 장면이 묘사되므로 (C) 뒤에 이어지는 것이 알맞다. (B)에서 목사의 어머니가 '나'를 마음에 들어 하여 옆자리에 앉게 했으므로, '내'가 그 자리에서 또 실수를 하고 창피해 하는 상황이 그려진 (D)가 마지막에 와서 이야기가 마무리되는 흐름이 자연스럽다.
2 (e)는 목사의 어머니를 가리키고, 나머지는 모두 'I'의 어머니를 가리킨다.
3 ⑤ '나'의 숟가락에 있던 소스가 목사의 어머니에게 날아갔지만, 목사의 어머니는 영구적인 피해가 아니라며 '나'와 가족들을 안심시켰다.

4~6 지문 한눈에 보기

(A) ❶ Mark's brother, Reuben (동격), got a new coat, / so (접속사(결과): 그래서) Mom decided to make (명사적 용법(목적어)) Mark's winter coat / out of (~로(수단 · 재료)) Reuben's old one (coat). ❷ She took (동사 1) it apart carefully, cleaned (동사 2) and brushed (동사 3) the pieces / and soon there was a nice new coat for Mark. ❸ He liked the coat very much, / but he did (동사 want 강조) want new buttons on it. ❹ But Mom said, / "These are good buttons / and look fine / just as (접속사: ~처럼) they did (looked fine) on Reuben's coat." ❺ He protested but when Mom had her mind made up (5형식: 목적어와 목적격 보어의 관계가 수동), / there was no point in wasting time trying (waste+시간+V-ing: ~하는 데 시간을 낭비하다) to change it.
(C) ❻ One evening Mom said to Mark, / "Put on your coat and run out to the barn. ❼ Ask (동사) Dad (목적어) to bring (목적격 보어) some eggs." ❽ He had been a frequent visitor to the barn, / but the animals never paid much attention to him. ❾ This evening, however, was different. ❿ Just outside the barn door (부사구) / stood Nellie (주어, 동사 도치), their family horse (동격). ⓫ Before he could enter, / (b) she (Nellie) banged her head against his stomach, / and he sat down hard. ⓬ Reuben and Dad came running / when (접속사(시간): ~일 때) they heard (지각동사) Mark (목적어) scream (목적격 보어). ⓭ Reuben said to Dad, / "Whatever got into that horse?" ⓮ "I guess Mark startled (c) her (Nellie)," / replied Dad.
(B) ⓯ Several days passed after the incident, / and the family was ready for a trip to town. ⓰ Of course Mark was wearing his new coat, / and as (접속사(시간): ~일 때) he walked in front of Nellie, / (a) she (Nellie) reached (동사 1) out again and butted (동사 2) him with her head. ⓱ This time, / Nellie was chewing on one of his coat buttons. ⓲ "What's the matter with that horse? ⓳ Mark, have you been teasing her?" / asked Mom. ⓴ "No, I haven't," / he said.

(D) ㉑ Reuben came up with the answer. ㉒ He said, / "Nellie only goes after Mark / when he has that coat on.
접속사: ~일 때
㉓ I think / Nellie remembers those buttons / when they were on my coat. ㉔ I trained (d) her to shake the front of
buttons / Nellie
my coat / to get sugar. ㉕ I think / that's what she wants." ㉖ Mom was doubtful, though. ㉗ However, / when Nellie
선행사를 포함하는 관계대명사
continued to make life miserable / for Mark whenever he wore that coat, (e) she began to change her mind.
make의 목적어와 목적격 보어 / 복합관계부사: no matter when / Mom
㉘ Finally one day she said, / "I believe Reuben is right. ㉙ Maybe I'd better change the buttons." ㉚ So Mark's wish came true / after all.

해석 (A) ❶ Mark의 형 Reuben에게 새 코트가 생겨서, 엄마는 Reuben의 오래된 코트로 Mark의 겨울 코트를 만들어 주기로 했다. ❷ 그녀는 그것을 조심스럽게 분해하고, 세탁하고, 부분별로 솔질하였고, 곧 Mark를 위한 멋진 새 코트가 생겼다. ❸ 그는 그 코트를 매우 좋아했지만, 코트에 새 단추가 있기를 정말로 원했다. ❹ 하지만 엄마는 "이 단추는 좋은 단추고, Reuben의 코트에 있었을 때처럼 멋져 보인단다."라고 말했다. ❺ 그는 항의했지만, 엄마가 마음을 정했을 때에는 그것을 바꾸려고 노력하는 데 시간을 낭비해도 아무 소용이 없었다.
(C) ❻ 어느 날 저녁에 엄마가 Mark에게 말했다. "코트를 입고 헛간으로 뛰어가렴. ❼ 아빠한테 달걀을 몇 개 가져오시라고 말씀드려라." ❽ 그는 전에도 자주 헛간에 갔었지만, 동물들은 그에게 별로 관심을 두지 않았다. ❾ 하지만 이날 저녁은 달랐다. ❿ 헛간 문 바로 밖에 가족이 기르는 말 Nellie가 서 있었다. ⓫ 그가 헛간으로 들어가기도 전에, (b)그 말은 자신의 머리를 그의 배에 쿵 하고 쳤고, 그는 털썩 주저앉았다. ⓬ Mark가 비명을 지르는 소리를 듣고 Reuben과 아빠가 달려왔다. ⓭ Reuben이 아빠에게 말했다. "저 말 도대체 왜 저래요?" ⓮ "Mark가 (c)말을 놀라게 한 것 같구나."라고 아빠가 답했다.
(B) ⓯ 그 사건이 있은지 며칠이 지났고, 가족은 마을에 갈 준비가 되어 있었다. ⓰ 물론 Mark는 자신의 새 코트를 입고 있었고, 그가 Nellie 앞을 걸어가자, (a)그 말이 다시 다가와 머리로 그를 들이받았다. ⓱ 이번에, Nellie는 그의 코트 단추 중 하나를 씹고 있었다. ⓲ "저 말에 무슨 문제가 있니? ⓳ Mark야, 너는 말을 놀린 적 있었니?"라고 엄마가 물었다. ⓴ "아니요, 놀린 적 없어요." 그가 말했다.
(D) ㉑ Reuben이 대답을 생각해 냈다. ㉒ "Nellie는 Mark가 저 코트를 입고 있을 때만 Mark를 뒤쫓아 가요. ㉓ 제 생각엔 단추가 제 코트에 있었을 때를 Nellie가 기억하는 것 같아요. ㉔ 설탕을 얻으려면 (d)말에게 제 코트 앞자락을 흔들라고 제가 훈련을 시켰거든요. ㉕ 그게 Nellie가 원하는 것이라고 생각해요." ㉖ 그래도 엄마는 미심쩍어했다. ㉗ 그러나, Mark가 그 코트를 입을 때마다 Nellie가 계속해서 Mark의 삶을 비참하게 만들자, (e)그녀는 마음을 바꾸기 시작했다. ㉘ 마침내 어느 날 그녀가 말했다. "Reuben의 말이 맞는 것 같구나. ㉙ 아마도 내가 단추를 바꾸는 게 좋겠어." ㉚ 그래서 Mark의 소원은 결국 이루어졌다.

Words and Phrases • take apart ~을 분해하다 • protest 항의하다 • there is no point in V-ing ~해도 소용없다 • butt (머리로) 들이받다, 밀다 • tease 놀리다 • barn 헛간 • bang 쾅하고 치다 • startle 놀라게 하다 • come up with ~을 찾아내다 • doubtful 의심스러운 • miserable 비참한 • after all 결국

정답 전략 **4** (A)에서 엄마는 Mark에게 형 Reuben의 코트를 분해해서 새 코트를 만들어 주었지만, 단추는 이전 것을 그대로 써서 Mark는 불만을 가지고 있었다. 이후 (C)에서 말 Nellie가 새 코트를 입은 Mark를 들이받는 사건이 있었고, (B)에서는 '그 사건(the incident)'이 언급된 뒤에 Nellie가 Mark의 새 코트 단추를 씹는 또 다른 사건이 일어나므로 (B)가 (C) 뒤에 오는 것이 자연스럽다. 그리고 (D)에서 두 사건의 원인으로 짐작되는 바를 Reuben이 추측해 냈고, 결국 엄마가 단추를 바꾸기로 하는 (D)가 결말이 되어야 한다. 따라서 (C)-(B)-(D)의 흐름이 가장 적절하다.

5 (e)는 엄마를 가리키고, 나머지는 모두 말인 Nellie를 가리킨다.

6 ③ 엄마는 Mark에게 아빠한테 달걀을 가져오시라고 말씀드리러 헛간으로 가라고 했다.

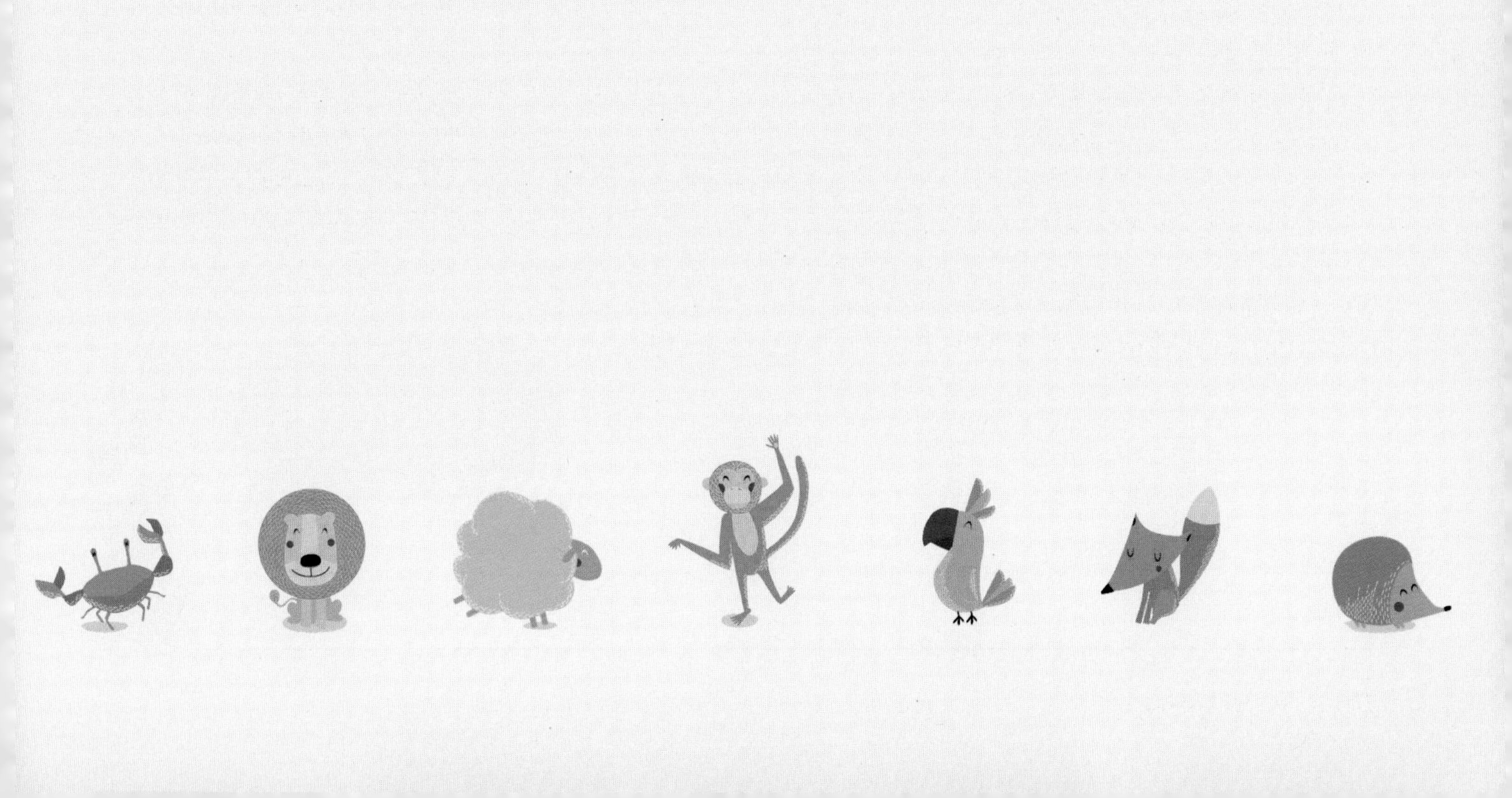

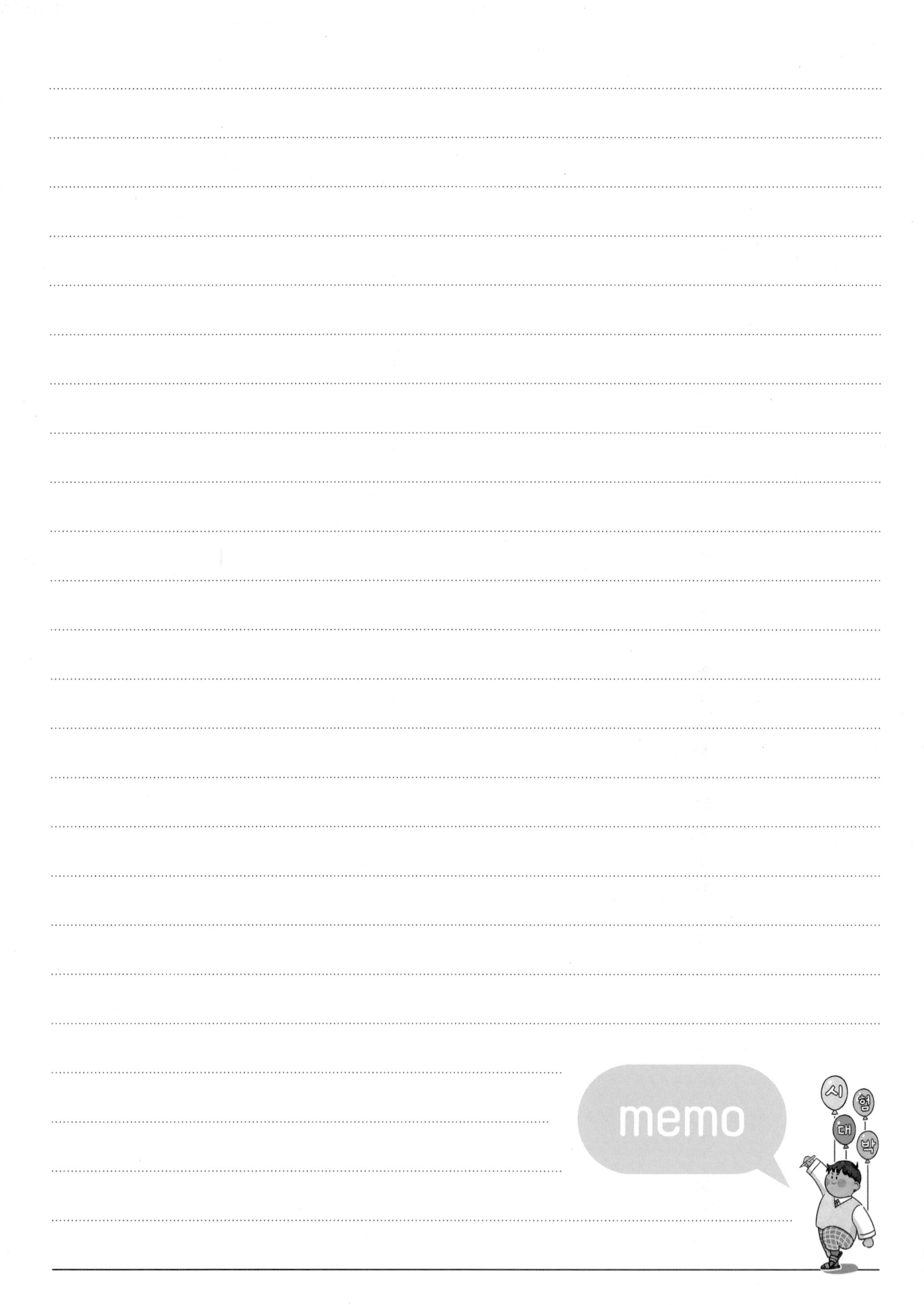
memo
시
험
대
박